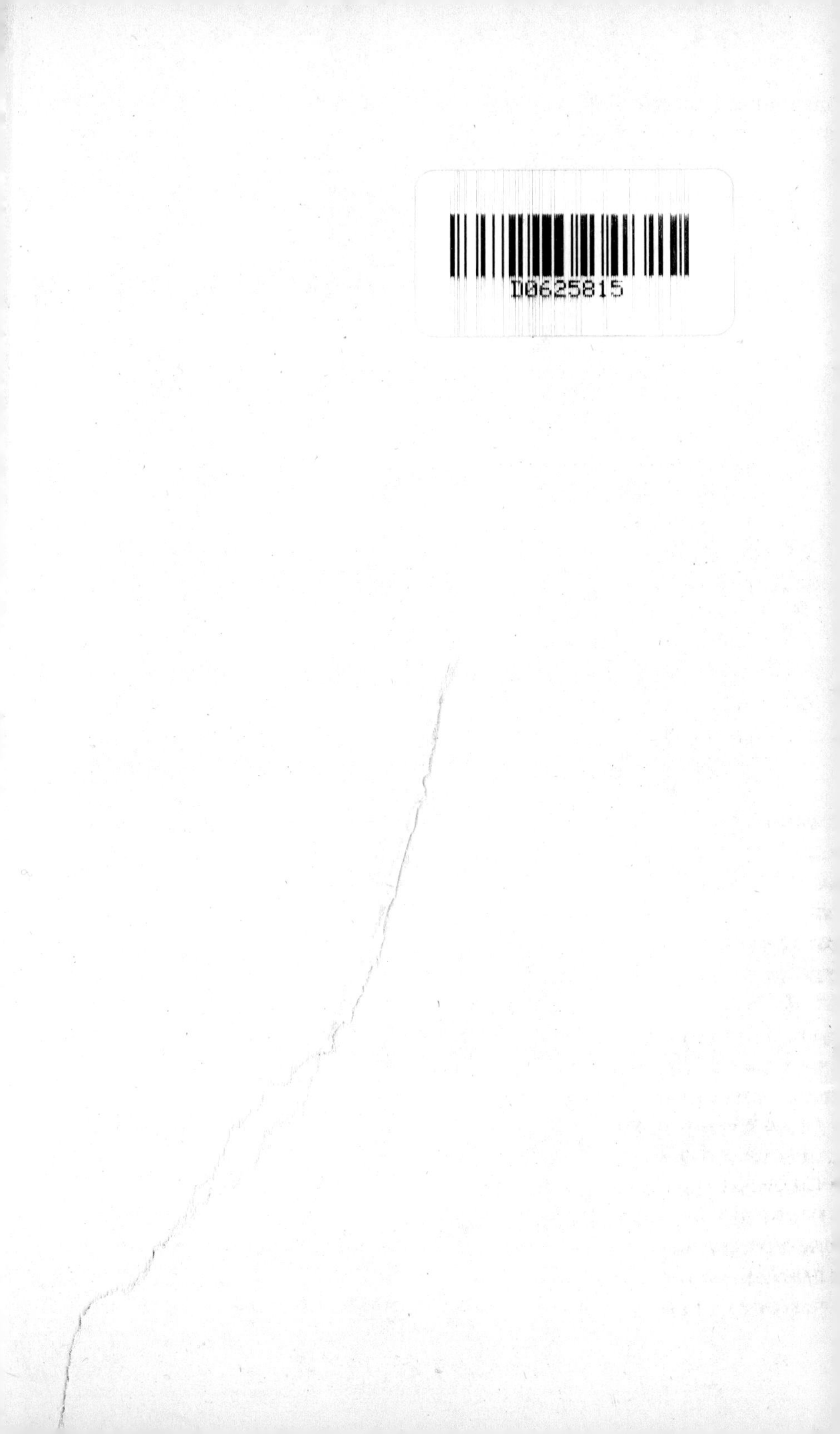

GRACE BURROWES

IL VERO DESIDERIO

romanzo

Traduzione dall'inglese
di Riccardo Moratto

Della stessa autrice abbiamo pubblicato:

Il vero gentiluomo

Prima edizione: luglio 2018
Titolo originale: *Daniel's True Desire*

via Giovanni Antonelli, 44 – 00197 Roma
tel. 06.39366384 – email: info@leggereditore.it
Il marchio Leggereditore è di proprietà
della Sergio Fanucci Communications S.r.l.
Indirizzo internet: www.leggereditore.it

Stampato in Italia – Printed in Italy

Progetto grafico: Grafica Effe

GRACE BURROWES

IL VERO DESIDERIO

Dedicato ai guaritori feriti.

1

«Per quale motivo tutti quanti si divertono a raccontarmi delle menzogne?»

A Daniel Banks battevano i denti dal freddo mentre si rivolgeva al proprio cavallo, il quale, esausto e a testa bassa, si era fermato davanti all'unica dimora in vista.

«Non vi potete sbagliare,» Daniel ripeté a sé stesso «dovete imboccare l'unica stradina che svolta a sinistra a circa mezzo chilometro a ovest del villaggio.»

L'umile abitazione che si stagliava davanti ai suoi occhi non era certo Belle Maison, residenza del conte di Bellefonte. Daniel aveva ascoltato attentamente le indicazioni che gli erano state fornite al Queen's Harebell. Nel bel mezzo di una sferzante tormenta di neve, lo avevano spedito nei pressi di un cottage fatiscente e segnato dalle intemperie.

«Non tarderò molto» promise Daniel al suo castrone.

Daniel smontò da cavallo e, non appena i suoi stivali toccarono il terriccio innevato, avvertì una tremenda fitta di dolore lungo gli arti inferiori, troppo a lungo esposti al gelo. Rimase immobile per un momento, in attesa che il dolore si attenuasse. Nel frattempo inventò una serie di improperi tra sé e sé quando, invece, sarebbe stato più consono alla sua persona se si fosse messo a recitare sottovoce il ventitreesimo salmo.

«Salve, c'è nessuno?» Chiamò, riuscendo a malapena ad avanzare di tre passi nella neve.

Il portico ospitava una modesta scorta di quercia tagliata. All'interno dell'abitazione qualcuno stava bruciando della legna, poiché l'aria gelida portava con sé una nota confortante di profumo di legna da ardere.

Non appena Daniel, chinandosi, entrò nel portico, il vento si placò mentre il gelo persisteva inesorabile. Desiderava ardentemente un fuoco, dei viveri e indicazioni adeguate, sebbene solo queste ultime fossero realmente importanti.

Un uomo di Dio avrebbe dovuto accogliere le difficoltà e, a suo modo, Daniel lo fece, soprattutto perché il suo archivio di espressioni colorite ma silenti si stava facendo alquanto considerevole. Sollevò un pugno guantato per bussare alla porta.

«Salve, c'è nes...?»

La porta si aprì e la manica di Daniel venne afferrata da una presa stretta. Fu strattonato nel tepore del cottage così bruscamente che per poco non sbatté la testa sull'architrave.

«Ho detto che sarei tornata a casa prima dell'imbrunire,» mugugnò la persona che lo aveva agguantato «e manca ancora un'ora al tramonto. Speravo che quest'infernale bufera di neve si placasse.»

La giovane donna trasalì e lasciò la presa.

«Voi non siete George.»

Ahimè, no. «Reverendo Daniel Banks, al vostro servizio, signora. Mi sono smarrito e ho bisogno di indicazioni per Belle Maison, la tenuta di Bellefonte. Chiedo venia per essermi intromesso nel vostro pomeriggio.»

Scuse a parte, Daniel avrebbe voluto trattenersi almeno fin quando i geloni ai piedi e alle orecchie si fossero attenuati. Belzebù era un cavallo di buona stazza, ricoperto da un prodigioso manto invernale, ed avrebbe sopportato il freddo tranquillamente per un po'; Daniel invece era infreddolito, esausto, affamato e considerava la sua imminente visita nella residenza del conte di Bellefonte, nel migliore dei casi, come una penitenza.

«I vostri guanti sono congelati» osservò la ragazza mentre gliene sfilava uno.

«Ma cosa avevate in mente, signore?»

Dopo aver rimosso il guanto, passò alla sciarpa avvolta attorno al collo. Si alzò in punta di piedi e gliela srotolò. Entrò in possesso dell'altro guanto, poi scrollò il tutto, spargendo granelli di ghiaccio in tutte le direzioni.

Che cosa aveva in mente? Negli ultimi tempi Daniel aveva cercato di evitare ogni spunto di riflessione. Era di gran lunga meglio così, in tutto e per tutto.

«Non ho intenzione di arrecarvi alcun disturbo, signora» disse Daniel, sebbene il tepore all'interno del cottage lo facesse sentire in paradiso.

Il bollitore fumava sul fuoco e l'aroma della cannella – un lusso – colmava lo spazio altrimenti umile. Qualcuno si era impegnato a rendere accogliente l'abitazione, con tanto di sedia a dondolo accanto al caminetto, candele di cera d'api profumate collocate nei candelabri e tappeti intrecciati che rivestivano il pavimento di tavole.

«Vi posso offrire del tè, qualche fetta di pane e un po' di burro. Poi, però, dobbiamo assolutamente metterci in cammino. Il mio nome è Kirsten Haddonfield, signor Banks, e posso accompagnarvi io a Belle Maison.»

Haddonfield era il nome di famiglia che si accostava al titolo nobiliare di Bellefonte.

«Ne desumo che siete imparentata con il conte?»

La ragazza indossava un semplice abito blu scuro di lana, a collo alto; indumento che in quel periodo dell'anno si vedeva indosso alle mogli dei contadini. Neanche la cugina di un conte si sarebbe conciata in quel modo, a meno che non avesse sofferto di eccessi di pragmatismo.

«Sono una delle sorelle più giovani del conte e voi siete mezzo congelato. Spero che quelli non siano i vostri stivali migliori, perché li avete rovinati.»

«Sono gli unici stivali che ho.»

Bionde sopracciglia arcuate convergevano su di un naso che nessuno avrebbe definito dai tratti fini e delicati, eppure tutto sommato lady Kirsten Haddonfield era una bella donna. Aveva gli zigomi pronunciati e il mento ben definito, la mandibola proporzionata e gli occhi di un azzurro tale da far trasparire la sua intransigenza nei confronti degli stolti – come se il suo tono di voce non lasciasse già una qualche ombra di dubbio in proposito.

Daniel era uno stolto. Ciò era confermato dalla facilità con cui era stato imbrogliato dallo *yeoman*[1] nella taverna e dalla disinvoltura con cui la sua stessa moglie lo aveva raggirato.

«Almeno sedetevi un attimo davanti al fuoco» lo invitò lady Kirsten mentre con delle mollette appendeva la sciarpa e i guanti sul focolare. «Vi siete smarrito per via del brutto tempo?»

Daniel si era smarrito ormai da mesi. «Il tempo ha sicuramente contribuito. Vi trovate qui da sola, mia signora?»

Lady Kirsten incrociò le braccia sul petto, le cui fattezze lo ren-

---

1 Nome dei coltivatori diretti inglesi (benestanti, ma non nobili) che nel XVII sec. gestivano da sé i loro poderi.

devano un capolavoro del Creatore anche agli occhi di un uomo di chiesa.

«Questo cottage è di proprietà della mia famiglia, signor Banks, la quale è al corrente che mi trovo qui. Questo tempo non è solo terribile, è pericoloso. Se è vostra intenzione balzare fuori di qui e rimetterci la pelle tanto per fare la figura del galantuomo, non sarò certo io a fermarvi. A breve dovrebbe arrivare lo stalliere o uno dei miei fratelli per riaccompagnarmi a casa. Quando passeremo accanto al vostro cadavere, a quel punto scopriremo in quale fosso saranno finite le vostre spoglie.»

Il calore che emanava il fuoco era davvero piacevole. L'aggressività di lady Kirsten, per quanto avesse poco di cristiano, lo riscaldava in un modo completamente diverso. D'altronde è pur vero che nella Bibbia non c'è scritto da nessuna parte che un buon samaritano debba per forza essere sovraccarico di fascino.

«Non siete neanche portata a dissimulare un atteggiamento cortese, mia signora, non è così?» La figlia di un conte era pur sempre una nobildonna sin dalla nascita.

Lady Kirsten si diresse verso la credenza a passo svelto e deciso, quindi si mise ad affettare del pane.

«Non sono portata a dissimulare alcunché. Dovreste mettervi seduto.»

«Se mi siedo, c'è il rischio che non mi rialzi più. Mi sono messo in cammino nell'Oxfordshire e ho affrontato un lungo viaggio. Questa bufera sembra avermi seguito passo dopo passo.»

«Perché non avete sostato a Londra nell'attesa che il tempo migliorasse?»

Perché se Daniel avesse trascorso un'altra notte a Londra, avrebbe dovuto fare appello a un vescovo o due e spiegare il motivo per cui il suo aiutante non lo aveva accompagnato nel posto del suo nuovo incarico.

«Sono qui per prendere in carico il pulpito di Haddondale» disse Daniel avvicinandosi al fuoco. Una copia de la *Rivendicazione dei diritti della donna,* aperta e con la copertina rivolta verso l'alto, giaceva sulla mensola del camino. «Mi è parso di comprendere che il ruolo doveva essere ricoperto con una certa urgenza.»

Sua signoria intinse un coltello d'argento in un fiocchetto di burro e indugiò prima di stenderlo sul pane.

«Siete voi il nuovo parroco?»

Il divertimento rendeva quella donna, dal carattere aggressivo e dal bell'aspetto, una creatura del tutto diversa. Sprigionava malizia, senso dell'umorismo e richiamava segreti di varia natura, ma anche

– da dove diamine gli sopraggiungevano simili pensieri? – baci. Baci spassosi e generosi.

Quando sorrideva, lady Kirsten sembrava il tipo di donna che avrebbe dato un buffetto sul sedere a un uomo – in pubblico.

Il gelo aveva reso Daniel ancor più sfrontato. «Ho forse un paio di corna o i piedi ungulati al punto da togliermi l'idoneità a una carriera ecclesiastica, mia signora?»

Lady Kirsten imburrò il pane con movimenti sicuri di sé.

«Avete degli splendidi occhi castani, signor Banks, un bel naso – anche se al momento è un po' rubicondo – e un sorriso che suggerisce che potreste fare brutti scherzi. Potreste anche spuntare un po' quella vostra folta chioma castana. I ministri del culto non dovrebbero sprigionare fascino. Ho due sorelle più giovani che soffrirebbero parossismi di convinzione religiosa se doveste essere voi a guidare il gregge.»

Olivia aveva sempre considerato il naso di Daniel una 'disgrazia'. Dal canto suo anche Daniel aveva sempre ritenuto che il suo matrimonio fosse degno dello stesso appellativo.

Gradualmente gli arti inferiori di Daniel stavano riacquistando sensibilità, mentre il suo stomaco cominciò a contorcersi dalla fame. Lady Kirsten gli passò una fetta di pane senza concedergli la grazia di poggiarla su un piattino.

«Non è fresco di giornata, il pane, intendo. Il burro è di stamane. Vi preparo del tè.»

Daniel diede un piccolo morso, poi si rese conto che si era dimenticato di recitare una preghiera di ringraziamento prima di addentare il cibo. *Ti rendo grazie, o Signore, per il cibo che mi hai donato, e per la compagnia.*

«Ecco il vostro tè, signor Banks. Affrettatevi a berlo, ché già sento il suono delle campanelle appese alla slitta.»

Daniel trangugiò il tè bollente in un unico, grande sorso. La dolcezza e l'essenza del liquido lo avevano fortificato, così come lo avevano rafforzato anche i modi schietti di lady Kirsten. Si infilò il mantello, poi gli porse la sciarpa, riscaldata dal fuoco e profumata di cannella, aiutandolo ad avvolgerla attorno al collo.

«Lasciate che sia io a presentarvi» fece lei, porgendogli i guanti caldi dopo aver ingurgitato pane e burro.

«Nella slitta potremo scaldarci i piedi e ci saranno anche delle coperte da viaggio; una volta arrivati a Belle Maison saremo subissati di domande. Mio fratello, il conte Nicholas, è molto protettivo nei miei confronti, e le mie sorelle sono tremendamente curiose.»

Attraversò la stanza, spense il fuoco e poi soffiò sulle candele una a una.

Lady Kirsten era stata gentile con lui, e Daniel voleva ricambiare la sua ospitalità. Con qualcosa di concreto, non con dei banali convenevoli.

Peccato che un reverendo indigente avesse ben poco da offrire oltre alla verità.

«A proposito, non ho sbagliato strada» ci tenne a puntualizzare. «Mi hanno fuorviato dei tizi alla taverna. Ho chiesto indicazioni per la residenza Belle Maison e mi hanno mandato qui. Non ho neanche confuso le loro parole, se è questo ciò che pensate, poiché ho chiesto loro di ripetermi le indicazioni ben due volte.»

In altre parole, si erano presi gioco di lui. Di nuovo.

«Sono vittime di sé stessi, non trovate?» disse lady Kirsten, spegnendo l'ultima candela e immergendo il cottage nell'oscurità. «Pensavano di farla franca prendendosi gioco di un povero ignaro. Vedrete che imbarazzo quando dovranno stringere la mano al nuovo parroco. Sarà un piacere assistere a una scena del genere. Anche le mie sorelle gradiranno lo spettacolo.»

Avvolse il pane e il burro e infilò il tutto in una bisaccia di broccato, poi sistemò il bollitore sulla mensola del camino.

Le campanelle appese alla slitta smisero di suonare, e Daniel rivolse al cielo qualche altra parola di gratitudine. L'idea di avere scaldapiedi e coperte da viaggio con cui riscaldarsi era una vera beatitudine rispetto alla fredda sella di Belzebù. Dopo aver legato il cavallo dietro la slitta, Daniel salì e si sedette accanto a lady Kirsten, la quale non si fece alcuna remora a condividere la coperta con il reverendo. E anche questo contribuì al suo senso di beatitudine.

Voi non siete George.

Poteva mai una donna pronunciare un'osservazione più stupida di questa?

Kirsten non si fece troppi problemi a sistemare la coperta da viaggio sulle ginocchia. Il signor Banks era seduto alla sua destra, e Alfrydd, il capo della servitù, alla sua sinistra, alle redini. La ragazza sentiva molto più calore provenire dal lato destro. Raggiunsero Belle Maison in men che non si dica, prima ancora che Kirsten avesse il tempo di inscenare mentalmente la versione degli eventi che avrebbe esposto ai fratelli. Di sicuro non avrebbe raccontato menzogne.

Non si prendeva mai la briga di mentire alla sua famiglia, anche se, senza dubbio, loro spesso desideravano che lo facesse.

«Venite, signor Banks. Ci penserà Alfrydd a sistemare il vostro cavallo, mentre a *sistemare* voi con ogni probabilità ci penserà la contessa.»

«Non tarderò molto» disse il signor Banks rivolto al suo irsuto destriero nero, mentre lo slegava da dietro la slitta. Granuli di ghiaccio imperlavano la criniera e la coda del cavallo, mentre palle di neve inghirlandavano i nodelli dell'animale. «Belzebù ne ha passate abbastanza per oggi, permettetemi almeno di dissellarlo.»

Un reverendo con un cavallo dal nome di *Belzebù*?

Solitamente i fratelli di Kirsten consegnavano i loro cavalli allo stalliere limitandosi a un buffetto o magari a uno sfizietto da mangiare, dopodiché a grandi passi rincasavano tutti inzaccherati e facendo un gran baccano, mentre nel frattempo esigevano il loro brandy.

Il signor Banks non era George, o uno degli altri fratelli di Kirsten, se non forse nel senso teologico del termine.

«Lasciate che vi aiuti,» disse lady Kirsten «non abbiate timore di essere ricevuto dal conte. A meno che non scagliate fulmini dal pulpito e lanciate insulti alle donne per strada, sarete sicuramente un arricchimento per la nostra parrocchia rispetto al vostro predecessore.»

Il signor Banks condusse il suo destriero in una scuderia buia ma relativamente accogliente. L'odore di fieno e di stalla lo facevano sentire a casa e suscitavano in lui sensazioni piacevoli. Kirsten non condivideva l'amore delle sue sorelle per tutte le cose eleganti e raffinate, sebbene il signor Banks sprigionasse un'aria di logora eleganza maschile.

«Se siete così cortese da passarmi le redini, io mi occuperò della sella» suggerì il signor Banks. Lady Kirsten eseguì ciò che le venne indicato mentre accarezzava con la mano inguantata il bel muso del cavallo.

«Perché avete chiamato il vostro cavallo con il nome di un folletto?»

Sì, un folletto di Satana.

«È benedetto dal buonumore e da un buon senso dell'umorismo, e allorché si accinge a un lavoro sono poche le cose che riescono a distrarlo.»

«Il tuo padrone nutre un grande affetto per te» disse Kirsten rivolgendosi al cavallo.

Il castrone aveva gli occhi scuri e un'espressione dolce, molto simile a quella del suo padrone, ed entrambi avevano gli occhi incorniciati da lunghe ciglia folte. Sia il reverendo che il destriero avevano uno sguardo scaltro e avveduto, privo di tratti effeminati.

«Tengo tanto al mio cavallo, mentre Zubbie tiene più che altro alla sua razione di foraggio» puntualizzò il signor Banks mentre slacciava il sottopancia, dopodiché procedette a togliere la sella ma non il cuscinetto sottostante. Le parole del signor Banks erano così affettuose che in quel preciso istante Kirsten invidiò il castrone.

«È da tanto che vi prendete cura di Belzebù?» chiese Kirsten. Era ovvio che ci fosse un forte legame tra i due, come quello che si era instaurato tra Nicholas e la sua giumenta o tra George e il suo castrone. I fratelli di Kirsten si confidavano con i loro cavalli, trovavano conforto in loro, e quando i loro animali contraevano una malattia si agitavano, come se ad ammalarsi fosse un figlio loro.

Gli uomini diventavano emotivi per le cose più strane.

«Belzebù mi è stato regalato» precisò il signor Banks. Intanto prese le briglie da Kirsten e le avvolse attorno al collo dell'animale. «Un parrocchiano, ormai avanti con l'età, lo ha fatto nascere e si è subito accorto che Belzebù sarebbe diventato troppo grande e troppo energico per una coppia di anziani. Mi è stato dato in dono quando era un puledro di un anno e da allora siamo amici per la pelle.»

Il signor Banks estrasse dalla tasca una zolletta di zucchero in procinto di sbriciolarsi e, allungando la mano, la offrì al suo cavallo che la leccò sino all'ultimo granello.

Accarezzò il castrone e rimosse il sottosella facendolo scivolare dal corpo dell'animale, quindi lo accompagnò in un recinto per cavalli alquanto capiente e con tanta paglia e foraggio da sembrare quasi un vero e proprio letto di piume. A quel punto rimosse anche le redini e ci fu un momento di intimità tra i due, mentre il signor Banks gli accarezzava il collo nerboruto.

«Ci penserà Alfrydd a strigliarlo come si deve» disse Kirsten, giacché in nessuna circostanza avrebbe permesso al signor Banks di presentarsi da solo ai suoi familiari. Lei e il parroco assieme avrebbero preso d'assalto la cittadella abitata dai suoi fratelli e dalle sue sorelle. Susannah sarebbe stata particolarmente vulnerabile alla bontà che traspariva dagli occhi del signor Banks: una compassione paziente che tradiva sofferenza, peccato, oltreché magnanimità dello spirito volta all'accettazione sia della sofferenza che del peccato. Della avrebbe gradito la cordialità e l'affabilità che sprigionavano quegli occhi, mentre Leah, sebbene fosse innamorata persa del conte Nicholas, era sempre ben disposta a intrattenere conversazioni intelligenti.

«È abituato a bere l'acqua a temperatura ambiente, non troppo fredda» disse il signor Banks, dando un'ultima pacca al suo adorato cavallo. «Ed è parecchio timido quando è in compagnia.»

«Mio fratello Nicholas può vantare una scuderia ben gestita, signor Banks. Belzebù starà benissimo. Peraltro è un bel castrone di quasi un quarto di tonnellata e gode di ottima salute. Non è certo un bambino malaticcio al primo giorno di scuola.»

Un'ombra attraversò il volto del signor Banks, facendo emergere la spossatezza che un giorno di viaggio invernale inevitabilmente aveva generato.

«Hai sentito Sua signoria?» domandò Daniel rivolto al cavallo mentre gli stringeva l'orecchio. «Fai il bravo, mi raccomando, altrimenti ti metto in punizione.» Si voltò, fece per andarsene quando il cavallo fece un dubbio tentativo di mordicchiargli la manica, che il signor Banks ignorò.

«Mordere è un gesto pericoloso» disse Kirsten mentre il signor Banks lasciava la stalla e chiudeva la porta. «Perché non lo avete redarguito?»

Lady Kirsten avrebbe voluto schiaffeggiare Belzebù. Come osava maltrattare il suo padrone che lo amava così palesemente?

Il signor Banks estrasse i guanti di tasca e se li infilò. «Vuole solo che mi trattenga con lui. Se mi fossi voltato e avessi trascorso un altro minuto a puntargli il dito contro, l'avrebbe avuta vinta lui. Dovete avere freddo, mia signora. Posso farvi da scorta e accompagnarvi a casa?»

Le offrì il braccio. Frammenti di fieno e paglia gli si erano attaccati alla manica, oltre a una discreta quantità di crine di cavallo di colore scuro. Kirsten desiderava ardentemente rimanere con lui nel fienile, per rimandare il momento in cui avrebbe dovuto condividerlo con la sua famiglia.

Tuttavia, non era una ragazza monella intenta a perseguire piani egoistici che non avrebbero dato frutti. Lady Kirsten prese il signor Banks sottobraccio e insieme uscirono dalla stalla avviandosi nell'oscurità sempre più fitta.

«Dove diavolo si è cacciata?» borbottò Nicholas Haddonfield, conte di Bellefonte. La contessa non fu così ingenua da rispondere. «Non ho mai visto una tempesta di neve così violenta a stagione inoltrata. Per quale arcano motivo Kirsten deve sempre sgattaiolare e mettersi a recitare la parte di Marie Antoinette nelle lande selvagge del Kent con una bufera del genere?»

Fuori dalle finestre della biblioteca, la neve fioccava dal cielo sempre più scuro formando pallidi torrenti. Leah, la contessa di Bellefonte, offrì al consorte un bicchiere di brandy. Nick lo accettò ben volentieri, e lo sollevò all'altezza delle labbra della moglie. «Per riscaldarci» sussurrò, sebbene l'offerta della moglie fosse senza dubbio destinata ad allentargli la tensione e a farlo calmare. Leah fu costretta a berne un sorso – fintanto che resisteva era una donna compiacente –, quindi gli restituì il bicchiere.

«Il lato positivo delle tempeste tardive è che vengono presto dimenticate, Nicholas. A quest'ora, la settimana prossima, saremo alla ricerca di *crocus* e dovremo tenere d'occhio i bulbi olandesi. A proposito, quando dovrebbe arrivare il nuovo parroco?»

«Dubito che si farà vivo finché la neve non si scioglierà.» Nick poggiò il bicchiere. «Tesoro, vieni, ho bisogno di coccole. Mi serve la tempra che mi danno i tuoi baci.»

Come se l'era cavata prima del matrimonio? Come aveva fatto senza le dimostrazioni costanti di affetto copioso da parte della sua adorata consorte? Senza qualcuno che lo assecondasse nei suoi sbalzi d'umore? Senza i suoi saggi consigli sulle questioni familiari e sui problemi della contea?

«Ho udito il suono delle campanelle appese alla slitta poco prima di entrare» disse Leah, lasciandosi andare e sprofondando tra le braccia del marito. «Un suono così brioso, non possiamo certo biasimare Kirsten se vuole un po' di privacy. Quest'anno Della farà il suo debutto in società e per questo siamo un po' tutti con i nervi a fior di pelle.»

«Tutti tranne Della. Ha i nervi più saldi di noi tutti messi insieme. Non ho alcuna intenzione di andare a Londra, comunque.» A onor del vero, Nick detestava andare in città a far bella mostra di sé. Da questo punto di vista, Nick era in grado di comprendere il desiderio di Kirsten di nascondersi e di fingere che il mondo intorno a sé avesse cessato di esistere, e che tutto ciò che rimaneva erano le pagine di un bel libro o i confini di un indimenticabile pomeriggio.

«Lady Warne si diletterà a fare da guida a Della nel suo debutto in società» disse Leah, mentre baciava il mento del marito.

Leah sarebbe stata capace di sfiorargli le guance con le sue labbra nel caso in cui Nick si fosse messo comodo invitandola a coricarsi al suo fianco sul divano in velluto blu accanto al camino – un pensiero incoraggiante per un conte tormentato.

«La aiuterò io a socializzare,» proseguì Leah «ed è solo per qualche settimana.»

Lady Warne era la nonna materna di Nick: per gran parte della sua gioventù era stata la voce della sua coscienza, nonché una vera amica.

«Tesoro, odio tutti quei finimenti e quella superf...»

Le lamentele di Nick furono interrotte da Kirsten che si precipitò nella stanza. Le sorelle del conte erano per natura avverse a bussare prima di fare irruzione in una stanza, pertanto si meritavano qualsiasi situazione imbarazzante in cui si ritrovavano, loro malgrado. Nick diede un bel bacio con tanto di schiocco sulla bocca della moglie, tanto per ribadire il concetto.

Di nuovo.

«Bellefonte, contessa, abbiamo un ospite.» Kirsten non aveva bisogno di utilizzare un linguaggio forbito e una gestualità teatrale, poiché il suo corpo parlava sempre per lei. Era tesa come una corda di violino. Suo fratello, Nick, la adorava, davvero, nonostante fosse come una freccia carica di ragione e sentimenti incoccata sull'arco e pronta a essere scoccata nelle direzioni più imprevedibili.

«Kirsten, faresti meglio a chiudere la porta, prima che il calore si dissipi all'esterno» suggerì Nick, sciogliendo la moglie dall'abbraccio.

Kirsten si scostò rivelando l'uomo dietro di lei.

Al fianco di Nick, Leah trattenne il respiro e si avvicinò ancora di più al marito, come se avesse bisogno di sostegno per accettare la comparsa dell'ospite. Nick aveva incontrato Daniel Banks in diverse occasioni, ma per la prima volta vedeva il signor Banks dal punto di vista di una donna.

Padre Banks era maledettamente attraente. Al punto da togliere il fiato. Con occhi talmente scuri e penetranti che promettevano piena comprensione di tutte le disgrazie di una signora, oltreché tolleranza affettuosa nei confronti degli eventuali voli di fantasia, e tenera passione nel caso in cui il decoro fosse venuto meno anche per un singolo istante.

La rovina – da intendersi nel senso che generava scompiglio – era che Banks non aveva la minima idea dell'impressione che suscitava in chi aveva di fronte.

«Salve, signor Banks» disse Nick, tendendogli la mano. «Pensavo che avreste ritardato per via della tempesta.»

«Ho un destriero intrepido» disse Banks, inchinandosi, in modo ossequioso poi accettando la mano di Nick. «Mi è stato detto che la canonica di Haddondale era vuota.»

«Avreste potuto posticipare il vostro arrivo nell'attesa che il tempo si rimettesse. Non è che abbiamo condotto vite dissolute facendo orge dalla mattina alla sera in assenza di un parroco.» L'osservazione di Nick provocò una risatina da parte di Kirsten. «Orbene, non sapremmo neanche da dove cominciare se volessimo fare un'orgia. Vi posso offrire qualcosa da bere, Banks?»

In realtà, Nick sapeva tutto quello che c'era da sapere sulle orge, semplicemente come parte di un'istruzione a Oxford in un'epoca illuminata.

Kirsten offrì un po' di indulgenza misericordiosa decidendo di non aggiungere ulteriori informazioni a tal proposito.

«I piedi non mi si scongeleranno fino a Beltane[2]» disse Banks. «Se poteste offrirmi qualcosa da bere, ve ne sarei molto grato.»

Senza chiedere, Nick versò a Kirsten un bicchierino di brandy. Non era più una ragazzina. Dopo aver patito il freddo in un clima così tremendo, delle piccole attenzioni avrebbero potuto corromperla a comportarsi bene.

Leah aveva da ridire sul fatto che Kirsten venisse servita prima di un ospite, tuttavia la contessa decise di rimandare ogni commento a un secondo momento, grazie al cielo.

«Tesoro, ne vuoi un goccio?»

«No, grazie, Nicholas. Informerò il cuoco di aggiungere un posto a tavola. Benvenuto, signor Banks, questa sera sarete nostro ospite.»

Un altro inchino perfetto.«Vi porgo i miei ringraziamenti, mia signora.»

Il reverendo Banks era riuscito a catturare anche l'attenzione della contessa, fatto che aveva suscitato in Nick non tanto gelosia quanto curiosità.

In quel preciso istante sarebbe stato opportuno se Kirsten si fosse assentata con la scusa di cambiarsi d'abito o magari per andare dalle sorelle a disquisire su quale fosse la ricetta migliore per fare il *syllabub*[3], e invece no. Kirsten ebbe l'audacia di sedersi sullo stesso divano dove il conte avrebbe potuto scambiare effusioni d'amore con la sua adorata contessa.

«È stato stancante il viaggio dall'Oxfordshire?» Domandò Nick, porgendo a Banks un bel bicchierino di liquore, poi si premurò di rabboccare il suo.

«Il tempo non ha certo aiutato, comunque viaggiare fornisce

---

2 Beltane, o Beltaine, è un'antica festa pagana gaelica che si celebra attorno al primo maggio.
3 Il syllabub è un dolce al cucchiaio tipico della tradizionale cucina inglese, in voga soprattutto nel XVI e nel XVII secolo. Si tratta di una bevanda o un piatto di latte o crema, cagliata dall'aggiunta di vino, sidro o altro acido e spesso dolcificati e aromatizzati.

sempre all'uomo l'occasione di riflettere. È da tanto che è andato via l'ex parroco?»

Non abbastanza. «Meno di un mese» rispose Nick, e giacché i conti di Bellefonte avevano mantenuto in piedi la casata di Haddondale per secoli, Nick si sentì autorizzato a proseguire nel suo eloquio. Mentre Kirsten se ne stava seduta sul divano come un gatto a lambire ogni singola parola.

«Il parroco di prima era un po' all'antica» precisò Nick. «Non faceva altro che parlare di dannazione eterna, di giudizio universale e delle fiamme dell'inferno, anche se col tempo ci siamo abituati al suo stile.» La domenica mattina a messa non c'era verso di elemosinare un sonnellino con uno che ti urlava nelle orecchie per tutto il servizio.

«Era anziano» disse Kirsten intromettendosi nel discorso. «Non ci sentiva più e soffriva di gotta, malattia che lo tormentava senza pietà.»

Banks riusciva ad apparire elegante anche con gli stivali inzaccherati, la cravatta tutta sgualcita e il pastrano a cui andavano accorciati gli orli.

I suoi zigomi trasmettevano temerarietà, mentre le mani, dalle lunghe dita, erano indice di un uomo di grande sensibilità. Che spreco per un pastore di campagna.

«Il mio predecessore soffriva di problemi d'udito?» Si accertò Banks.

«Diciamo che non era avvezzo ad ascoltare» precisò Kirsten, mentre Nick sentì una tensione crescere come se l'arco della conversazione venisse portato indietro, all'altezza del mento dell'arciere.

Invece di complimentarsi con il conte per l'arredamento della biblioteca, o per il brandy, o per la bella collezione di libri che il vecchio conte aveva accumulato pur indebitandosi, il reverendo Banks rivolse quei suoi occhi scuri e penetranti su Kirsten.

«Sareste così cortese da fornirmi un esempio, lady Kirsten? Non vorrei veder ripetere episodi spiacevoli.»

Nella biblioteca di Belle Maison si stava verificando un miracolo, mentre Nick osservava la scena e continuava a sorseggiare il suo brandy. Kirsten Haddonfield stava intrattenendo un ospite in una conversazione civile. Senza frecciatine, battute taglienti più o meno velate, significati impliciti, ma soprattutto senza mettere alla prova in modo leggermente oltraggioso i limiti del decoro.

«Il signor Clackengeld soffre di gotta proprio come l'ex parroco» riprese Kirsten «anche se il signor Clackengeld lavora nella scuderia, quindi è sempre fuori con qualsiasi condizione atmosferica. Una volta ebbe l'audacia di chiedere al parroco se le ginocchia gli dolessero ancora e dovette sorbirsi una ramanzina sull'importanza della sofferenza che ci fortifica e ci rende più umili.»

Banks si soffermò un attimo sul suo drink, poi rivolse a Kirsten un sorriso tale che avrebbe potuto sbaragliare Byron e tutti i suoi pretendenti in un secondo.

«Non avete permesso che la conversazione terminasse lì, giusto, mia signora?»

Aveva un sorriso così dolce che infondeva coraggio – non era di certo un tentativo di seduzione.

«Ho commentato più forte di quanto avrei dovuto che l'umiltà è una virtù che si apprende per emulazione seguendo l'esempio altrui» replicò Kirsten.

Era come se un principe delle fate avesse rapito Kirsten Haddonfield e, al suo posto, avesse lasciato una ragazza carina, sorridente e timida. Per quanto riguarda la timidezza, Nick ne aveva dubitato a lungo. Kirsten era solita condire il suo eloquio con frasi latine, scorrazzare con poca grazia e femminilità, e sparare le sue idee come un sergente d'artiglieria con la granata puntata contro la carica della cavalleria nemica.

Insomma, era solita respingere gli ospiti con le poche armi efficaci a disposizione di una signora.

Banks non aveva avuto bisogno di nient'altro che di un sorriso e di una certa aria rilassata e cospiratoria per conquistare un briciolo di fiducia nella giovane Kirsten.

«Approccio interessante, lady Kirsten, e voi, mio signore?» chiese Banks. «Avete qualche consiglio da dispensarmi prima di assumere il mio nuovo incarico? Ho trascorso la vita nel piccolo villaggio di Little Weldon, tranne che negli anni in cui mi trovavo a Oxford per gli studi, quindi conoscevo molto bene le mie pecorelle smarrite. Che mi dite della gente della parrocchia locale?»

Non si poteva mentire a quell'uomo, non con un sorriso così raggiante.

«Gente normale» disse Nick. «I più hanno un'indole alacre, eccezion fatta per qualche scansafatiche. La maggior parte dei confratelli è gentile, qualcuno invece tende a lamentarsi. Non siamo inclini alla frivolezza, sia chiaro, ma se è per questo non siamo neanche uno stormo di cornacchie presbiteriane, sempre a ficcare il becco negli affari altrui. Sono convinto che vi troverete bene nella nostra parrocchia, signor Banks, purché abbiate un minimo di decoro riguardo alle questioni di fede e che, all'uopo, sappiate ballare un pezzo di sir Roger de Coverly con le donne nubili della contea.»

«Conosco molto bene sir Roger» Banks non stava nemmeno rimirando Kirsten, eppure Nick era convinto che la giovane stesse già fantasticando sul gran ballo che si sarebbe tenuto in primavera.

Nick proseguì con la descrizione dei vari illuminati all'interno della loro comunità, o di qualche villaggio rurale, e per tutto il tempo cercò di arginare una domanda che lo attanagliava.

Perché mai il primo a far breccia nel cuore di Kirsten Haddonfield, aprendosi un varco nella selva di spine sociali all'interno delle quali la ragazza si era rifugiata, doveva essere un uomo di chiesa povero, esausto e macilento, e come se non bastasse un uomo di chiesa *sposato*?

Era un segno positivo – Nick aveva cominciato a disperare sul futuro della sorella, tremava al solo pensiero di condividere un pasto con lei, o un presagio di sventura?

2

Olivia avrebbe odiato la canonica di Haddondale e, proprio per questo motivo, Daniel la considerava con indulgenza nonostante l'olezzo di muffa di cui era impregnata ogni stanza.

«È inabitabile,» sentenziò Fairly, i tacchi degli stivali che risuonavano sul pavimento del salotto vuoto «l'umidità entra nelle ossa, il tetto perde in due camere da letto, e quel vecchio bastardo non si è degnato di lasciare neanche un pezzo di carbone.»

Un visconte infuriato poteva anche arrogarsi il diritto di riferirsi all'ex parroco con l'epiteto di 'vecchio bastardo'. Daniel invidiava al cognato la disinvoltura con cui utilizzava un simile epiteto di sprezzo – tra le altre cose.

«Dormirò nello studio» disse Daniel. «O in cucina, sempre che non sia occupata dalla servitù. Prima dell'arrivo del carbonaio, il conte potrà procurarci un po' di legna.»

«Banks, questa catapecchia è inabitabile» esclamò Fairly indignato. La sorella di Daniel era convolata a nozze con un uomo bellissimo: alto, biondo, portato per il commercio, e con la raffinata topografia facciale di un asceta. Daniel non fingeva di comprendere il cognato in generale, o in questo caso specifico.

«Da che mondo è mondo il parroco vive nella canonica» spiegò Daniel. «Ho un tetto sulla testa, sono a due passi dalla chiesa e la gente del villaggio saprà dove trovarmi. Non capisco dove sia il problema.»

L'unico baule di Daniel occupava il centro del salotto, come un sarcofago nella stanza sul retro di un museo ammuffito.

Fairly poggiò il suo sedere aristocratico sulla somma dei beni terreni di Daniel, che consisteva perlopiù di vestiti rattoppati alla bell'e meglio e di alcuni diari scritti dal padre.

«Siete il nuovo parroco di Haddondale,» puntualizzò Fairly «la bussola spirituale della comunità. Il parroco deve vivere in un ambiente degno del rispetto che gli è dovuto. Il vostro predecessore evidentemente non era rispettato, né a quanto pare era degno di rispetto.»

Intanto, da qualche altra parte all'interno della canonica, le signore che li avevano accompagnati sbattevano porte e armadietti, facendo un gran baccano tipico delle donne quando invadono un territorio indomito.

Un forte mal di testa alla base del cranio di Daniel gli causava delle pulsazioni che, battendo, facevano da cassa di risonanza al baccano infernale che proveniva dai piani superiori.

«Il mio predecessore era piuttosto anziano» disse Daniel. «Anche la moglie aveva una certa età, e oserei dire che perfino la servitù non era controllata a dovere. Chissà, forse soffriva addirittura di menomazioni. Basterà un po' d'acqua e sapone, una buona ventilazione, una rassettata al focolare e...»

Un grido risuonò echeggiando nella vuota dimora e Fairly si rizzò dal baule con la stessa prontezza di un ragazzino che se ne vuole andare dalla lezione di catechismo in una bella domenica di primavera.

«Tranquilli, tutto a posto!» urlò lady Kirsten affacciandosi dalle scale. «Sua signoria si è presa un bello spavento, tutto qui.»

In men che non si dica Fairly era già a metà delle scale mentre Daniel, che aveva abitato in case parrocchiali per la maggior parte della sua vita, lo seguiva adagio, un passo alla volta. Uno strillo del genere di solito veniva causato da escrementi di topo o dall'avvistamento di un topo vero e proprio. I ratti, invece, forse a causa delle loro dimensioni maggiori, provocavano nelle donne sensazioni di livore e di ribrezzo, anziché farle trasalire.

«Sto andando fuori di testa» mormorò Daniel tra sé e sé.

La contessa di Bellefonte uscì furente dalla camera da letto che si trovava in cima alle scale. Era castana, alta e dal sorriso molto grazioso. Nutriva una considerazione esageratamente affettuosa per il conte, ma in quel preciso istante era in preda al desiderio pressante di abbandonare la proprietà. Fairly cercò di tranquillizzare la contessa poggiando le mani sulle sue braccia. «Fate dei respiri profondi e cercate di calmarvi, mia signora. Non correte alcun rischio.»

«Corro il rischio di incenerire questa casa!» replicò la contessa. «Mi sentirà Nicholas, eccome! E voi, signor Banks, non potrete certo restare qui.»

Lady Kirsten chiuse la porta della camera da letto e si diresse verso il corridoio. «Abbiamo trovato un pipistrello, signor Banks. Sua signoria pensava che fosse morto, e invece...»

«I pipistrelli vanno in letargo» spiegò Daniel. «Vivono mangiando soprattutto insetti, e d'inverno non saprebbero come sostentarsi, per cui un lungo riposo è la soluzione ideale.»

Lady Kirsten esaminò i suoi guanti. Intanto la contessa di Bellefonte scrutò Daniel come se si fosse espresso in cinese, mentre Fairly...

Lo sguardo di Fairly era pieno di compassione.

A qualsiasi uomo che avesse cresciuto un bambino per ben cinque anni sarebbe venuto spontaneo inserire delle lezioni di biologia, di tanto in tanto, nell'arco di una giornata. Pertanto, Daniel aveva condiviso l'innocente meraviglia di un bambino nei confronti degli strabilianti disegni della vita, e in questo modo aveva mantenuto giovane una parte del cuore e della mente; ma qui a Haddondale non avrebbe avuto bisogno di impartire lezioni di Biologia.

Il reverendo ebbe un improvviso slancio di compassione per il povero pipistrello che, molto probabilmente, si era svegliato di soprassalto provando un grande stordimento, e magari era anche affamato, da solo, impaurito dalle grida e disorientato dal fatto che non era ancora primavera.

«Sarete nostro ospite finché Bellefonte non si degnerà di sistemare questo posto» disse lady Bellefonte, liberandosi con uno strattone dal piglio di Fairly. «Lady Kirsten, vieni immediatamente.»

Lady Kirsten passò tra Fairly e Daniel, sfiorandoli a malapena, sprigionando nell'aria gelida un elegante profumo di menta ed erba da pascolo. Lanciò uno sguardo a Daniel di un'intensità tale da ridurre in cenere l'intera canonica.

Lady Bellefonte era turbata, spaventata e indignata, mentre lady Kirsten era palesemente furibonda. Daniel non riusciva a capire il perché. Di sicuro non era irata per quello che stava accadendo a *lui?*

«Come dicevo poc'anzi,» riprese Fairly «la tenuta di un parroco, la dimora in cui risiede, il suo cavallo, il suo eloquio, insomma tutto deve contribuire a consolidare la solennità del suo ruolo. Il vostro cavallo non è idoneo, per non fare menzione del vostro abbigliamento, che sembra stia per cadere a pezzi da un momento all'altro. Questa canonica poi è veramente disdicevole. Al momento solo l'eloquio preserva la vostra dignità, signor Banks. Convenite?»

La parola 'abbigliamento' derivava dal francese *habillement*. Il piccolo Danny era molto portato a riconoscere i suoni nelle diverse lingue. Ne era a conoscenza lo zio Fairly?

La canonica era trascurata da tempo. Le ragnatele addobbavano gli angoli del soffitto e la finestra in fondo al corridoio era offuscata da copiosi escrementi di mosca. C'era giusto un raggio di luce sufficiente a illuminare la presenza di un ragno, alle prese col suo pasto mattutino.

«Non mi sarei fatto nessun problema a rimanere qui» chiosò Daniel.

La porta d'ingresso sbatté, garantendo al parroco e al cognato un po' di privacy, eccezion fatta per i pipistrelli in letargo e il ragno affaccendato col suo spuntino.

Fairly era un medico di formazione. Tuttavia aveva abbandonato da tempo quella professione per i piaceri del commercio e del suo titolo di visconte – oltre al matrimonio con la sorella di Daniel.

«Pensate di essere entrato in una sorta di stato crepuscolare,» disse Fairly «in cui i privilegi del celibato vi vengono restituiti senza il timore che le mamme vi vogliano accoppiare a tutti i costi con le figlie. Potete mangiare agli orari più assurdi, indossare gli stessi indumenti per tre giorni di fila e trascurare di lavarvi i denti nel caso in cui rimaniate sveglio a leggere fino a notte inoltrata. Non vi comportate in questo modo, Banks.»

Un vero medico probabilmente non perde mai la propensione a dispensare diagnosi e conseguenti terapie.

«Mi cambio regolarmente e mi curo i denti in modo irreprensibile» controbatté Daniel. «Le signore si aspetteranno senza dubbio che ci uniamo a loro nella slitta. Vogliamo spostare il mio baule nel portico?»

«Certo che no. Non spetta a noi! I *lacchè* spostano i bauli, Banks. I facchini, gli stallieri, i garzoni, sono queste le persone che rischiano di scivolare a terra picchiando il fondoschiena sulla neve e sul fango facendo una figura meschina davanti alle signore» rispose indignato Fairly, scendendo le scale. «Siete un uomo di Dio, garanzia fornita dalla Chiesa d'Inghilterra che almeno un gentiluomo risiedente in ogni villaggio sia degno di una casa di culto. Voi non dovete...»

«*Daniel, su, avanti, scendete*!»

Daniel incedeva lentamente, non tanto perché il capo spirituale di una comunità rurale si ritiene debba avanzare alla velocità di un monaco nel bel mezzo di un corteo funebre, ma semplicemente perché era esausto per via dell'immane sforzo che stava facendo di intrattenere una conversazione, cercando di rimanere in piedi.

«Mi dovrei forse trasferire a casa *vostra*, Fairly?» domandò Daniel.

Gli occhi di Fairly erano di due colori diversi – uno blu e l'altro verde – ma col tempo si finiva per abituarcisi. Così come ci si abituava anche al suo intelletto acuto e alle sue vedute tolleranti nei confronti delle debolezze terrene, ma una cosa alla quale non c'era proprio verso di abituarsi era la sua commiserazione.

«La mia residenza dista da qui ben due ore, se il tragitto viene percorso su un destriero veloce in assenza di neve, Banks. Non mi sembra la soluzione ideale.»

Fairly si sarebbe fiondato verso i freddi e brillanti raggi di sole. Daniel invece ne aveva avuto abbastanza.

«Come sta il piccolo Danny?» chiese Daniel.

Fairly rimase con le spalle rivolte a Daniel e una mano sul chiavistello. Si voltò lentamente, aveva assunto un'espressione vuota come quella di un santo di marmo.

«Danny sta bene.»

Se il bambino si fosse ammalato, Letty gli avrebbe sicuramente fatto avere notizie. «È *felice*?»

La postura di Fairly si fece meno impostata. Si infilò la mano guantata nella folta chioma di capelli biondi. Questo atteggiamento era la versione di un attacco di esasperazione del visconte – per prendere tempo.

«E *voi* siete felice, Daniel? Questo è quello che mi chiederà il fanciullo.»

«Se fossi un uomo migliore, Fairly, vi compatirei per la difficoltà del vostro ruolo, ma la felicità di quel bambino è davvero importante per me. *È felice,* sì o no?»

«Diciamo che è... meno infelice. Mi ha detto di consegnarvi questa.» Fairly esibì una missiva piegata e indirizzata a matita allo zio Daniel. «Me l'ha data quando Letty era fuori dalla stanza, e io non l'ho letta.»

«Per caso Danny vi ha chiesto di accompagnarvi?»

Un bambino poteva mai trovare il coraggio di dire alla madre e al patrigno che provava una forte nostalgia nei confronti dello zio che lo aveva cresciuto da piccolo?

«Non ho comunicato a Danny l'ora esatta della mia partenza. Comunque, badate bene, Banks, se Danny mi chiederà in che condizioni versate, dovrò riferirgli che siete magro, parlate a malapena, e che avreste bisogno di una bella spuntata ai capelli. Per non parlare del fatto che lo fareste venire a farvi visita in una canonica invasa dai pipistrelli, dai topi e che emana gli odori più strani.»

Fairly se ne andò infuriato, mentre Daniel cercò di incassare quel colpo inaspettato.

Danny era un ragazzino e, come tutti i bambini della sua età, sarebbe andato matto per un posto gremito di pipistrelli, di topi e di strani odori. Come era possibile che Fairly, che era stato bambino anche lui e tutore legale di Danny, non riuscisse a cogliere un aspetto così semplice dell'infanzia?

Kirsten era stata circondata da uomini attraenti per la maggior parte della sua vita. I suoi fratelli – Ethan, Nicholas, Beckman, Adolphus e George – erano tutti di bell'aspetto. George era uno schianto con i calzoncini e gli stivaletti – e senza, forse, era vieppiù attraente. La bellezza del signor Banks non era motivo dell'attrazione che Kirsten nutriva nei suoi confronti, o almeno solo parzialmente.

Daniel era seduto allo scrittoio nella stanza della musica, i raggi del sole gli accarezzavano le spalle e gli tingevano i capelli di rosso scuro, mentre Susannah strimpellava una sonata di Mozart.

«Stai andando troppo veloce, Suze» sussurrò Della senza distogliere lo sguardo dai suoi cerchi da ricamo. «Devi cercare di trattenerti per il gran finale. Conserva le munizioni, per così dire, altrimenti gli arpeggi risulteranno assillanti.»

«Suonala te, allora» replicò Susannah, alzandosi nel bel mezzo di un fraseggio.

La matita del signor Banks si fermò per un istante prima di cancellare qualcosa, dopodiché rimase sospesa sopra il foglio mentre volse lo sguardo in direzione della stalla dalla parte opposta del giardino.

«Una di voi suoni la cadenza, per favore» disse Kirsten. Della si sedette sul panchetto che Susannah aveva appena abbandonato e proseguì da metà fraseggio alla fine del pezzo. La matita del signor Banks riprese a ondeggiare. Finché anche Della incespicò sugli arpeggi infernali.

«Signor Banks, mi accompagnereste in biblioteca?» domandò Kirsten, mettendo da parte il suo punto tagliato. «Gradirei un consiglio su alcuni sermoni che vorrei leggere.»

Della riprovò a eseguire lo stesso passaggio senza riuscirci, mentre la costernazione di Susannah le si leggeva sul volto a lettere cubitali. I messali non erano certo tra le letture preferite di Kirsten, eppure Susannah, da buona sorella, aveva deciso di essere discreta e di tacere al riguardo.

Il signor Banks era già in piedi, con lo scrittoio che si teneva sulle ginocchia ora stretto tra le mani. «In biblioteca, dite? Volentieri. La compagnia dei libri lenisce l'anima.»

Uscì in fretta dalla stanza, e lo stesso fece Kirsten, ma si fermò a metà corridoio. «Vogliate perdonare la mia maleducazione, mia signora. Una volta che abbiamo scelto il libro, gradirei ritirarmi nelle mie stanze, nell'auspicio che mi venga l'ispirazione tra adesso e domenica.»

«Si tenga la sua maleducazione, signor Banks. Sapete per caso se la contessa è in biblioteca?»

Riprese a camminare, in direzione delle scale. «Assieme a Vossignoria.»

Magari erano comodamente sdraiati sul divano blu, che Nicholas amava in modo particolare, come una coppia di pipistrelli in letargo.

«Che ne dite di andare nell'ufficio della tenuta?» chiese Kirsten, poiché un uomo intento a redigere il sermone inaugurale aveva bisogno di pace e di tranquillità.

«Il signor George Haddonfield è venuto a copiare i registri, a ordinare gli opuscoli, o qualcosa del genere.»

«Sono sorpresa che Elsie lo abbia perso di vista.»

Perché mai George non si era inchinato al cospetto delle sorelle?

Banks intanto si era avviato su per le scale. «Prego?»

Kirsten lo raggiunse facilmente, e questo stava a indicare che non stesse scappando da lei. Appunto.

«George si è sposato da poco; lui e sua moglie, Elsie, sono alquanto innamorati. Parecchio innamorati.» Il che era commovente e sorprendente, oltreché un orribile tradimento. George era l'ultimo fratello che Kirsten si immaginava di perdere in nome del sacro matrimonio.

«Innamorati» ripeté Daniel, come se stesse scegliendo tra una selezione di cilici. «Una bella prova da sostenere per chi non è afflitto da simili sensazioni. A proposito, come vi siete accorta che non riuscivo più a concentrarmi?»

«Avete spezzato la punta della matita ben due volte, avete cancellato più parole di quelle che siete riuscito a scrivere, e d'un tratto vi siete interessato a un giardino ricoperto di felci e neve in via di scioglimento. Conosco un posto dove non verrete disturbato.»

Kirsten avrebbe già dovuto offrirgli un rifugio, ma valutò le varie alternative che era in grado di offrirgli.

«Ve ne sarei grato,» disse Banks «un luogo in cui non sarò disturbato. Di solito mi gratifica molto preparare un sermone, tuttavia scriverne uno che sia memorabile e addirittura convincente non è affar semplice, per non parlare del fatto che la mia ispirazione sembra essere rimasta nell'Oxfordshire.»

Era una questione importante per Daniel Banks, quindici minuti di ronzio scritturale la domenica mattina, momento in cui la maggior parte della gente si faceva un bel sonnellino.

«Un altro piano» disse Kirsten, fermandosi per dare istruzioni alla servitù mentre superava l'ala della famiglia. «La stanza sarà fredda per un po', ma almeno è tranquilla. Ritengo che la quiete e la solitudine siano più importanti del tepore e della comodità, quando sono di un certo umore.»

«È per questo che vi ho trovata da sola nel cottage degli affittuari?» chiese il signor Banks.

Kirsten lo aveva sottovalutato, supponendo che la virtù equivalesse a una mancanza di percettività o a una riluttanza ad affrontare le percezioni. Con sua sorpresa, Kirsten era contenta che le avesse fatto quella domanda, così come era felice del fatto che avesse rivolto la sua percettività su di *lei*.

Girò l'angolo sul pianerottolo in direzione del terzo piano.

«Mi avete trovata nel cottage di un ex affittuario,» disse «in cui un tempo abitavano parecchi bambini vivaci. Mi sono offerta di rendere il cottage abitabile per il prossimo affittuario perché mi è sempre piaciuto adattare uno spazio affinché chi ci abiti possa utilizzarlo in modo ottimale.»

Banks fece una sosta sul pianerottolo, l'aria era notevolmente più fredda in quella parte della casa. Un ritratto era appeso nell'alto spazio della tromba delle scale.

«Vostra madre?» chiese. La donna dipinta nel ritratto era bionda, sorridente e di una bellezza folgorante, e cullava un infante tra le braccia. La piccola creatura indossava un abitino da battesimo – di pizzo scintillante – e sul volto aveva stampato un sorriso serafico.

«Mi è stato detto che sono io quella in braccio alla mamma,» disse Kirsten «anche se non mi capacito di come sia rimasta immobile tanto a lungo da far sì che il ritrattista potesse eseguire il suo operato.»

Il signor Banks studiò il dipinto molto più intensamente di quanto Kirsten potesse sopportare. «Vostro fratello mi ha riferito dell'ex affittuario del cottage. Il fatto che i parrocchiani mi abbiano mandato lì è stato un vero e proprio insulto alla mia dignità, vero?»

«Venite, signor Banks» disse Kirsten, prendendolo sottobraccio. «Avete tanto tempo per apprendere quali dispetti siano in grado di combinare gli abitanti del villaggio di Haddondale nei loro pigri pomeriggi.»

Daniel era un uomo grande e grosso, eppure non era massiccio come, ad esempio, il fratello Nicholas. In realtà, nessun essere umano era massiccio come Nicholas, solo le bestie da soma lo richiamavano in certi tratti. Il signor Banks era più slanciato, eppure Kirsten sospettava che non avesse per questo meno forza.

«Il cottage dove vi ho trovata stamane era abitato da una donna caduta in disgrazia» disse Banks, mentre accompagnava Kirsten su per le scale. «Quando ha sgomberato l'abitazione?»

Percettivo e analitico. Nessun pipistrello in soffitta per il signor Banks. «Addy Chalmers ha sgomberato la prima settimana per unirsi alla famiglia di un cugino nello Shropshire. Nei limiti del possibile ha fatto il massimo per sfamare i suoi figli, signor Banks, e a onor del vero la situazione in cui versava non era da attribuire esclusivamente alla sua volontà.»

All'inizio un uomo era stato coinvolto nella rovina della signora Addy. Come spesso accade, c'è sempre un uomo all'origine dei peggiori guai di una donna.

Kirsten aveva concesso due giorni lavorativi agli operai di Nicholas per pavimentare il cottage, dopodiché aveva deciso di rendere lo spazio abitabile. La sua famiglia aveva evitato di chiederle quando avrebbe terminato il progetto e lei, dal canto suo, non si era data un limite di tempo.

«Gli abitanti del villaggio hanno saputo della partenza di questa povera donna?» chiese Banks mentre Kirsten lo conduceva nella sala da studio.

«Come avrei potuto...?» Kirsten si arrestò fuori dalla stanza.

Sua sorella Nita e il marito, Tremaine St Michael, avevano mandato Addy e la sua prole nello Shropshire su una carrozza spaziosa di proprietà del signor St Michael.

«Dubito che qualcuno lo sapesse. La partenza di Addy è stata organizzata con discrezione, e neanche i nostri vicini sono a conoscenza di dove si trovi adesso.»

Il signor Banks indossava la calma esattamente come alcune donne indossavano i loro scialli preferiti, era una parte inscindibile della sua persona, così come lo era la sua voce o le sue mani.

«Insomma, i tizi al Queen's Harebell sono stati meschini» sentenziò in tono pur sempre cordiale. «Non mi dispiace se si divertano a mie spese, ma il mio arrivo sarebbe stato sicuramente imbarazzante per la donna che viveva lì.»

Kirsten aprì la porta sulla sala da studio più grande che Daniel avesse mai visto e dove da piccola aveva trascorso anni a leggere. Che razza di pastore si preoccupava tanto per la dignità di una prostituta?

«Potete fare un sermone ai fedeli sull'ipocrisia e sul giudizio,» disse Kirsten «sullo scagliare la prima pietra, anche se come prima volta sarebbe un inizio un po' audace. Ecco, qui nessuno vi disturberà.»

Lo condusse all'interno della stanza, che era rimasta immutata negli anni, come se fosse in attesa di altri piccoli scolaretti. Per il loro primogenito, Nicholas e Leah avevano usato un gruppo di stanze più ristretto, una delle quali era sullo stesso piano in cui si trovava la suite del conte.

I raggi di sole con il loro bagliore illuminavano un sottile strato di polvere che si era accumulato sullo specchio sopra il camino, per il resto la stanza era esattamente come l'aveva lasciata Kirsten: un tavolino con sedie per bambini in un angolo, una scrivania leggermente più grande nell'angolo opposto, e lo spesso tappeto macchiato davanti al caminetto.

Una coperta scozzese era sistemata sul divano, davanti a uno sgabello malconcio, sotto al quale era stato collocato un piccolo scrittoio in più per ogni evenienza. Kirsten aveva anche lasciato una scatola del cucito sotto il divano e una copia dei sonetti di Shakespeare conferiva un tocco di grazia allo sgabello.

Ecco dove avevo lasciato i sonetti. Susannah glieli aveva chiesti in prestito.

Le ginocchia di Kirsten conoscevano alla perfezione la ruvida trama della lana del tappeto, così come il suo fondoschiena ricordava intimamente quanto fossero dure le sedie in una splendida giornata di primavera. In genere tendeva a cacciar via quei ricordi, tuttavia la presenza del signor Banks infondeva a essi uno spiacevole nuovo vigore.

«Questo è l'ambiente adatto per scrivere una bel sermone, signor Banks. Avete pace, solitudine e una splendida vista sui pascoli. Ho chiesto alla servitù di accendere il fuoco e di portarvi un vassoio e dei bracieri. Posso anche farvi avere un gatto, se gradite.»

Perché i gatti, indipendenti e regali, incarnavano la quintessenza della vita di famiglia. E a Kirsten pareva che il signor Banks fosse un uomo molto bisognoso di un focolare domestico.

«Non sarà necessario scomodare il gatto, comunque grazie del pensiero.»

Sorrise appena al pensiero di Kirsten da piccola alle prese con i libri. Il suo sorriso rifletteva la sua persona: tranquillo, dolce e un po' malinconico. Affascinante, ma non facile da comprendere come si potrebbe pensare all'inizio.

«Non provate a dirmi che sarei una moglie fantastica, signor

Banks, altrimenti vi do un ceffone.» Kirsten non aveva idea da dove fosse scaturita quella minaccia, ma nulla di nuovo, poiché era spesso in balia di osservazioni fuori luogo.

Il suo sorriso cambiò, acquisendo un cenno intrigante di... *malizia*? O meglio – idea ancor più sorprendente – di approvazione.

«Sono convinto che scrivereste un sermone straordinario, mia signora.» disse il reverendo. «Sull'ipocrisia, sul giudizio e sul coraggio. Le mie osservazioni tendono a essere più prosaiche, ne sono sicuro, e non avranno alcuna relazione con le vostre prospettive matrimoniali.»

Mancavano due giorni alla messa di domenica, e Daniel Banks non aveva ancora preparato il sermone. Che cosa aveva occupato la sua mente durante il lungo viaggio dall'Oxfordshire?

«Perché non utilizzate un sermone che avete scritto prima del trasferimento?» suggerì Kirsten. «Sono sicura che avrete qualche pezzo forte sempre pronto nell'eventualità in cui si presenti il vescovo.»

«Analogia interessante. Non avevo preso in considerazione l'ipotesi di usare del materiale vecchio.»

Non era per niente furbo. Non aveva neanche l'istinto di conservare le sue risorse per eventuali difficoltà. All'improvviso Kirsten non sopportava più di stare nella stessa stanza con lui.

«Bene. Vi lascio alle vostre Sacre Scritture, allora.»

Sistemò tutta l'attrezzatura per scrivere sulla scrivania vicino alle finestre, lo spazio più gelido ma meglio illuminato della stanza.

«Vi ringrazio, lady Kirsten.»

Fece una riverenza in modo sbrigativo e lasciò il signor Banks alle sue riflessioni. Nonostante l'impellente necessità che Kirsten sentì di stare lontano da lui, sarebbe tornata a controllare che stesse bene.

In parte si sentiva attratta dal signor Banks perché aveva la percezione che, come lei stessa, il parroco stesse impazzendo lentamente. Rispondeva quando gli veniva rivolta la parola, elargiva complimenti alla contessa per i pasti serviti, una sera aveva girato le pagine dello spartito mentre Susannah suonava il pianoforte, ed era riuscito a cantare in modo competente la parte del basso negli inni che avevano recitato assieme. E anche in parecchie ballate di una depressione infernale. Ciononostante, il signor Banks trasudava un senso di solitudine nel quale Kirsten si rivedeva, e che costituiva la ragione principale del suo fascino. Era in lutto, anche se Kirsten non sapeva né per cosa né per chi. Di tanto in tanto gli faceva delle brevi visite per sincerarsi che stesse bene e per parlare del sermone.

Era molto divertente discutere di argomenti morali, e persino le questioni spirituali potevano suscitare l'interesse di Kirsten. Ciò che la intrigava, però, e il cui pensiero la fece sorridere mentre passò accanto a tre domestici sulle scale, era l'idea che il signor Banks sarebbe stato un marito meraviglioso per la persona giusta.

«Daniel era il marito perfetto» disse Fairly, prendendo in mano il martello preferito di Nick. «Era un fratello modello, il padre ideale per il piccolo Danny e, oserei dire, il miglior parroco in circolazione. Questo è il martello più grande che abbia mai avuto il piacere di maneggiare.»

Nick si tirò su gli occhiali, perché stava cercando di disegnare una casetta per uccelli da costruire per sua sorella, Nita, che si era sposata da poco.

«Se voglio usare quel martello sulla vostra testa dura,» disse Nick «deve essere bello forte. Comunque, sembra proprio che Banks sia il miglior parroco in circolazione. Fra le altre cose immaginavo che fosse sposato, ma perché non mi avete detto che si è separato dalla moglie?»

Fairly si aggirava furtivamente nella stanza dove Nick era solito lavorare il legno, alla stregua di un gatto che, rinchiuso in una biblioteca, gironzolava da una finestra all'altra, muovendo sinuosamente la sua coda. Di carattere, il visconte era sempre un po' agitato a meno che non fosse in compagnia della sua signora.

«Credo che Daniel sia ancora innamorato della bella Olivia, anche se ora non sono più insieme.» Fairly sbirciò sopra la spalla di Nick. «Cosa state cercando di disegnare?»

Il visconte emanava un piacevole olezzo di sandalo ed era come un ragazzino che doveva sempre toccare ciò che gli interessava.

«Scostatevi che così mi fate ombra» ringhiò Nick, dando una gomitata all'amico. «Ho bisogno di spazio per pensare. Spiegatemi piuttosto cosa intendete su Banks. Se è ai ferri corti con la moglie, dovrebbe certamente esserne a conoscenza.»

Anche gli abitanti del villaggio lo avrebbero presto saputo, e questa notizia non avrebbe forse fornito materiale perfetto per i vivaci pettegolezzi da sagrato? Intanto, sul foglio, Nick aveva disegnato una prosaica casetta per uccelli, che aveva le sembianze di un cottage bavarese con tanto di finestre, porta d'ingresso e due caminetti. Noiosa ma carina al punto giusto. L'aspetto di Banks, invece, era tutt'altro che tedioso: era avvenente. Seducente, addirittura, una sorta di scherzo celestiale, una penitenza per le signore della parrocchia.

«Di sicuro già ne avete sentito parlare,» disse Fairly, mettendosi seduto sul tavolo da lavoro di Nick «comunque, ecco cosa sta affrontando Banks: la sorella Letty, che sarebbe la mia adorata mogliettina, da giovane è stata abusata dal curato del padre. Da questa unione sciagurata ne è risultato il piccolo Danny. Banks e la moglie hanno cresciuto il bambino come se fosse figlio loro, una finzione abbastanza comune in famiglie altrimenti rette e, nel caso di Danny, portata avanti con successo.»

Era palese che Fairly volesse concludere il racconto il prima possibile, tant'è che Nick percepì che molti dettagli erano stati tralasciati nella narrazione. Il fatto che Banks e la moglie avessero ingannato i retti cristiani di Little Weldon riguardo alla paternità del bambino era probabilmente uno di quei dettagli.

«Giù le mani dalla mia gomma» disse Nick, strappandola dalle mani di Fairly e dando un buffetto sulle nocche di Sua signoria. «Posso provare a indovinare il resto del racconto: Letty si innamora del visconte Fairly, uomo affascinante, galante, oltreché ricco sfondato, e questo fa sì che adesso sia nella posizione di riconoscere il bambino, seppure in sordina, e di non fargli mancare niente. Cosa c'entra questo con la moglie di Banks? Be', si sa, le mogli dei pastori dovrebbero essere un tipo di donna leale, magari il classico soprano affidabile, con un vasto repertorio di luoghi comuni rassicuranti, e ovviamente brave a infornare dolci, a lavorare a maglia e con il ricamo.»

«Olivia ha minacciato Letty di rivelare le origini del piccolo Danny,» disse Fairly «il che sarebbe costato a Daniel l'incarico, se non addirittura la reputazione. Inoltre il bambino sarebbe stato doppiamente maledetto dallo scandalo in quel caso, quindi Letty ha escogitato il modo di pagare a Olivia una lauta somma di denaro in modo da farla tacere.»

Nick strappò la pagina su cui stava lavorando. I cottage gli rimembravano la donna di Chalmers, che un cognato premuroso aveva trasferito, per fortuna, nello Shropshire.

«Se mi state dicendo che Banks ha estorto del denaro a sua sorella, ve ne do di santa ragione, prima a voi, e poi mi rifaccio su di lui, perché non sarebbe affatto benvenuto in nessun pulpito che io appoggi. A proposito, qual è l'ultima cosa che vi aspettereste di vedere trasformata in una casetta per gli uccelli?»

Fairly afferrò tre pietruzze che Nick usava come fermacarte e cominciò a farle roteare.

«Un bordello. Tornando a noi, il bambino – Danny – è stato restituito alla custodia di Letty, e Banks ha lasciato il villaggio in cui qualcuno avrebbe potuto collegare i pezzi del puzzle. Il denaro che Letty aveva inviato a Olivia è stato restituito a Letty, poiché Olivia, naturalmente, non aveva confessato alcunché al marito riguardo l'estorsione.»

La pagina bianca rimase a fissare Nick mentre i pettegolezzi da sagrato imperversavano nella sua mente come uno stormo di corvi.

«Banks pensa forse di celare questo aiutante mercenario su qualche isola scozzese?»

Le pietre presero a volteggiare nell'aria più rapidamente. «Non ho la più pallida idea di cosa abbia nel cervello Daniel in questi giorni. È sempre stato un tipo taciturno e autosufficiente, ma devo ammettere che è peggiorato dall'ultima volta che l'ho visto.»

«Forse ha bisogno di risolvere i problemi con sua moglie. Magari trasferirsi in America o in Perù. Sono sicuro che i cristiani sono molto richiesti nelle lande selvagge. Sarei ben lieto di pagargli il viaggio.»

Fairly riuscì a cogliere al volo due delle pietruzze. La terza andò a cadere sul foglio di Nick.

«È un'offerta molto generosa, Nicholas, ma dubito che Banks si allontanerebbe così tanto dal bambino a questo punto. Non mi sembrate di ottimo umore. Cosa c'è che non va?»

Nick chiuse il suo blocco da disegno. Fairly era seccato e irritante, ma era pur sempre un amico. Quando Nick aveva avuto bisogno del parere di un medico esperto – e l'occasione si era presentata più di una volta – Fairly non aveva esitato neanche un momento, avvalendosi della propria esperienza di medico professionista.

«Il signor Banks non ha lasciato indifferente Kirsten.»

«Vostra sorella, lady Kirsten, non si fa sfuggire niente.» Fairly raccolse la pietruzza che gli era caduta e poi la collocò, assieme alle altre due, lungo una linea retta immaginaria in cima al banco da lavoro di Nick. «Sarei piuttosto sorpreso se un ospite maschio adulto, di bell'aspetto e dalle maniere raffinate, avesse lasciato vostra sorella indifferente.»

«Non intendevo da quel punto di vista. Kirsten è alquanto misantropa e in generale non le piace nessuno e agli uomini, in particolare, riserva sempre un trattamento poco elegante.»

Fairly saltò giù dal tavolo da lavoro, agile come una gazzella. «Le donne intelligenti si trovano in una posizione difficile quando sono di stirpe nobile e in più di bell'aspetto come vostra sorella. A ogni modo, vi potete fidare di Daniel. È l'ultimo uomo che approfitterebbe di una ragazza innocente.»

«Perché lui stesso è stato sfruttato dalla moglie?»

«Perché Daniel è veramente buono, è un uomo retto. Non approfitterebbe mai dell'amicizia di lady Kirsten così come non avrebbe arrecato disturbo ad Addy Chalmers.»

«Un santo oltre che un martire» mugugnò Nick, alzandosi dallo sgabello. La stanza era situata sul retro della stalla e non era esattamente il massimo della comodità, ma se non altro era tranquilla – il più delle volte.

«Sono arcistufo di sentire chiacchiere sulla dannazione e sul giorno del giudizio. Le mie sorelle sono sempre colpite da forti mal di testa a messa e anch'io non ne posso più.»

«Non avrete problemi del genere con Daniel» disse Fairly, prendendo ancora una volta il martello di Nick. «È un'anima gentile, è paziente con gli anziani e di vedute aperte con i più giovani. I suoi sermoni sono brevi e intrisi di perdono e carità cristiana. Potreste fare una versione più piccola di questo martello?»

«Naturalmente. Perché?»

«Per il piccolo Danny. Non abbiamo ancora trovato niente che gli susciti un minimo di interesse, e non ha ancora l'età per essere tenuto chiuso tutto il giorno nella stanza da studio.»

Nick si stirò, con le mani conserte dietro la schiena.

«Il bambino ha bisogno di libri di favole e di soldatini. Nessun ragazzo dovrebbe essere rinchiuso a studiare tutto il giorno, nemmeno un ragazzo grande. Non mi avete ancora detto cosa ha intenzione di fare Banks a proposito della moglie.»

«L'ha spedita nel Nord, dalla famiglia di lei.» Fairly, essendo sposato con la vittima di Olivia, la povera Letty, probabilmente aveva sostenuto le accuse penali e aveva anche spinto affinché venisse deportata.

«La signora Banks se ne è rimasta docile a lavorare al pizzo chiacchierino nel West Riding? Se è una persona così sgradevole e antipatica, neanche i parenti probabilmente la sopportano. Proviamo a mandare lei in Canada e Banks in Perù. Mi sembra un piano eccellente.»

Fairly stava soppesando l'idea di far roteare in aria il martello. Nick lo aveva percepito dall'angolo di inclinazione delle bionde sopracciglia del visconte.

«Il problema è il bambino» disse Fairly, lasciando che Nick agguantasse il martello anche se, subito dopo, si mise a smontare un punteruolo.

Nick riuscì a togliergli anche quello. «È pericoloso. Rischiate di cavarvi un occhio, Fairly.»

«Non sono un bambino, Nicholas.»

E a quanto pareva non lo era neanche mai stato, perché quale bambino inglese è cresciuto senza la gioia di giocare con i soldatini?

«Questa situazione con il vostro signor Banks non è di mio gradimento» disse Nick, riappendendo il punteruolo sul suo gancio e infilandosi il pastrano. «È raro che una moglie infelice rimanga tranquilla nella propria infelicità.»

«Non c'è alcun bisogno che stia tranquilla. Sarà sufficiente che se ne stia il più lontano possibile per molto, molto tempo.»

«E come farà Banks, un tipo indigente, pudico, oltreché un cristiano di buon cuore e tollerante, a sincerarsi che ciò avvenga?»

Fairly lasciò che Nick gli tenesse la porta. «Con la forza della preghiera, suppongo.»

Se ne sarebbero viste delle belle. Ormai erano diversi giorni che Banks abitava sotto lo stesso tetto di Nick, ciononostante oltre alla preghiera di ringraziamento prima dei pasti, non aveva mai visto il buon parroco intento a pregare.

Mai. Neanche una volta.

3

Il rituale del giorno del Signore non era più di conforto per Daniel, e questo contribuì ad aumentare il suo malessere interiore. Per quasi un decennio, si era preparato alla messa della domenica mattina seguendo la stessa routine – niente colazione, solo un goccio di tè senza latte e senza zucchero, meditava in silenzio con i suoi appunti per il sermone mentre il sole sorgeva e la casa cominciava ad animarsi. Il che, quando abitava a Little Weldon, stava a indicare che la domestica tuttofare era impegnata a preparare la colazione per la signora Olivia e per il piccolo Danny, mentre Daniel si avvaleva del tepore della cucina per conciliare la sua devozione. La cucina era un luogo silenzioso e accogliente in modo diverso dal resto della casa.

Nella residenza Belle Maison, invece, la colazione era un pasto luculliano accompagnato da interminabili porzioni di chiacchiere in un salone luminoso rivolto a Est.

«Nita scrive da Londra che i preparativi per il suo viaggio di nozze sono quasi giunti al termine» riferì la giovane lady Della. «Quanto vorrei andare con loro.»

«Non credo che loro lo desiderino, Della» rispose Susannah. «È un viaggio di nozze, in fin dei conti. Passami la teiera Della, se ci è rimasto qualcosa dentro.»

«Ma vi immaginate che meraviglia poter vedere Parigi!» esclamò Della.

La giovane si gettò a capofitto in un monologo sulle grandi capitali europee, sull'arte e sulla cultura, mentre l'unica cosa che Daniel desiderava era un po' di quiete. Dall'altra parte del tavolo, lady Kirsten catturò il suo sguardo e sollevò il suo pancarré, tostato e tagliato a triangoli, a mo' di saluto, facendogli l'occhiolino.

Daniel mescolò il tè, anche se di domenica era solito prenderlo senza zucchero e senza latte. Come aveva fatto lady Kirsten a intuire i suoi pensieri? A capire il suo stato d'animo quando lui stesso non riusciva a decifrarlo?

«E voi, signor Banks, che ci dite?» domandò il conte seduto a capotavola. «Attendete con trepidazione la messa di domenica oppure l'officiante ammette di provare un certo sollievo quando il suo dovere è concluso per un'altra settimana?»

Tutti i commensali, rallegrati dalle chiacchiere, si volsero verso Daniel, come se uno stormo di uccelli variopinti, che fino a poco prima svolazzava allegramente per il parco, si fosse appollaiato su un ramo alto nel momento in cui un bambino indisciplinato e iperattivo fosse passato nei paraggi salterellando e lanciando schiamazzi.

«I miei doveri domenicali mi appagano notevolmente,» disse Daniel, sebbene la domenica fosse l'ultima delle responsabilità di un parroco «e oggi in particolar modo, visto che avrò il piacere di incontrare la mia nuova congregazione, per di più onorato dalla vostra piacevole compagnia.»

Bellefonte sorrise, perché era fiero come un pavone delle sue donne. «Mi vedo costretto, a malincuore, a condividere con voi la compagnia delle mie belle signore, signor Banks. Un vero peccato che non avrete l'opportunità di incontrare nostra sorella lady Nita e il suo consorte.»

«Si tratta della signora in viaggio a Parigi?» chiese Daniel.

Lady Della, prevedibilmente e fortunatamente, a quel punto prese le redini della conversazione e non le mollò per tutta la durata del pasto.

Per fortuna o per ironica beffa del destino, nel viaggio verso il villaggio Daniel si trovò a stare nella slitta proprio accanto a lady Kirsten. Una benedizione e un tormento, per ragioni che Daniel non volle analizzare oltre.

«Domenica prossima, a colazione, portatevi il vassoio in camera, datemi retta» mormorò lady Kirsten mentre si rimboccava la coperta da viaggio. «Vi faranno diventare matto altrimenti.»

«Non vorrei apparire scortese» disse Daniel, mentre il cocchiere spronò il cavallo facendolo avanzare.

«Non avete mangiato niente, signor Banks, e neanche quarantotto ore fa avevate pronto il sermone. Nicholas sembra pensare che i vostri compiti consistano solo nel travestirvi un'oretta di domenica e basta, e voi non avete neanche rettificato.»

Il cavallo incedeva trotterellando. Il freddo aumentava il senso di spossatezza anziché rinvigorire il corpo. Al fianco di Daniel, lady

Kirsten non era minimamente influenzata dagli elementi atmosferici, dalla compagnia, o da qualsiasi altra cosa. Questa donna turbava Daniel in un modo che non aveva molto a che fare con il grande caos che regnava nella vita del reverendo. Se l'avesse incontrata a Little Weldon, anche lì ne sarebbe rimasto altrettanto turbato.

«Dovete sempre redarguire qualcuno, lady Kirsten? Non mi aspetto certo che un conte comprenda le abitudini di un parroco così come io non saprei da che parte iniziare se volessi essere un conte.»

«Sareste perfettamente in grado» disse lei, facendo sì che suonasse come un altro rimprovero o un tragico pronostico.

Era lei a condurre il gioco. «Come siete scontrosa, lady Kirsten. È da un po' che non incontro una persona scorbutica in modo così genuino.»

L'idea rallegrò Daniel, dimostrando quanto lui invece *non* lo fosse. A quanto pareva il suo commento aveva rallegrato anche la ragazza.

«Sì, lo sono, lo ammetto» fece lei, dandogli un buffetto sulla manica. «Complimenti per esservene accorto. La mia famiglia si comporta come se ci fosse qualcosa di sbagliato in me solo perché sono onesta, pragmatica e per niente sentimentale. Non posso certo cambiare chi sono.»

Aveva forse già provato a cambiare sé stessa?

«Una persona burbera non è di buona compagnia» disse Daniel mentre la slitta svoltava sulla piazza del villaggio di Haddondale. O forse, semplicemente, non era felice?

Avrebbe potuto chiederlo a lady Kirsten nell'aria frizzante, con la chiesa che si stagliava all'orizzonte. La domanda sarebbe suonata ecclesiastica, in un contesto del genere.

«E voi siete felice, signor Banks?» controbatté lei. «Mi definite burbera in quanto mi interesso più alla verità che alle chiacchiere e alle apparenze. E voi, signor Banks, di cosa vi interessate?»

«Non certo di pettegolezzi.» Cos'altro rimaneva... le apparenze? «Date molta importanza all'onestà, mia signora, ma che ne dite della gentilezza? Non occupa alcun posto nella vostra scala di valori? La verità può ferire se non addirittura paralizzare, perciò dovrebbe essere esercitata con cautela.»

Olivia, ad esempio, si era presa l'onere di colpire il piccolo Danny con la verità nuda e cruda riguardo alle sue origini.

Il cavallo rallentò e, prima che la slitta facesse il suo ingresso nel sagrato, la comitiva dovette scendere.

«Questo discorso sull'onestà e sulla gentilezza non è solo un dibattito filosofico per voi, giusto?» domandò lady Kirsten.

La parola *filosofia* deriva da una radice semantica il cui significato implica amore per la conoscenza. Al piccolo Danny era sempre piaciuto imparare l'etimologia delle parole e quale fosse, ad esempio, il rapporto tra il greco e il latino.

«La verità e la gentilezza non sono meri concetti neanche per voi» disse Daniel mentre la slitta incedeva lentamente. «Questo mi piace di voi. Non scavate a fondo in un argomento solo per apprendere qualche nozione superficiale da sbandierare in compagnia. Abbracciate l'argomento con il vostro intelletto, estrapolandone qualsiasi verità o contraddizione inerente a esso.»

Lady Kirsten sapeva come trovare uno spazio isolato per un uomo che aveva bisogno di comporre i suoi sermoni, così come sapeva anche che un vassoio da tè servito con dei biscotti al limone rendeva le Sacre Scritture infinitamente più gradevoli in un gelido pomeriggio.

Accostamento interessante in una ragazza educata in modo raffinato.

«Adesso che hanno cominciato a socializzare, le mie sorelle impiegheranno una vita a spostarsi dal cocchio» disse lady Kirsten mentre si toglieva la coperta da viaggio di dosso.

Le sorelle di lady Kirsten stavano conversando allegramente con altre donne, non si erano allontanate neanche di un passo dalla carrozza, tanto erano ansiose di salutare tutti. Daniel scese dal suo lato e fece il giro per dare una mano a lady Kirsten. La congregazione non si era ancora accorta del suo arrivo, per cui cercò di parlare sottovoce mentre lui l'aiutava a scendere.

«Qualunque sia la spiacevole verità che vi ha coinvolta, mi dispiace per voi mia signora.»

Lady Kirsten scese dalla carrozza e tenne stretta la mano di Daniel, anche dopo aver trovato l'equilibrio. A quanto pareva Daniel l'aveva sorpresa, proprio lei che regolarmente prendeva in contropiede gli altri con il suo modo di fare diretto.

Lady Kirsten continuava a tenergli la mano stretta come se non volesse mollare la presa. Sbatté le palpebre due volte, guardando dritto davanti a sé le signore che chiacchieravano e sorridevano accanto a una carrozza molto più grande.

Poi si sistemò la sciarpa più in alto, avvolgendosela intorno alla bocca. Il gesto voleva nascondere ciò che Daniel aveva già visto mentre stava studiando il suo viso alla ricerca di un'espressione che facesse intendere che lei lo avesse udito.

«Grazie, signor Banks. Buona fortuna con il sermone.» Lei si allontanò e lo lasciò da solo, poiché la carrozza del conte si era allontanata e Daniel era ormai sotto l'occhio osservatore della congregazione.

«Signor Banks!» lo chiamò lord Bellefonte. «Venite, vi presento le anime pie di Haddondale. Sono tutti ansiosi di conoscervi.»

Lady Kirsten si fiondò in chiesa come se il fratello non avesse neanche parlato. Daniel non ebbe altra scelta se non quella di accettare passivamente la volontà del conte e della contessa, i quali si misero a fare gli onori di casa presentandolo a tutti i fedeli sul sagrato soleggiato, ma pur sempre freddo, finché l'organista non iniziò a suonare il preludio.

Daniel si lasciò trascinare in fretta all'interno della chiesa da parte del presidente della commissione pastorale, e da quel punto in poi subentrò la routine: i paramenti, il Libro delle preghiere comuni, un'espressione cordiale e allegra – Daniel mise tutto insieme nel solito ordine e iniziò la messa così come aveva fatto altre centinaia di volte.

Con una bella differenza. Lady Kirsten sedeva in prima fila, un'affascinante ragazza bionda che si era fatta donna già da un po'. Occupava la stessa postazione in cui era solita sedersi Olivia e, come lei, pareva sempre afflitta da uno stato di mortificazione cronica. Tuttavia le somiglianze finivano lì. Mentre Daniel si rivolgeva alla sua nuova massa di fedeli invitandoli a pregare, era tormentato da una domanda, alla quale, dubitava, neanche la schietta lady Kirsten avrebbe saputo fornire una risposta: perché la domanda sulla scomoda verità che aveva rivolto alla ragazza l'aveva toccata così in profondità al punto da dover ricacciare indietro le lacrime?

Per Kirsten, la messa domenicale era un rituale da dover sopportare. Nella migliore delle ipotesi, il giorno del Signore era un momento per raccogliere i pensieri, nonché per rimanere un po' seduti sulle panche della chiesa durante una bella mattina di primavera e ammirare la luce del sole che, riflessa, penetrava smagliante attraverso le due vetrate della chiesa.

Era da tempo che Kirsten aveva interrotto ogni conversazione con il Creatore, se non prima dei pasti o quando magari un membro della famiglia si trovava in pericolo. Di tanto in tanto esortava Dio affinché salvaguardasse le sorelle o badasse ai raccolti e al bestiame; l'esperienza le aveva dimostrato che persino l'Onnipotente ogni tanto si dimenticava le cose basilari.

Tuttavia già dall'inno di apertura si intuiva che c'era qualcosa di diverso. La chiesa era gremita all'inverosimile, piena di un gregge intenzionato a esaminare il suo nuovo pastore, sebbene all'apparenza fossero tutti impegnati a intonare gli inni. Sopra il rimbombare dei bassi e il gorgheggio dei soprani, un baritono squillante guidava una marcia attraverso i sentimenti melodici delle Scritture. Il signor Banks aveva una bella voce, e questo Kirsten lo sapeva, ma aveva anche qualcos'altro – una presenza – una gioia che infondeva nel suo uffizio e che riusciva a rendere briose anche le melodie monotone che fuoriuscivano dall'organo del signor Wesley.

Inoltre – cosa che aveva quasi del miracoloso – il suo sermone fu talmente breve che Nicholas non ebbe neanche il tempo di schiacciare un pisolino.

E neanche Kirsten. Qualcuno si meritava di essere fustigato moralmente quella mattina per aver mandato un estraneo al cottage di Addy Chalmers quando invece quel visitatore di passaggio aveva chiesto indicazioni per arrivare alla residenza del conte.

Il signor Banks si limitò a ringraziare la congregazione per averlo accolto così calorosamente, promise di impegnarsi in veste di guida spirituale, e li invitò a rivolgersi a lui nel caso in cui avessero avuto bisogno di aiuto o conforto, di qualsiasi cosa si trattasse. Non un accenno di rimprovero, neanche un'insinuazione. Come lo avrebbero considerato, il signor Banks, se la mansuetudine e brevi sermoni erano la sua risposta quando invece dei poveri cialtroni, si erano presi gioco di lui?

Durante il cantico finale, Kirsten recitò correttamente il tradizionale scozzese 'Vieni, o tu ignoto viaggiatore', mentre la rabbia, sensazione a lei familiare, cominciava ad aver la meglio sul suo umore. Harold Abernathy si spostava da un piede all'altro nella panca dietro la sua, mentre Robert Harker sembrò aver sviluppato una sorta di fascino nei confronti della parte posteriore del copricapo di Goody Popwright, che peraltro indossava dall'assemblea primaverile dell'anno precedente.

Oh. Oh, sì certo, vieni, o tu ignoto viaggiatore.

«Dovremmo condividere l'innario» sibilò Susannah alla fine del sesto verso. Per fortuna, avrebbero lasciato gli altri sei versi per qualche altra occasione.

«Se è per questo non dovremmo neanche tornare al Cantico dei cantici durante la lettura» soggiunse Della seduta dall'altra parte di Susannah. «Vogliamo difendere il signor Banks dall'inquisizione di Haddondale, o volete starvene qui a bisticciare tutta la mattina?»

Della non voleva perdersi una parola di quell'inquisizione.

Kirsten ripose l'innario al posto suo. «Non ho alcuna intenzione di rimanere qui e dubito che il signor Banks abbia bisogno di qualcuno che lo difenda.»

Anche se era certa che avesse bisogno di qualcosa. Kirsten rammentò i versi dell'inno di apertura che avevano cantato quella mattina. C'era forse qualche significato recondito dietro la scelta da parte del signor Banks di selezionare 'Tu fonte nascosta di calmo riposo' come canto d'ingresso e primo inno, la prima domenica dopo aver assunto l'incarico di nuovo parroco di Haddondale?

Daniel strinse la mano agli uomini, si profuse in vari inchini alle signore, cercando di accostare i nomi alle rispettive facce – aveva studiato a lungo i registri della parrocchia – e prese altresì nota di chi fosse vestito con abiti eleganti e chi invece avesse indosso indumenti rattoppati.

I gradini della chiesa erano freddi, ma neanche il gelo polare gli avrebbe risparmiato la forca destinata a chi non fosse risultato consono a una simile ispezione di eleganza e raffinatezza. Ogni sguardo, anche quelli sinceramente gentili, serbava la stessa domanda.

Il parroco aveva una moglie? In caso affermativo, dove si trovava?

La tregua sopraggiunse da un angolo improbabile, quando il signor George Haddonfield e sua moglie, con cui era da poco convolato a nozze, si alzarono e uscirono dalla chiesa, con un bambino in braccio al signor Haddonfield.

«Voglio scendere» insistette il bambino. «Non mi sporcherò col fango e non mi beccherò la febbre malarica. Non darò neanche fastidio al cocchiere del conte. Fatemi scendere!»

«Silenzio» fece il signor Haddonfield, cercando di calmare il bambino. «Salutiamo il parroco e poi ce ne andiamo... se fai il bravo ti faccio anche tenere un po' le redini sulla via del ritorno.»

Un'offerta del genere avrebbe sicuramente funzionato con il piccolo Danny.

«Buongiorno» disse Daniel, rivolgendosi al bambino: un ragazzino abbastanza robusto, probabilmente della stessa età di Danny. «Ti sei annoiato durante il sermone, giovanotto? Dimmi la verità.»

Il piccolo Danny aveva sempre dato una valutazione onesta del servizio domenicale del papà – o meglio, dello zio.

«Non è stato abbastanza lungo, signore» rispose il bambino. «Dovreste raccontarci una storia, invece ci avete liquidato dicendo che sarete un buon parroco. Tutto qua. Poi ci avete anche ringraziato, sebbene non sappia per cosa.»

«Digby!» La madre del bambino non era affatto compiaciuta dell'onestà del figlio.

«Ti sembra questo il modo di rispondere al parroco? Non ti farò tenere le redini!»

Dal lato opposto dei gradini, lady Kirsten stava probabilmente ascoltando ogni parola mentre si allacciava i fiocchi del copricapo, li disfaceva, per poi riallacciarli di nuovo.

Parecchie volte.

«Ammiro l'onestà in ogni membro del mio gregge» rispose Daniel. «Farò tesoro dei commenti del signorino Digby con lo stesso spirito costruttivo con cui mi sono stati riferiti. Mi pare di intuire che ti piacciano i cavalli, vero, Digby?»

Il giovane partì in quarta e disse al parroco quanto fosse stato felice il giorno in cui aveva ricevuto un pony tutto suo, con cui era andato a caccia alla volpe unendosi alla cavalleria, e si prendeva tanta, tanta cura del suo destriero.

Daniel era uno sciocco nostalgico a cui mancava terribilmente il nipote, per cui fece la domanda successiva in modo che il ragazzino continuasse a parlare.

«Che nome daresti al tuo cavallo devoto, signorino Digby?»

«Qualcosa degno di un bel pony. Un nome latino, forse. Voi insegnate Latino?»

La maggior parte dei reverendi insegnava sia il latino che materie come Storia e Matematica. A Little Weldon Daniel aveva avuto pochi allievi, peraltro sgobboni. I genitori del piccolo Digby sembravano, purtroppo, pieni di speranza.

«So coniugare un paio di verbi e declinare qualche sostantivo.»

«Sapete qualcosa sulla seconda guerra punica?» chiese Digby.

Uno studioso militare in erba, a quanto pareva.

«Digby, basta così!» sentenziò il signor Haddonfield, mettendo giù il figlio e tenendolo per mano. «Padre, vi faremo visita, se non vi dispiace. Digby ha una mente vivace e ha bisogno di un istruttore in varie materie.»

Mentre il signor Haddonfield si allontanava con la sua famigliola, lady Kirsten si mise al fianco di Daniel, prendendolo sottobraccio.

«Sorridete cortesemente» mormorò la ragazza. «Non il sorriso genuino che fate risplendere indiscriminatamente su tutti quanti. Sforzatevi di assumere un'espressione afflitta per il fatto che dovete accompagnare la sorella bisbetica di Bellefonte fino alla carrozza, altrimenti le anime pie di Haddondale vi terranno qui in ostaggio tutto il giorno. Sono dieci metri da qui alla libertà, signor Banks. Baionette in spalla e carica!»

Il signor Haddonfield e la consorte si trovavano assieme alle sorelle di lui nei pressi della carrozza più grande. Il piccolo Digby fece un cenno di saluto con la mano e Daniel contraccambiò.

«Vi siete messo a chiacchierare con il ragazzino perché vi piacciono i bambini,» domandò lady Kirsten mentre Daniel l'aiutava a montare sulla slitta «o semplicemente perché è riuscito a mettere a tacere i curiosi?»

Daniel dispiegò la coperta da viaggio e la pose gentilmente sulle gambe di lei, sebbene Kirsten non avrebbe certo desistito.

Mai.

«Per entrambe le ragioni» rispose Daniel. «Pare un bambino sveglio.»

«Tanto quanto lo siete voi. Sono stata particolarmente contenta di cantare l'inno di chiusura. Ben fatto, signor Banks.»

L'inno di chiusura... Ah! «Uno dei miei preferiti, fra tanti.»

Daniel circumnavigò la carrozza, montò su e si accomodò al fianco di lady Kirsten. La ragazza ripose cortesemente la coperta di lana sulle ginocchia del reverendo, mentre il cocchiere, con qualche manovra, riuscì a portare la slitta sullo stradello principale passando dietro la carrozza del conte e facendo un giro attorno alla piazza.

«Vi è piaciuto il sermone?»

«Come ha osservato il piccolo Digby, è stata ingannevolmente gentile. Sarà interessante osservarvi condurre il vostro gregge, signor Banks.»

Anche lei era un membro di quel gregge, sebbene Daniel augurasse buona fortuna a chiunque cercasse di condurla per mano.

«Avete un maestro a Haddondale, mia signora?»

«Abbiamo solo una scuola per ragazze. Ci si aspetta che il parroco fornisca un'istruzione ai figli dei gentiluomini, in cambio di un adeguato compenso, naturalmente.» George Haddonfield, in quanto figlio di un conte, faceva sicuramente parte della schiera dei figli dei gentiluomini.

«Ho solo un'esperienza come insegnante, come era prevedibile» disse Daniel. «Digby sembra davvero un bambino delizioso.»

Per Daniel l'espressione 'bambino delizioso' era alquanto ridondante, poiché i ragazzini erano l'ultima compagnia che voleva avere a Haddondale. Essere parroco aveva i suoi rischi professionali, uno dei quali era la scomoda tendenza a ricordare passi delle Sacre Scritture nei momenti meno opportuni. 'Lasciate che i bambini vengano a me, perché loro è il regno di Dio' era uno di quelli, che quasi come una sorte di dileggio gli balenò per la mente.

«Cosa farete oggi pomeriggio, signor Banks?»

Di solito, la domenica pomeriggio Daniel mangiava, faceva un sonnellino e poi leggeva il brano della Bibbia della settimana dopo, in modo tale che, durante la settimana, le idee che aveva raccolto potessero far germogliare un sermone.

«Devo scrivere una lettera importante» rispose. «Un giovane gentiluomo ha bisogno di sapere come me la cavo, e ho trascurato la mia corrispondenza già troppo a lungo.»

L'idea – la convinzione – balenò nella mente di Daniel: una sorpresa e allo stesso tempo una rivelazione. Aveva lasciato il piccolo Danny solo con Letty per diversi mesi. La rottura netta era stata effettuata, intervallata da due brevi visite nelle quali Daniel aveva fallito miseramente nel tentativo di passare da papà a un semplice zio che stravede per il nipote. Con conseguente imbarazzo da parte di tutti e un dannato senso di sconfitta da parte Daniel.

Era ora di fare un altro tentativo, dunque. Era opportuno che uno zio devoto scrivesse al proprio nipotino, se non altro per sincerarsi se stesse facendo dei progressi in latino.

Papà, che il piccolo Danny avrebbe dovuto chiamare lo zio Daniel, gli aveva sempre detto che la tristezza passa. E invece – seduto tra lord Fairly, che il piccolo Danny non sapeva bene come chiamare, e zia Letty, che era invece la sua mamma, sebbene gli avessero imposto di chiamarla zia Letty – la tristezza cresceva sempre di più nel cuore del piccolo Danny, fin quasi a scoppiare di dolore. Nulla era andato per il verso giusto da quando Danny aveva lasciato Little Weldon mesi addietro.

«Odio questo posto.»

Lord Fairly continuò a guidare, poiché gli zoccoli dei cavalli non gli avevano permesso di sentire il commento del piccolo, mentre Mamma – o meglio, *zia* – aggiustò la coperta da viaggio sulle gambe di Danny per l'undicesima volta da quando erano andati via dalla chiesa.

«Hai detto qualcosa, Danny?» si accertò Letty.

Danny si rattristò ancora di più, poiché la madre gli aveva rivolto quel sorriso luminoso e ansioso che tanto spesso aveva sul volto. Si affrettò a cercare qualcosa di carino da dire perché 'mi manca papà' le avrebbe fatto venire gli occhi lucidi.

«*Hic, haec, hoc*» fece Danny «è latino e significa...»

«*Huius, huius, huius*» disse il visconte, seguendo il ritmo dei cavalli che schizzavano nel fango.

Come di consueto Danny rispose con il dativo: «*Huic, huic, huic.*»

E il visconte a sua volta continuava con l'accusativo: «*Hunc, hanc, hoc.*»

Quindi Danny concluse la canzone – papà aveva detto che si trattava di una canzone senza un motivo a sé stante – con l'ablativo: «*Hoc, hac, hoc!*»

Un raggio di allegria trafisse la mattinata cupa, poiché papà era sempre stato orgoglioso della conoscenza del latino di Danny ed era solito ripetere quei versi nello stesso identico modo. Papà e Danny si erano anche inventati dei giochi per fare pratica di francese, nominando gli oggetti presenti in una stanza fino a quando Danny non avesse esaurito i termini a disposizione.

«*Hi, hae, haec*» disse il visconte ad alta voce mentre risalivano il vialetto verso la stalla.

La bolla di gioia dentro al piccolo Danny scoppiò. «Non conosco il plurale. Papà non me l'ha insegnato, però ha detto che è facile come il singolare.»

Ed ecco che i due adulti si scambiarono uno sguardo d'intesa: lo sguardo che condividevano ogni qual volta che Danny si sbagliava a chiamare lo zio Daniel con l'appellativo di papà.

«Volevo dire lo zio Daniel.» *Papà, papà, papà.*

«Non ha importanza» rispose mamma-zia. «Conosci una quantità prodigiosa di latino per l'età che hai. Se fossi interessato a riprendere gli studi, sarebbe abbastanza facile da organizzare. Ti piacerebbe?»

Un altro fascio di luminosità impetuosa.

«Sì, Mamma.»

Lo sguardo successivo che si scambiarono fu più difficile da decifrare, ma Danny sospettò che il suo errore avesse trasmesso il suo senso di tristezza a entrambi gli adulti, e probabilmente perfino ai cavalli. Errori – al plurale, giacché avrebbe dovuto chiamare l'infelice signora seduta accanto a lui zia Letty invece che mamma.

Sebbene lei fosse davvero la sua mamma.

Perlopiù a Danny piacevano queste persone. Erano gentili e il visconte era una specie di alleato, sebbene il piccolo Danny non fosse in grado di descrivere che tipo di alleato fosse. Papà era stato lo stesso tipo di alleato quando Olivia – Danny *non* faceva affatto fatica a chiamarla Olivia anziché 'mamma', come gli avevano imposto – era di cattivo umore.

Il che accadeva fin troppo spesso.

A Danny non mancava per niente Olivia. Era sempre iraconda e gli raccontava brutte cose sul conto del padre, ed era stata meschina perfino con la madre.

Il calesse si arrestò in una lurida scuderia. Il visconte aiutò la madre a scendere e poi prese sulle spalle il piccolo Danny, proprio come era solito fare il padre.

«Vieni, giovanotto. Sua signoria avvertirà la guarnigione che siamo tornati dalla messa e tu puoi venire a visitare Dolcezza con me per un momento.»

Dolcezza era la giumenta del visconte. Era grande quasi quanto il cavallo del padre, ma era bianca, mentre Zubbie era nero.

Il visconte mise giù Danny nella fanghiglia della scuderia mentre la madre si dirigeva a grandi passi verso la casa. C'era qualcosa nel modo in cui teneva le spalle che fece sentire il piccolo Danny in colpa.

«Mi manca Belzebù!» Le parole fuoriuscirono inaspettatamente, non certo quello che Danny avrebbe voluto dire, ma la verità – d'altronde il padre sarebbe rimasto male nel caso in cui avesse mentito – perché gli mancava davvero il cavallo del padre.

Cioè... il cavallo dello zio Daniel.

Il visconte sollevò Danny come se fosse stato un bambino piccolo e si diresse verso la scuderia mentre un mozzo di scuderia comparve per prendere in consegna cavalli e carrozza.

«Siamo soci affiatati, giusto, Danny?»

Il padre spesso aveva detto la stessa cosa. «Sì, signore.»

«Bene, allora, come membri fedeli del Club dei soci, ti suggerisco di dare del tempo a Sua signoria. Sei stato molto paziente con lei stamane e lei sta facendo il massimo. Pensavo che ti avrebbe soffocato con quella coperta da viaggio. Sono sorpreso che tu non sia saltato fuori dalla carrozza e ti sia messo a correre urlando di volerti arruolare in Marina.»

«Io sono per la Chiesa, signore.» Danny ne era convinto da quando era venuto a vivere nella residenza del visconte, una casa grande e bella, ma *fredda*. Un bambino dell'età di Danny non poteva neanche scivolare giù per il corrimano delle scale in una residenza come quella per paura di rompere un vaso, uno specchio, o qualche altro suppellettile delicato e costoso.

«Saresti un parroco molto bravo,» disse il visconte «perché sei un bravo bambino.»

Il visconte era l'opposto del padre. Il padre era scuro di carnagione, il visconte era chiaro. Suo padre aveva gli stessi occhi castani di Danny, mentre il visconte aveva degli occhi buffi – uno blu e uno verde – sebbene ormai Danny non ci facesse neanche più caso.

«Grazie, signore. Pa... Lo zio Daniel mi ha detto che devo sforzarmi di fare il bravo, perché sono mancato a Sua signoria per molto tempo.»

Si fermarono fuori dalla stalla di Dolcezza e, ancora una volta, Danny si trovò di fianco al visconte. A Little Weldon – tre parole che ormai stavano a significare 'quando ero felice' – Danny sarebbe entrato dritto nella stalla di Belzebù, o come lo chiamava lui Zubbie, che lo avrebbe salutato con un cenno del capo per guadagnarsi qualcosa da sgranocchiare.

«Danny, piccolo mio, sei molto saggio per la tua età» disse il visconte. «Sei mancato davvero tanto a Sua signoria.»

La giumenta fece capolino dalla sua stalla. Era di indole mansueta e, chiaramente, il visconte la adorava. Passò a Danny un pezzo di carota che aveva estratto da una qualche tasca e Danny lo offrì alla giumenta.

Esitò un attimo, lanciando uno sguardo furtivo al di là di Danny con silenziosa saggezza. *Non siete voi il mio padrone,* pareva dicesse, ma tanto per far piacere al visconte, mordicchiò comunque la carota dal palmo di Danny.

«Mi manca Zubbie» ripeté Danny, mentre gli era già venuto un nodo alla gola. Si accucciò per evitare di affondare il naso nel pastrano del visconte e mettersi a piangere come un bambino. «Mi manca un sacco...»

Il visconte si accovacciò accanto a Danny. «Probabilmente manchi anche tu a lui.»

«Sì, s... signore.» *Papà, papà, papà.*

Danny fece come gli aveva insegnato il padre: infilò la mano in tasca e la strinse stretta stretta a formare un pugno, trattenendo così tutte le parole che non doveva dire e tutti i sentimenti a cui non doveva dar voce.

«Hai bisogno di una visita al tuo pony, Danny, figlio mio.»

«Sì, signore.» *Non sono tuo figlio.*

Danny aveva desiderato un pony da tempo immemore, ma in quel momento non aveva voglia di far visita a Loki. Non voleva continuare a stringere i pugni in tasca, non voleva preoccuparsi di dire la cosa sbagliata, mettendo ansia al visconte e facendo rattristare la mam... – la zia – *Sua signoria.*»

«Vieni, su» disse il visconte, alzandosi e accarezzando il naso di Dolcezza.

«E per favore ricordami di pulirmi accuratamente gli stivali prima di arrivare in cucina, altrimenti Sua signoria me le suona di santa ragione, roba da far impallidire le campane della chiesa.»

Il visconte allungò una mano guantata verso il piccolo Danny, ma per una volta, il bambino la ignorò.

Che motivo aveva di dargli la mano? Temeva forse che sarebbe scappato per arruolarsi alla Marina nel tragitto che separava la stalla dalla casa? Oppure pensava magari che non fosse neanche in grado di camminare, alla stregua di un bebè che non si regge in piedi?

Danny avanzò più velocemente, mentre il visconte rimase indietro trascinandosi attraverso il caos e la fanghiglia della scuderia. Danny teneva le mani in tasca strette a pugno e non guardava neanche dove stesse andando, ed ecco lì che lo stivale tirato a lucido in occasione della messa gli andò a finire nel bel mezzo di un escremento di cavallo mezzo congelato.

In gola oltre al nodo si aggiunsero delle parolacce che stavano per fuoriuscire dalla bocca del bambino: improperi sulle cacche di cavallo, ma anche sul dover andare a messa nella chiesa sbagliata, e sul fatto che gli mancasse il padre.

«Andiamo di fretta, Danny?» domandò il visconte con un tono garbato e gentile che il piccolo Danny *odiava* con tutto il cuore.

«Non vorrei mai essere un cavallo» disse Danny.

«I cavalli sanno andare al galoppo» replicò il visconte. «Sono animali molto belli, ma se posso trovare loro una nota negativa, direi che hanno qualche problema a grattarsi in determinate zone del corpo.»

La bellezza non aveva alcuna importanza, se non per il fatto che fosse un modo di ammirare l'operato del Creatore. L'onestà e la gentilezza erano valori importanti – gli aveva ripetuto il padre più volte.

Eppure Danny poteva essere onesto solo in parte.

«Se fossi un cavallo, potrei essere acquistato e venduto in qualsiasi momento» disse Danny. Ci mancò poco che cadesse su un altro mucchio di letame. «Non avrei neanche il diritto di replica. Non vorrei *mai* essere un cavallo. Magari mi mancherebbe da morire il mio vecchio padrone e, se fossi un cavallo, non potrei farci nulla.»

Il visconte si arrestò, mentre Danny aumentò il passo.

Le mani gli oscillavano lungo i fianchi e se vedeva qualche escremento di cavallo, ci saltava su apposta, a costo di rovinare i suoi bei stivali domenicali.

Il padre gli aveva detto di essere onesto, ed era proprio quest'onestà ad aver liberato qualcosa di terribile e irresistibile nel cuore del piccolo Danny, che oltre ad essere triste, era anche furibondo.

4

Mentre il signor Banks la aiutava a scendere dalla slitta, a Kirsten venne un'intuizione brillante. Intanto, tutt'intorno a loro, la neve, bagnata e rasserenante, faceva da sfondo al sole scintillante e al suolo melmoso e, dopo essersi sciolta, gocciolava dalle grondaie e dai rami degli alberi. Ne sarebbe trascorso di tempo prima che fosse capitata nuovamente l'occasione di condividere la slitta con il signor Banks, ahimè.

«Eccoci arrivati» disse il signor Banks, con le mani attorno al girovita della ragazza. Kirsten si appoggiò alle sue spalle, come se fosse stato uno dei suoi fratelli – dopotutto il terreno era incerto – e con un balzo la fece scendere, la presa solida su di lei, finché la ragazza non ritrovò l'equilibrio.

«Sono felice» disse Kirsten, una delle espressioni più sdolcinate che fossero mai state pronunciate dalla sua bocca solitamente infastidita e scontrosa. «Voglio dire, sono contenta che abbiate fatto un rimprovero così sottile ma al contempo di un certo peso a quei tipi. Sono rimasta veramente colpita.»

Era anche lieta del fatto che il signor Banks fosse stato gentile con il piccolo figliastro di George; felice che fosse stato ben accolto dai parrocchiani e che non si fosse sentito in obbligo di indugiare tra loro, a stringere mani e a prostrarsi in reverenze, tanto per ingraziarseli. Felice anche che Daniel avesse deciso di riaccompagnarla in slitta a Belle Maison.

«Siete orgogliosa di me, allora?» L'idea pareva divertirlo e, in quella giornata umida e assolata, un po' della gioia di Kirsten si offuscò.

«Nessuno è mai stato fiero di voi, signor Banks? Provare un onesto piacere nei confronti dei successi di un'altra persona è forse vietato dalla Bibbia? Se è così, allora sono condannata alla perdizione, poiché sono orgogliosa sia delle mie sorelle che dei miei fratelli.»

Prima che la ragazza potesse dire altro, il vecchio Alfrydd uscì per condurre via il cavallo. I pattini della slitta solcavano la fanghiglia fino a penetrare nel terriccio umido.

«Certo che potete essere orgogliosa di me, mia signora, e per questo vi porgo i miei ringraziamenti. Vogliamo dare il buongiorno a Belzebù?»

L'irritazione di Kirsten si sciolse come neve al sole perché, a quanto pareva, il parroco si mostrava *schivo* alle lodi.

Ebbene sì, allora. Dovevano fare qualunque cosa permettesse a Kirsten di passare qualche altro minuto assieme al signor Banks e di godere della sua compagnia esclusiva, perché quando stavano insieme, Kirsten non si sentiva per niente scontrosa. Non era né burbera, né musona, né acida, né bisbetica, né tutti gli altri appellativi negativi e così pieni d'amore che i fratelli e le sorelle spesso le rivolgevano.

Kirsten prese il signor Banks sottobraccio – aveva bisogno di un cappotto nuovo, perché quello che aveva indosso gli stava largo ed era ormai logoro all'altezza dei gomiti – e insieme si avviarono nella stalla. Il suo castrone nitrì sommessamente, le orecchie puntate nella direzione del suo padrone.

«Buongiorno, Belzebù, oggi è proprio una bella giornata, vero? Ti sarai chiesto perché non ti ho fatto sellare per andare in chiesa, giusto?»

Un altro sbuffo da parte della bestia. Dall'altra parte del corridoio, la giumenta di Kirsten non si degnò neanche di alzare lo sguardo dal suo mucchio di fieno.

«È proprio un bel cavallo, Belzebù,» esclamò Kirsten «temevate di fare una cattiva impressione sui parrocchiani arrivando in chiesa, al galoppo, su un destriero così raffinato?»

Il reverendo si tolse i guanti e li passò a Kirsten. «Temevo che i ferri ne avrebbero risentito con un terreno del genere – gli zoccoli posteriori avrebbero bisogno di un chiodo o due in più – poi dopo il lungo viaggio da Oxford direi che si è meritato un po' di riposo. Ci saranno altre occasioni.»

Il parroco cominciò a fare dei grattini dietro le orecchie e sotto il mento del suo destriero, poi passò a carezzargli il collo nerboruto, dandogli una pacca affettuosa sul dorso. La vista della mano del parroco sul destriero provocò a Kirsten delle curiose sensazioni interiori: delle sensazioni nuove e che non era certa di gradire.

«Vi si riempirà il cappotto di peli» disse Kirsten, poiché i cavalli cominciavano a perdere il pelo già a gennaio, e la situazione non faceva altro che peggiorare con l'avvicinarsi del caldo.

«Non ha importanza» disse il signor Banks, affondando le dita nel petto della bestia. «A Belzebù manca tanto Danny, per cui devo coccolarlo un po'.»

«Chi è Danny? Il vecchio stalliere? O un altro cavallo?»

Un'ultima carezza all'orecchio del castrone, dopodiché il signor Banks ritirò la mano. «Danny è mio... mio nipote. È una situazione un po' complicata, preferirei non tediarvi.»

Il cavallo fece un mezzo tentativo di mordicchiare la manica del signor Banks e, subito dopo, si concentrò nuovamente sul foraggio.

Kirsten prese i guanti, rammendati quasi a ogni dito, e li passò al parroco.

«Sono scorbutica» disse Kirsten, sebbene quella parola le facesse un po' male. «Presto cominceranno a considerarmi una zitella bisbetica e dovrò sopportare la piaga delle nipoti e dei nipoti che nasceranno uno dopo l'altro. Nondimeno, pur essendo scontrosa, so essere discreta, signor Banks, e sono fedele a coloro a cui tengo.»

E a lui, ci teneva. Kirsten non aggiunse altro, perché in quella sua espressione, incredibilmente, era già contenuta la verità.

«Non siete affatto scontrosa» disse il signor Banks, prendendo Kirsten per il gomito e portandola fuori dall'oscurità della stalla nel bagliore del sole mattutino. «Al massimo è solo una parte del vostro carattere. Avete del coraggio da vendere. La storia del piccolo Danny non riguarda solo me.»

Il bagliore del sole era talmente forte da accecare, eppure al signor Banks non pareva dar fastidio.

«Questo Danny è illegittimo, quindi.» *Non l'ho detto io. Non l'ho detto io.*

Il signor Banks lasciò cadere il braccio di Kirsten e si voltò di spalle, il che probabilmente per un parroco equivaleva a lanciarsi in una lunga serie di imprecazioni.

«Non fuggite» scattò lei.

Rimase fermo dov'era – tipo coraggioso – mentre Kirsten si spremeva le meningi alla ricerca di parole per riparare al danno che aveva appena fatto.

Davanti a loro c'era il cortile della stalla, una brodaglia di neve sempre più fangosa, piena di escrementi di cavallo e ciuffi d'erba nuova. Tuttavia, se confrontato a quel pantano di intrighi che non voleva rivelare, il signor Banks avrebbe preferito gettarsi lì in mezzo pur di salvaguardare i segreti della magione.

«Per favore, non mi costringete a inseguirvi. L'illegittimità non è una grande rarità. Presto o tardi, verrete a conoscenza che anche le circostanze di mia sorella Della sono alquanto irregolari e che neanche mio fratello Nicholas, da giovane, era proprio uno stinco di santo. Vi picchierò se vi azzardate a giudicarli con troppa durezza.»

Il signor Banks si voltò e la guardò dritto in faccia. Pareva che Kirsten avesse scoperto per caso la cosa giusta da dire – un miracolo, di sicuro.

«Potreste farlo» disse. «Potreste darmene di santa ragione, sebbene sia più pesante di voi e considerevolmente più alto. Siete formidabile, lady Kirsten.»

I suoi fratelli e le sue sorelle la chiamavano bastian contrario, testarda, ostinata e stizzosa. Nessuno le aveva mai detto *formidabile,* e men che meno con un tono di voce pieno d'ammirazione.

«Non ho mai picchiato un parroco» disse lady Kirsten. «Anche se credo che i Comandamenti lo proibiscano espressamente. Vi difendereste con un altro inno?»

Il signor Banks si voltò verso il sole. La sua fisionomia era un assemblaggio atrocemente attraente delle stesse parti assegnate alla maggior parte delle creature alla nascita, dotato in più della comprensione e della compassione che sprigionavano i suoi occhi scuri e penetranti...

«Venite» disse Kirsten, conducendolo attorno al bordo del pantano. «Ci sediamo nel gazebo dove possono vederci tutti, e mi spiegherete per filo e per segno la storia di vostro nipote. Se è vostro figlio, non dovete nasconderlo. Anzi, sarei sorpresa di sapere che nessuna donna non si sia mai gettata tra le vostre braccia. Chissà quanti cuori avete infranto. Siete umano, signor Banks, così come generalmente lo sono i migliori parroci. E siete anche indecentemente bello, sebbene questo non sia colpa vostra, naturalmente.» Stava farfugliando e il signor Banks la stava seguendo in modo docile. Kirsten chiuse la bocca prima che cambiasse idea e la chiamasse con qualche appellativo meno lusinghiero di 'formidabile'.

Si sedette di fronte a lei nel gazebo ottagonale, il che le dava la possibilità di fare incetta delle innumerevoli sfaccettature della sua espressione senza fissarlo in modo troppo evidente.

Il reverendo era esausto e un po' emaciato. Inoltre, aveva cercato di dissimulare una cucitura sfilacciata sulla cravatta facendo il nodo non proprio centrale.

Quell'uomo aveva bisogno di una moglie.

«L'aristocrazia sa essere tollerante» disse il signor Banks, appoggiandosi indietro e con un braccio lungo lo schienale della panca. «Uno non dovrebbe meravigliarsi, io invece rimango sempre stupito. Mio cognato è un visconte, come sapete.»

«Il visconte Fairly è uno degli amici più cari di Nicholas» proseguì Kirsten. «Spesso si ferma a mangiare da noi assieme alla viscontessa.»

Che strano che il visconte e la viscontessa non abbiano mai parlato del signor Banks. Un parroco in famiglia di solito era un motivo di vanto.

«Gli occhi di lady Fairly somigliano ai vostri.»

La viscontessa aveva anche la stessa aria malinconica del signor Banks e Kirsten sospettò che il bambino, Danny, fosse l'elemento comune della loro mestizia.

Peccato per il bambino. Ci avrebbe pensato Fairly a sistemarli. Sua signoria era una figura eminente, che sapeva il fatto suo e al quale non importava nulla delle convenzioni sociali.

«Il bambino non è mio, sebbene abbia desiderato che lo fosse» disse il signor Banks mentre una tortora atterrò sullo schienale della panchina a pochi centimetri dal suo braccio disteso. «Danny è il ragazzo più dolce che abbia mai fatto l'occhiolino a suo – *suo zio* – in chiesa. Mia sorella da giovane ha attraversato un periodo difficile, e quando si trasferì a Londra in cerca di lavoro, sono stato io a crescere il ragazzo nella canonica di Little Weldon. Adesso Letty, in quanto viscontessa, gode dello status sociale e ha tutti i mezzi per accettare Danny nella sua famiglia, e io non ho alcun motivo di contraddirla. Una madre dovrebbe sempre stare con il proprio figlio.»

Era una storia banale in superficie. Molti bambini venivano consegnati alle cure del parroco locale, o perché il bambino era una bocca in più da sfamare, o magari perché era un po' lento, o comunque sia bisognoso di aiuto. Qualsiasi parroco con una famiglia allargata diventava un posto conveniente dove riporre un bambino di strada. In un villaggio tollerante, le origini del piccolo Danny probabilmente non sarebbero state rinfacciate allo zio.

Il punto di vista della Chiesa rispetto a questo accordo non era stato ovviamente richiesto.

«Avete corso un rischio, tenendo il ragazzo a casa vostra» disse Kirsten mentre una seconda colomba si univa alla prima – una coppia pericolosamente precoce, considerando il tempo. «Un vescovo puntiglioso sarebbe stato contrariato dalla vostra decisione. Vostra sorella vi deve molto.»

«Letty non mi deve nulla.»

Un'altra rivelazione: il signor Banks era in grado di adirarsi. Su di lui, l'ira sapeva mascherarsi da irritazione appena percettibile. Almeno era *conscio* di essere furibondo? Se ne era accorto? Sapeva di essere bello in un modo completamente nuovo quando il fuoco guizzava nei suoi occhi?

Le colombe si sistemarono, come se stessero aspettando che il vassoio del tè venisse loro servito. Era la prima coppia che Kirsten aveva visto quell'anno e forse anche loro desideravano non essere arrivate così presto. Il signor Banks non sembrava consapevole della loro presenza o del loro dolce tubare.

«In ogni caso, vi manca il bambino» disse Kirsten. «Ma perché non lo andate a trovare?» Kirsten si stava intromettendo, l'inclinazione del signor Banks a comportarsi da santo, senza un minimo di controllo avrebbe portato solo a sofferenze inutili.

«Eccome se sono stato a trovarlo, lady Kirsten. Ma il tempo che abbiamo trascorso insieme non è stato sufficiente né ad attenuare la mia preoccupazione per lui, né a dargli conforto. In una situazione del genere il tempo è tutto, ma finché non mi sarò sincerato che Danny può crescere sano in casa della madre, non accetterò nessun incarico in località remote.»

In una *situazione* del genere c'era bisogno di ben altro che di tempo.

«Quanto remote?»

«In Catai[4] sarebbe allettante, o in Perù.»

Kirsten si alzò e le colombe si librarono in volo. Nei suoi progetti non c'era né il Catai né il Perù, e nemmeno avrebbero dovuto essere nei progetti del signor Banks.

«Non credo che Danny se ne rallegrerebbe – mesi d'attesa per ricevere una vostra lettera, con il timore che una terribile malattia vi possa portare via o che siate divorato dai cannibali o dalle tigri. Un piano eccellente, signor Banks, per coloro che devono avere la riservatezza per il loro sacro broncio.»

Lui si alzò lentamente e, per la prima volta, la sua stazza parve a Kirsten virile e possente.

«Conoscete solo una piccola parte dei fatti, mia signora. Vi consiglio di astenervi dal commentare.»

Oh, no. Non anche lui. La vita era talmente piena di delusioni. Kirsten infilò la parte sfilacciata della sua cravatta sotto la cucitura del gilet.

«Tutti mi dicono di astenermi dal fare commenti e i problemi

---

4 Catai fu in origine il nome dato alla Cina settentrionale da Marco Polo.

vengono sempre lasciati irrisolti. Della è terrorizzata dal debutto in società che si terrà in primavera, eppure nessuno ne parla. Nicholas ha una figlia cresciuta, Leonie, in età da marito ma sfortunata nel lignaggio, e questo è un altro argomento di cui nessuno osa parlare. Leonie gli manca da morire e intanto lei sta imparando a servire il tè a casa della nonna paterna a Londra. Nessuno ne parla.»

«Anche a voi manca questa Leonie» disse il signor Banks, cogliendo quest'intuizione in modo un po' troppo entusiastico.

«*Certo* che mi manca. In verità la conosciamo a malapena, ma è davvero una brava ragazza, e Nicholas non avrebbe dovuto lasciarla andare, ma Leonie voleva andare a vedere Londra e lui non riesce a negarle niente. Ogni tanto mi scrive, ma la sua calligrafia...» Kirsten frenò le redini in tempo prima di spartire una confidenza che non era condivisa al di fuori della famiglia. Il signor Banks eccelleva nel provocare sentimentalismo e, nel frattempo, lo ostentava: un briccone nei panni logori di un parroco.

«A voi manca il piccolo Danny» disse lei. «Se abita sotto il tetto di lord Fairly, con il cavallo ci vogliono a malapena due ore. Prendete il cavallo e andate a trovarlo. Fate in tempo a tornare per la cena.»

Il modo in cui il signor Banks inarcò le scure sopracciglia stava a indicare che lo aveva tentato. Kirsten avrebbe preferito tentarlo con un bacio, così si alzò in punta di piedi e gli diede un bacio sulla guancia.

L'ho baciato. E avrebbe voluto farlo di nuovo.

«L'amore di un bambino è fragile e prezioso, signor Banks. Alcuni di noi non se lo guadagneranno mai un tale amore, voi invece potete goderne. Prendete il cavallo, fategli fare una bella galoppata, andate a vedere il bambino e fategli sapere che vi state ambientando bene qui.»

Quando Kirsten impartiva degli ordini ai membri della sua famiglia in triplice copia, regolarmente la ignoravano o discutevano con lei.

Il signor Banks si toccò la guancia con le dita, la sua espressione era in parte confusa e in parte sconcertata.

Kirsten lo lasciò nel gazebo, soddisfatta di sé stessa una volta tanto.

E soddisfatta anche di lui.

«Sei in debito con me» disse Olivia, sebbene imbarcarsi in un'arringa di domenica mattina fosse un'incombenza anche per lei. «Non avrei mai sposato quell'uomo se tu non avessi scherzato con me.»

Bertrand Carmichael appoggiò il vassoio del tè su uno sgabello accanto al letto. La luce del sole rifletteva briosamente sul servizio d'argento: Bertrand non aveva usato il servizio di tutti i giorni da quando Olivia era arrivata, tre giorni prima.

L'idea che qualche domestico avesse da lucidare un servizio in più le faceva piacere, a Olivia, quasi quanto il fatto che fosse Bertrand a servirla.

«La burla fu almeno un'impresa reciproca, Olivia, e ormai risale a tanto tempo fa. Non dovresti indugiare qui a lungo, mia cara. Se ti vergogni, rinvanga le Scritture e, in lacrime, confessati con il vescovo giusto. Banks non avrà altra scelta se non quella di riprenderti al suo fianco.»

Bertrand era seduto sul bordo del letto, non era più magro come lo era stato da giovane, e i capelli rossi cominciavano a diradare. Le sue fattezze però erano rimaste inalterate – elegante, quasi aristocratico, le mani sempre in movimento e prive di calli.

Per necessità, Olivia aveva permesso a quello scherzo della carne di ricominciare il mattino dopo il suo arrivo dal quale erano ormai trascorse varie settimane. Ai bisogni non si comanda. Daniel Banks, solito crogiolarsi nella pietà e nell'onore, non l'aveva mai capito.

«Non vuoi che torni dal parroco, Bertrand. Prenderei un cottage nell'Orkney, piuttosto di ritornare a scontare un ergastolo sotto il tetto di Daniel Banks.»

Bertrand versò il tè con la stessa grazia di una duchessa. Il vapore contribuì ad aggiungere una nota di tè nero all'aroma che aleggiava nella stanza da letto.

«Olivia, dovresti considerarti *fortunata* a vivere di nuovo sotto il suo tetto.»

Uomini martiri... Che Dio me ne scampi e liberi. «Morirei di fatica senza conoscere i piaceri del lusso, a trascorrere metà della mia vita in qualche chiesa vecchia e polverosa, con le ginocchia dolenti per tutta la durata dell'inverno.» Avrebbe dovuto sopportare anche il perdono di Daniel, perché lo stesso Daniel avrebbe perdonato dei vecchi screzi.

«Non lo farò.»

Bertrand le tirò la treccia fra un cuscino e l'altro e con la parte finale le sfiorò la bocca.

«Sai che non posso costringerti a fare nulla, Olivia. Tuttavia temo per la tua anima immortale.»

Ah, *quella.*

«Non sono riuscita a tenere i soldi che ci ha fatto avere Letty» latrò Olivia. «Ce li ha Daniel. Se non li ha dati alla sorella, ormai elevata a titoli nobiliari, li metterà da parte per il bambino, vivendo di miele e cavallette. La mia anima immortale non è poi così tanto in pericolo.»

Non ancora.

Bertrand si chinò e annusò la scollatura di Olivia. «Sei stata maligna, Olivia. Hai approfittato della sfortuna altrui, e non hai fatto nulla per porvi rimedio. Adoro il tuo odore al mattino.»

Olivia accarezzò i capelli di Bertrand, per niente intimidita dal suo approccio. Bertrand era elegante, raffinato, obbediente e docile, completamente diverso dall'oscurità ingombrante di Daniel. La peggiore trasgressione di Daniel in assoluto, però, era stata un'indipendenza ostinata che Olivia non aveva mai trovato il modo di frenare.

Quello e il fatto che non fosse riuscito a darle figli suoi. Olivia non era mai stata una grande ammiratrice dei marmocchi piagnucolosi, ma dover crescere un figlio di un'altra, senza un bambino tutto suo da mostrare a destra e a manca, l'aveva amareggiata in profondità.

Bertrand le strinse il capezzolo con i denti attraverso la vestaglia da notte. «Devo togliermi la vestaglia, Olivia?»

La famiglia di Olivia, che si trovava nello Yorkshire, credeva che Olivia sarebbe scesa al Sud prima di Natale per ricongiungersi a suo marito dopo una lunga vacanza da alcuni parenti. Daniel, invece, credeva che si fosse trattenuta nel West Riding, di tutti i purgatori dimenticati da Dio.

Bertrand, avendo avuto il buon senso di sopravvivere a una moglie benestante, era un porto confortevole – e calmo – durante una tempesta.

«Finisci di prepararmi il tè prima, Bertrand. Ho dei progetti su cui riflettere.»

Smise di disturbarla, il suo sguardo acceso dal desiderio e dalla bramosia mentre mescolava un po' di zucchero nel tè di Olivia.

Subito dopo aver baciato Daniel, lady Kirsten si era dileguata verso la magione, mentre lui era rimasto seduto nel gazebo, le sue emozioni aggrovigliate come le siepi spinose che circondavano il giardino vicino.

Il piacere richiese la sua attenzione: lady Kirsten lo aveva *baciato*. Un bacio sulla guancia, amichevole, intraprendente e sicuro di sé, come il bacio che una donna concede a un familiare.

Di pari passo anche lo stupore avanzò, in quanto, pur se per un breve istante, Daniel aveva desiderato abbracciarla e contraccambiarla, dando così inizio a una conversazione che era destinata a finire lì.

Era sposato ed era un uomo devoto. Fine del sermone. Lo scontento frusciò tra i cespugli delle sue emozioni, poiché non aveva né moglie, né una compagna, e nessun aiutante al suo fianco. Suo padre lo aveva avvertito prima ancora che i voti fossero stati pronunciati: Daniel aveva fatto una scelta sbagliata.

E infine, Daniel soffrì la stanchezza dello spirito. Aveva detto a lady Kirsten la triste verità: andare a trovare il piccolo Danny pareva soltanto ottenere l'effetto di renderlo ancor più triste, perché ogni visita finiva con Daniel che voltava le spalle al bambino e se ne andava via. Ogni scelta portava alla tristezza, ragion per cui Daniel non avrebbe più visitato il bambino nell'immediato futuro.

Un cavaliere scese da cavallo nel cortile della scuderia, un uomo alto accompagnato da un bel castrone. Si tolse il cappello e indugiò per un istante con lo stalliere. La luce del sole risplendeva sui suoi capelli dorati, colore tipico degli Haddonfield.

George Haddonfield arrivò a grandi passi attraversando il giardino, la sua postura e il passo spedito suggerivano che il suo arrivo non era una semplice visita di piacere ai fratelli e alle sorelle.

«Vi hanno sbattuto in giardino come un segugio indisciplinato, signor Banks?» chiese il signor Haddonfield, mentre a grandi falcate saliva i gradini del gazebo. Si appoggiò a uno dei sostegni: era tutto in tiro, sartoria elegante, bonarietà da gentiluomo, energico e in forma.

«Nel giro di qualche settimana questo posto sarà un bel giardino» rispose Daniel, cercando di fare conversazione spicciola. Era domenica, dopotutto. «A un segugio piacerebbe essere sbattuto qui. Siete venuto a far visita alla vostra famiglia?»

Il sorriso del signor Haddonfield si attenuò in un'espressione mesta e un po' perplessa mentre si appropriò della panca accanto a Daniel.

«È quello che ho detto a mia moglie, ma ho mentito, signor Banks – ecco la vostra prima confessione da parte di un peccatore di Haddondale. Ho mentito alla mia nuova moglie.»

«Nel matrimonio i primi tempi sono sempre un po' difficili» disse Daniel. «Uno vuole essere gentile ma anche iniziare il matrimonio con il piede giusto, essendo onesti. Perché avete raccontato a vostra moglie questa menzogna?»

Anche il periodo centrale e quello finale di un matrimonio potevano essere carichi di difficoltà. Una divinità misericordiosa avrebbe risparmiato al signor Haddonfield quell'intuizione.

«Sono in missione di ricognizione, signor Banks. La vostra conversazione con il piccolo Digby mi ha fatto riflettere.»

Digby, lo studioso militare in erba. Daniel si mise a sedere.

«Non posso assolvervi se non conosco la natura del vostro peccato, signor Haddonfield.»

«Sareste un insegnate di prim'ordine ed è proprio questo ciò di cui volevo parlarvi. Il mio figliastro sta sviluppando delle inclinazioni malsane. Me ne accorgerei a distanza, perché da ragazzo anch'io ne avevo parecchie.»

«Da ragazzi, tutti abbiamo avuto varie tendenze.» A forza di fustigazioni, Daniel si era convinto a mettere le sue da parte – perlopiù.

«Digby, la luce degli occhi di sua madre, nonché mio orgoglio e grande gioia, ha chiuso il gatto utilizzato per la caccia ai topi, che si trovava nella dispensa, nell'armadio della biancheria.»

Il signor Haddonfield era preoccupato per questo piccolo contrattempo domestico. L'olezzo di gatto sulla biancheria pulita avrebbe mandato fuori dai gangheri qualsiasi madre.

«La madre di Digby è affezionata a quel gatto?» chiese Daniel.

«Come avete fatto a indovinare?»

«Il piccolo Digby mi ha dato l'impressione di avere un'inclinazione accademica. Le vostre inclinazioni malsane, come le chiamate voi, avranno una qualità strategica. Il gatto ne combina una delle sue, la mamma va su tutte le furie e se la prende con il gatto anziché con il vero colpevole, e in questo modo Digby ha eliminato un rivale per gli affetti della mamma. Siete sposato da poco?»

Il signor Haddonfield si tirò su a sedere. «Sì, da pochissimo. Sono felice di aver sposato Elsie, ma il fanciullo sta diventando un problema.»

Erano molti i momenti della giornata a cui al signor Haddonfield piaceva essere sposato con la sua Elsie, e probabilmente coincidevano con i momenti in cui il giovane Digby voleva essere certo che la madre fosse ancora ed esclusivamente devota a suo figlio.

«Come l'ha presa la signora Haddonfield questa trovata con il gatto?»

«L'ha dichiarato un incidente, ma un bambino di sei anni non infila per sbaglio un gatto, che pesa molto più di un macigno, nell'armadio della biancheria.»

«Malizia premeditata, quindi.» Ma anche ottime capacità di pianificazione. «Mi state chiedendo di pregare per il vostro criminale in erba?»

Daniel poteva farlo senza nessun problema. Ogni monello dovrebbe avere qualcuno che prega per lui, così come anche i genitori dovrebbero avere qualcuno che prega per loro.

«Vorrei chiedervi di insegnargli Latino, signor Banks, ma anche a far di conto, la Geografia e altre materie. Prima di sposarmi, Elsie ha dovuto mandare Digby a lezione privata con il parroco locale, sotto insistenza dell'ex tutore del bambino. Potrei argomentare che Eton College sia un obiettivo ragionevole per Digby, perciò è necessaria una preparazione adeguata se non vuole ricevere un'umiliazione. Digby sarà ben lieto di accettare questa proposta perché gli regalerò un pony per andare a lezione.»

Davvero strategico. «Dovete proprio essere stato un ragazzaccio da giovane, signore.»

Le orecchie del signor Haddonfield assunsero una sfumatura rosata tipica dei novelli sposi. «A Elsie sembra piacere questo aspetto del mio carattere.»

Un altro uomo alto e biondo sbucò da un'entrata laterale di Belle Maison: il conte di Bellefonte in persona. Aveva visto lady Kirsten baciare la guancia del nuovo parroco? Nel caso in cui se ne fosse accorto, sarebbe stato un problema per Daniel, sebbene il bacio fosse stato un semplice gesto di amicizia?

«Bellefonte mi ha visto» disse il signor Haddonfield. «Di solito di domenica pomeriggio ci rinchiudevamo in biblioteca. Nicholas diceva che stava facendo dei conti e io mi proponevo di curare la mia corrispondenza e, invece, finivamo entrambi col farci un bel pisolino.»

Un'altra confessione, che tradiva la sua preoccupazione per il conte, perché il signor Haddonfield aveva già trovato un posto più accogliente per schiacciare i suoi pisolini la domenica pomeriggio.

«Siete un bravo fratello» disse Daniel. «Ricordate che Bellefonte ha una contessa, proprio come voi avete la madre di Digby per trascorrere una o due ore indolenti.»

«O tre.»

Il cappotto del conte era aperto e questo lasciava intendere che era uscito di casa in fretta e furia. Sedette sulla panca di fronte a Daniel con l'aria di uno che era appena scappato dal manicomio.

«Stanno già facendo i preparativi per il debutto in società» disse, lanciando uno sguardo verso il grande edificio che fiancheggiava il giardino. «Nessuna strega ha mai rimestato il calderone con la stessa gioia di quelle donne mentre si preparano a fare dei balli sincopati o a volteggiare sulla pista da ballo. Signor Banks, quanto mi costerebbe un sermone sui mali della danza? Ponderate bene la vostra risposta, perché sono io a mandare avanti la vostra parrocchia.»

George diede un colpetto allo stivale del conte. «Da quanto ho sentito, la canonica era gremita di pipistrelli e c'era un'umidità spaventosa, lord Sobria Generosità. Escrementi di topo sul pavimento della dispensa e ragni nella tromba delle scale. Potete ritenervi fortunato se avrete un dissidente ubriaco ad assistere il gregge quando sarà smarrito.»

Sua signoria sbatté il suo grande stivale contro le dita dei piedi di suo fratello, continuando a mostrare una complicità fraterna. «Oh, sei proprio di grande aiuto, George. Signor Banks, guardate la mancanza di rispetto che un prode conte deve sopportare da parte dei fratelli. La canonica può essere sistemata quando le giornate miglioreranno.»

«Sostituire il legno marcio richiederà un'eternità» ribatté George. «Il signor Banks necessita di un alloggio adesso se deve fare da precettore ai giovani studenti della parrocchia.»

«Perdonatemi, signor Haddonfield,» si intromise Daniel «non mi pare di aver acconsentito a un simile incarico» e soprattutto non era certo disposto a diventare l'istruttore di una truppa di marmocchi che avrebbero reso ancora più dolorosa l'assenza del piccolo Danny nella sua vita.

Ripensandoci, comunque, aggirarsi nella residenza del conte per settimane, schivando i rimproveri – e i baci – di una certa donna schietta non era un progetto tanto più saggio.

Il ragazzaccio, da tempo dormiente, che si nascondeva nell'animo di Daniel si risvegliò: schivare i rimproveri – e i baci – di lady Kirsten poteva essere *piacevole.*

Non schivarli sarebbe stato ancora più piacevole – ma anche peccaminoso.

«Sono lieto di insegnare il Latino ai giovani della parrocchia,» proseguì Daniel «ma uno sforzo del genere solitamente viene intrapreso presso la canonica, dove all'uopo i giovani possono anche risiedere. Non credo che Sua signoria voglia avere un branco di giovani screanzati che corrono liberi in quella che è la sede stessa della contea.»

«Non me ne è forse concessa la possibilità?» domandò Bellefonte, in tono malinconico.

«No, Nicholas» rispose George. «Procurati delle piccole canaglie tutte tue. Non puoi avere la mia. Inoltre, Banks non è che abbia intenzione di costruire fortini sugli alberi, dighe, o fare delle battaglie con i soldatini di piombo. Il suo compito è quello di istruirli.»

«Il sottoscritto» apostrofò Daniel in tono sommesso «ha accettato di insegnare latino a un bambino piccolo e molto educato, non ho mai detto di voler disciplinare un reggimento intero.»

Entrambi i fratelli lo scrutarono e, davanti agli occhi di Daniel, gli schemi fraterni sbocciarono nel giardino soleggiato e fangoso. Una tortora precoce tubava dalla stalla, poi d'un tratto il conte e il signor Haddonfield parlarono contemporaneamente.

«La residenza della contessa madre» dichiararono.

Il conte prese le redini della conversazione e si avviò di buon passo. «Harold Blumenthal mi ha chiesto quando vi trasferirete in canonica perché ha due bambini, due piccole pesti, e hanno entrambi bisogno di prepararsi per la scuola pubblica. Voleva sincerarsi che vi foste sistemato tra noi prima di mollarvi i ragazzi.»

In altre parole, sarebbe stato più difficile per un parroco ignaro battere una ritirata furtiva dopo aver allestito il campo.

«Questi fanciulli di cui parlate sono per caso gemelli?» Nell'esperienza di Daniel, i gemelli avevano la facoltà di anticipare uno i pensieri dell'altro. Una simile dote nelle mani di ragazzini monelli e dispettosi non era certo di buon auspicio per i maestri, per le governanti e per i cani che dormono. Dei teppistelli del genere sarebbero andati matti per una canonica infestata da ragni e pipistrelli.

«Appartengono a quella tipologia di gemelli in cui l'uno è praticamente indistinguibile dall'altro» disse George. «Ogni due generazioni i Blumenthal producono un set abbinato. L'ultima volta nacquero due bambine e pare che all'epoca avessero fatto innamorare il pazzo re Giorgio; corre voce che si fosse innamorato di entrambe.»

Mentre gli Haddonfield avevano prodotto mezzo reggimento di biondi attraenti, alcuni dei quali erano baciatori indiscriminati.

«Per quanto allettante possa essere la prospettiva di istruire questi scansafatiche in erba,» osservò Daniel «dobbiamo ancora risolvere la questione di trovare una sede adeguata per la loro istruzione.»

«Oh, abbiamo già trovato una soluzione» disse Sua signoria, incrociando un paio di stivali da equitazione logori all'altezza della caviglia. «Una bella strofinata con dell'aceto, un po' di cera d'api e d'olio di limone e nella residenza della contessa madre ci sarà tutto lo spazio di cui avrete bisogno per i vostri studenti. E badate bene, se viene loro l'idea di costruire una casetta sull'albero, sono a disposizione per aiutarvi.»

All'aristocrazia andavano concesse le sue iniziative bizzarre.

Entrambi i fratelli risero di cuore.

«Nicholas costruisce le migliori case sugli alberi,» dichiarò il signor Haddonfield «ma non dategli corda con i tunnel; nostro padre aveva gli incubi a causa della bravura di Nick come geniere.»

Il signor Haddonfield e suo fratello erano cresciuti con ogni privilegio, eppure, nascondendosi dalle loro donne in un pomeriggio fresco, erano semplicemente una coppia di fratelli, spudoratamente affezionati l'uno all'altro, accanitamente leali, e che cercavano di adattarsi alla recente dipartita del signor Haddonfield dall'abitazione del conte.

Una volta adulto, il piccolo Danny avrebbe meritato lo stesso tipo di alleati, e non solo l'impotente protettività di uno *zio* che sarebbe invecchiato in solitudine in qualche canonica stantia.

«Devo forse spostare i miei effetti in questa residenza della contessa madre?» chiese Daniel, alzandosi. Fatti i bagagli se ne sarebbe potuto andare dalla tenuta Belle Maison nel giro di un'ora – un'idea ragionevole, indubbiamente. Un uomo prudente si sarebbe allontanato dalla tentazione il prima possibile anziché mettere ripetutamente in pericolo il proprio onore e la salvezza della propria anima immortale.

Anche il conte e suo fratello si alzarono, Sua signoria alla guida dell'esodo che dipartiva dal gazebo.

«La mia contessa non vi lascerà andare per il momento, Banks,» precisò il conte «la residenza ha bisogno di essere sistemata prima.»

«Eccome!» enfatizzò il signor Haddonfield, che si era piazzato in coda. «Lady Bellefonte vorrà sincerarsi che l'impresa sia eseguita correttamente.»

«No, non credo,» rispose Sua signoria, arricciando lo splendido naso «lady Bellefonte è impegnata con i preparativi del debutto in società di Della. Direi che è Nita a doversi assumere l'incarico, ma lei d'altronde ci ha abbandonati per convolare a nozze, quindi rimane solo...»

«Kirsten» concluse il signor Haddonfield. «È la più indicata per un incarico del genere, se me lo chiedete. Potrebbe domare una prigione, quella donna. Mi sembra la scelta migliore.»

«Da questa parte» indicò Bellefonte, conducendo Daniel intorno alla casa.

«Possiamo entrare direttamente in biblioteca.»

Il signor Haddonfield si arrestò nel giardino. «Dovrei salutare le signore, Nick. Non posso affermare esattamente di esser venuto fin qui per sistemare la corrispondenza.»

«Vi terranno prigioniero fino all'ora di cena» mugugnò Sua signoria. «Allora dovrò lavorare sui miei conti, e il parroco disapproverà perché oggi è il giorno del Signore.»

Daniel era noto per dare un'occhiata ai suoi conti di domenica: un breve esercizio, nel suo caso.

«Il mio suggerimento» disse Daniel «è che il signor Haddonfield sia venuto a prendere in prestito alcuni libri per bambini dalla biblioteca. Digby ha un'immaginazione irrequieta e trarrà beneficio da materiale nuovo. Il signor Haddonfield è rimasto per fare una o due partite a scacchi con me – è un tipo cortese – e per discutere dell'istruzione del figliastro.»

«Non è nemmeno una bugia» si meravigliò il conte. «Banks, siete davvero in gamba.»

«Che l'arcivescovo di Haddondale prenda posto sul divano più vicino al fuoco» concesse il signor Haddonfield, riprendendo le fila del discorso. «Il reverendo ha bisogno di riposo se si deve accollare quei monelli dei Blumenthal.»

Quando tutti e tre gli uomini si erano sbarazzati dei cappotti e degli stivali, Daniel si distese sul divano d'onore situato in prossimità del fuoco ardente. Il conte stava già russando in una comoda poltrona ad alette, con i piedi calzati su un poggiapiedi, mentre il signor Haddonfield aveva afferrato un cuscino e si era sdraiato sul divano blu contro la parete.

La biblioteca era silenziosa, tranquilla e accogliente: un bel posto per riflettere sul sermone della settimana successiva. O per ricordare un bacio soffice e dolce, che non avrebbe dovuto ripetersi per nessuna ragione al mondo. Mai più.

5

Le domeniche pomeriggio di Kirsten seguivano sempre la stessa routine: assieme alle sorelle ricamava, lavorava a maglia, faceva il chiacchierino e, in ogni caso, evitava di fare alcunché di interessante, mentre gli uomini di casa schiacciavano un pisolino per circa un'ora, per poi recarsi nella falegnameria di Nicholas a intagliare e scolpire il legno, allietati dalla compagnia di qualche bicchierino.

L'ozio forzato innervosiva Kirsten; la domenica pomeriggio, comunque, era il giorno di riposo della servitù, per cui, se non altro, poteva almeno rifugiarsi in cucina con la scusa di preparare una tazza di tè.

Un domestico le avrebbe portato il vassoio – aveva commesso il peccato mortale di fare capolino nel salottino della servitù per chiedere aiuto – così quando la sua incombenza fu conclusa, Kirsten irruppe senza preavviso nel salotto della contessa.

«Il signor Banks mi ricorda Christopher Sedgewick,» osservò Della «anche se oserei dire che il fascino del signor Banks sia di gran lunga più accattivante di quello del signor Sedgewick.»

E a quel punto, prevedibilmente, la conversazione entrò in un campo minato. La contessa assunse un'espressione risolutamente allegra. «Kirsten, sei riuscita a trovare una teiera con un po' di tè fresco e qualche biscotto?»

Il signor Banks non ha niente a che vedere con Christopher Sedgewick.

«Hai ragione Della» disse Kirsten, con una leggera vena polemica. «Sia il signor Sedgewick che il signor Banks sono alti, con i capelli scuri e gli occhi castani e riscuotono molto successo, sempre che a uno non dispiaccia un uomo con un naso importante. Tra i due, il signor Banks ha la voce più soave, probabilmente sviluppata per necessità essendo abituato a parlare da un pulpito.»

Kirsten sedette vicino alla finestra, dove un tempo era solita accomodarsi Nita. Che cosa aveva dispensato Nicholas a sua moglie per quanto riguarda lo stimato signor Sedgewick o il visconte Morton?

O su qualsiasi precedente corteggiatore di Kirsten?

«Missione compiuta?» chiese Susannah.

«George si sarà senz'altro fermato un attimo da Nicholas e i biscotti allo zenzero sono finiti.»

Maledetti biscotti.

«Il vassoio con il tè sarà servito a breve» disse Kirsten, e siccome le sorelle stavano guardando ovunque tranne che lei, aggiunse: «Suppongo che vedremo il signor Sedgewick e la sua signora a Londra questa primavera. Mi pare di capire che abbia partorito con gioia prima di Natale.»

Avrebbero portato il figlio a Londra con loro, ovviamente. Un bambino nel periodo natalizio nella più consueta tradizione biblica, per sincerarsi che la contea, che il signor Sedgewick stesso aveva ereditato, potesse tramandarsi per un'altra generazione.

«Adesso che abbiamo fatto scappare Nicholas con le nostre chiacchiere di balli e di ricette sul punch, c'è bisogno di un po' di poesia» annunciò Susannah. «Wordsworth, per anticipare la primavera con pensieri di agnelli, giunchiglie e nuova vita.»

Kirsten ci rimase male, sebbene Suze stesse semplicemente cercando di lasciare Sedgewick nella polvere della conversazione.

Kirsten si alzò per evitare di dare un pugno alla finestra più vicina. «Vado a cercare qualche poesia allegra, anche se dubito che la neve durerà un altro giorno: il sole ha già trasformato il sagrato in una specie di pantano.»

Il sole aveva anche messo in risalto i riflessi rossi nei capelli del nuovo parroco mentre si trovava sui gradini della chiesa a conversare con i parrocchiani. A Kirsten era piaciuto in particolar modo l'aspetto serioso che aveva assunto mentre stava parlando con George e con il figlio di Elsie, Digby. Non era da tutti i pastori mettersi a conversare con un bambino quando un buffetto sbrigativo sarebbe stato più che sufficiente.

Kirsten entrò nella biblioteca e si arrestò bruscamente.

L'ultima volta che aveva visto Nicholas, questi stava attraversando il giardino, molto probabilmente diretto nella sua falegnameria all'interno della stalla. In biblioteca non c'era traccia né di lui né di George, che sarebbe dovuto venire a fargli visita.

A quanto pareva i fratelli di Kirsten stavano esercitando un'influenza corruttiva sul signor Banks, giacché egli era disteso sul divano più vicino al caminetto. In tutta la biblioteca, quel luogo godeva del massimo tepore e della massima privacy, perché lo schienale del divano era rivolto verso l'ingresso.

Kirsten chiuse la porta senza far rumore e si preparò a trasgredire, poiché il signor Banks a riposo era uno spettacolo intrigante.

Le ciglia scure gli sfioravano le guance e, nel sonno, mettevano in risalto la sua magrezza. Una mano era riversa sul bracciolo del divano, le labbra chiuse formavano una linea scolpita, e i capelli – perché il servitore di Nick non gli aveva dato uno spuntata? – con morbide onde ricoprivano il suo volto affaticato.

Un angelo caduto, troppo grande rispetto a quel divanetto. Infatti un piede era appoggiato sul bracciolo più vicino a Kirsten, la punta delle calze rammendate più volte. In uno stivale da equitazione su misura, tutte quelle cuciture avrebbero potuto causargli delle vesciche. Aveva il ginocchio piegato e l'altro piede riposava sul cuscino di velluto del divano.

Lo stato pietoso in cui versavano le calze del signor Banks urtava la sensibilità domestica di Kirsten, mentre il resto del suo corpo, abbandonato al sonno, era davvero mozzafiato, con tutte le cautele e le riserve abbandonate e il vigore mascolino in mostra spudorata. Le sorelle di Kirsten si sarebbero ritirate in silenzio anziché intromettersi nella privacy del signor Banks, ed era proprio per questo motivo che le sue sorelle erano destinate a un buon partito e a matrimoni felici.

Il signor Banks si mosse, e la mano che posava sul ventre piatto scivolò più in basso, proprio lì.

Devo uscire da qui, me ne devo andare in questo preciso istante.

Il signor Banks mosse il pollice e il ventre di Kirsten divenne un miscuglio di fascino, senso di colpa e sensazioni inopportune. Poi cominciò a muovere la mano ritmicamente, accarezzando lentamente la lana scura che ricopriva i suoi genitali, su e giù, ripetutamente. Egli socchiuse le labbra e Kirsten, senza farsi udire, si avvicinò di un passo.

È eccitato. Non fece in tempo a formulare quel pensiero prima che un altro prese forma subito dopo. *Si sta eccitando mentre dorme.*

Gli uomini sono soliti abbracciare attivamente i piaceri sessuali anche da soli. Grazie a Sedgewick e a Morton, Kirsten sapeva più di quanto avrebbe dovuto sul corpo maschile e su ciò che passava loro per il cervello in quegli istanti. Tuttavia non sapeva che gli uomini fossero inclini a questi impulsi anche durante il sonno.

Il signor Banks si stava muovendo sul divano, facendo ondeggiare i fianchi contro la sua mano. Questo suo movimento sinuoso causò uno sconvolgimento nell'animo di Kirsten, che aveva ormai perso il lume della ragione. Voleva baciarlo. Bramava di togliergli i pantaloni, peccare insieme a lui in ogni modo possibile, sebbene fossero i piccoli particolari a prendere il sopravvento nella sua immaginazione.

Aveva fatto un passo indietro, allontanandosi dai suoi pensieri peccaminosi, quando il signor Banks gemette sottovoce e socchiuse gli occhi. A osservarla non era un parroco ma un satiro: passione, potere e fuoco ardevano nel suo sguardo bramoso.

La sua mano non si fermò e con voce roca pronunciò: «Andatevene.»

Kirsten fuggì, senza far rumore, e non tornò neanche in salotto a far compagnia alle sorelle.

«Letty, ti amo più della vita stessa, ma il piccolo Danny ha bisogno di passare del tempo con Daniel.»

Sarebbe stato il ritratto perfetto: la moglie di Fairly con una bimba in braccio, mentre piacevoli raggi di sole filtravano dalla finestra. La madre e la bambina avevano lo stesso colore scuro dei capelli e una pelle perfetta. Due gocce d'acqua. L'unica differenza era che la bambina sorrideva allegramente, mentre l'espressione di Letty era ostinata.

Negli ultimi tempi, la viscontessa era il ritratto della testardaggine, così come lo era il quasi figliastro del visconte Fairly.

«Danny ha bisogno di più tempo per abituarsi a noi» disse Sua signoria, spostando la piccola sulla sua spalla. «È qui da pochi mesi e i bambini non si adattano facilmente come gli adulti.»

I bambini spesso si adattano più facilmente degli adulti. Letty non aveva cresciuto altri bambini da quando Danny era stato svezzato, quindi non poteva considerarsi un'esperta, ma di una cosa era certa: amava i suoi due piccoli immensamente.

«Lascia che la prenda» disse Fairly, prendendo la bambina dalle braccia di sua madre. «Ti sbaverà sulla vestaglia, la piccola birbantella.» Il peso della bambina era di conforto e infondeva calma, ma non riuscì ad alleviare ciò che si apprestava a dire.

«Danny è qui da quasi sei mesi, tesoro, e sta diventando sempre più infelice. Ha gettato il suo porridge stamattina, e non è un ragazzino abituato a sprecare il cibo.»

«Tutti i bambini fanno delle marachelle di tanto in tanto.»

Questo non era vero.

«Tutto quello che suggerisco è una visita, Letty. Una visita allo zio; non più di un'ora. Danny ha bisogno di sapere che suo zio se la sta cavando bene e che fa una bella vita non lontano da noi.»

Fairly aveva scongiurato il conte di Bellefonte senza sosta per sincerarsi che il parroco Banks non prestasse ascolto a un santo impulso di prestare servizio missionario nell'Africa Nera.

«L'aria è ancora abbastanza frizzantina» disse Letty. «Tra qualche settimana potremo prendere in considerazione una visita. I bambini potrebbero raffreddarsi se li facciamo uscire adesso.»

Nessuno aveva detto di portarsi dietro la bambina. Fairly sedette accanto a sua moglie, mentre sua figlia, tutta felice, gli dava dei colpettini sulla spalla.

«Temi che se Danny vedrà lo zio, vorrà rimanere con lui e tu non riavrai mai più tuo figlio sotto il nostro tetto, vero? Capisco le tue paure, Letty, ma molti bambini dell'età di Danny si stanno preparando per la scuola pubblica. Danny ormai sta crescendo. È molto intelligente e deve farsi le ossa.»

Con il parroco come modello di virtù maschile, il piccolo Danny era condannato a una vita di industriosità e di integrità, se non addirittura a una vita nella diocesi.

Grazie a Dio, tanto per rimanere in tema.

«Danny non è mica come te!» Letty reagì bruscamente. «Non ha sei anni e non vive certo in una lurida fattoria con sua madre, piangendosi addosso per essere un povero ragazzo scozzese, quando una zia lo prende e lo porta a vivere in una famiglia benestante del Sud dell'Inghilterra. Danny è *mio figlio* e per ben cinque anni l'ho lasciato nelle mani di *quella donnaccia.*»

Letty balzò in piedi e cominciò a girare per il salotto, con le sottane che ondeggiavano frusciando, mentre Fairly dava dei piccoli colpetti sulla schiena della figlia. Una volta menzionata *quella donna,* Letty doveva scaricarsi per conto suo, altrimenti sarebbe scoppiata in un pianto a dirotto.

«Non ha mai voluto bene al piccolo Danny» disse Letty in tono sommesso e con la voce spezzata dal pianto. «Daniel, dal canto suo, ha fatto del suo meglio, e di questo gliene sono grata, ma ora sono nella posizione di essere la madre che avrei sempre dovuto essere. Non cambierò certo idea per una volta che Danny non si comporta bene.»

In realtà, era già il terzo giorno nell'arco di una settimana che Danny non si comportava bene, sebbene Fairly non avesse il coraggio di dirlo alla moglie. Non aveva il coraggio di usare la verga di betulla sulla schiena del ragazzo, e questo prometteva male per il porridge dell'indomani.

E per i nervi di tutti.

«Per il resto del mondo, tu sei la zia del ragazzo» disse Fairly, cambiando tattica. «Daniel è suo padre, un padre che vorrebbe vedere suo figlio più di una volta ogni sei mesi.»

«Daniel è venuto a trovarci» Letty tirò su col naso ed estrasse un fazzoletto dalla manica. «Ha scritto, ed è appena arrivato a Haddondale. Non sto dicendo di no, David. Sto dicendo non ancora. Per favore, ti prego, non ancora.»

La bambina era un batuffolo di gioia e con le manine continuava a dare dei colpettini sulla spalla, e di tanto in tanto sull'orecchio del padre, mentre Letty crollò, piangendo, sull'altra spalla di Fairly.

'Non ancora' era un passo in avanti. Pur se controvoglia, era sempre un piccolo passo in avanti.

Fairly pregò che Danny non sarebbe scappato per unirsi alla Marina prima che gli adulti nella sua vita avessero risolto i problemi legati ai loro sensi di colpa, agli obblighi, e alle varie opzioni.

Con quel pensiero, la bambina che aveva in braccio gli mollò un bel ceffone sulla guancia.

Nella coscienza di Daniel, la casa della contessa madre si profilava come una terra promessa, solitaria nell'immediato futuro, ma anche piacevolmente libera da lussi, amenità e baci che avrebbero potuto distrarlo. Come tutte le terre promesse, tuttavia, ci voleva tempo e fatica per stabilirci la residenza.

«Ecco i libri, signor Banks» disse il domestico, Ralph, mentre posava una scatola di legno sulla scrivania che sarebbe servita a Daniel come postazione di comando.

«Lady Kirsten dice che i ragazzi hanno bisogno di tanti libri. In questa scatola troverete delle copie di alcuni di quelli che ci sono in biblioteca. Per iniziare dovrebbe essere più che sufficiente.»

«Lady Kirsten ha per caso fatto sapere quando finirà il trasloco?» chiese Daniel.

Da quando era accaduto l'episodio increscioso della biblioteca, Daniel aveva evitato Sua signoria al di fuori dei pasti. Il suo sguardo aveva assunto una qualità speculativa e analitica, come se lo stesse misurando mentalmente con una scala conosciuta solo da lei.

O forse stava pianificando un altro bacio sulla sua guancia.

«Sua signoria agisce quando lo ritiene opportuno» puntualizzò Ralph, sistemando una mezza dozzina di libri su degli scaffali costruiti nella parete opposta. «In passato, lady Nita ci faceva lavorare con zelo, ma era sempre Lady Kirsten a controllare tutto e a sapere chi di noi era negligente. A proposito, Sua signoria non sopporta la polvere e odia le ragnatele.»

Il domestico ripose un'altra mezza dozzina di volumi sugli scaffali, proprio accanto ai diari scritti dal padre di Daniel, che questi aveva collocato in modo da averli sempre sott'occhio, nella speranza che a forza di guardarli prima o poi avrebbe trovato l'ispirazione per leggerli.

«Nutri tanta stima nei confronti di lady Kirsten, vero?» chiese Daniel. Ralph si fermò, con un volume di Wordsworth in mano. Era un ragazzo giovane, probabilmente non aveva ancora compiuto vent'anni, aveva i capelli di un biondo rossiccio e un aspetto amichevole. Come la maggior parte dei domestici, riempiva la sua livrea con una bella dose di muscoli.

«Proprio così, signor Banks. La nobiltà può vivere in una casa per tutta la vita senza vedere il posto dove dimorano. Lady Kirsten invece vede la casa e le persone che ci lavorano. Se lei dice che le lampade del camino devono essere pulite, si accorgerà quando saranno pulite – e se il lavoro non è stato completato a dovere.»

Wordsworth fu seguito da Blake, Burns, Pope, Sheridan – materiale sufficiente per molti inverni di buona lettura. Sebbene i giovani ragazzi avrebbero apprezzato queste letture solo in parte. Ralph recuperò la scatola, ormai vuota, dalla scrivania di Daniel.

«Il pranzo sta per essere servito, signor Banks. Possiamo portarvi un vassoio dalla cucina se desiderate mangiare qui oggi.»

Una pioggia frammista a nevischio aveva trasformato il giardino in fanghiglia, e il pensiero di attraversare quel pantano per unirsi alla famiglia Haddonfield per il pranzo di mezzogiorno lo scoraggiava.

«Tra non molto scenderò in cucina» disse Daniel. «Puoi mandare un messaggio alla casa padronale che resterò con i miei libri fino a cena?»

«Consideratelo fatto, signore.»

Ralph si ritirò, un giovane uomo contento di essere al servizio degli altri. Se avesse avuto delle inclinazioni scritturali, sarebbe stato di sicuro un buon curato.

Daniel sistemò le due dozzine di volumi in ordine alfabetico dividendoli per autore, dopodiché si rifugiò in cucina. Al piano più basso un esercito di cameriere si era dato da fare per due giorni, strofinando ogni stanza da un angolo all'altro, illuminando le finestre con l'aceto, sfregando gli oggetti in legno con la cera d'api e l'olio di limone, e appendendo bustine di lavanda a bizzeffe. I domestici erano stati inviati ai piani superiori, sebbene Daniel avesse deciso di non trasformare gli alloggi delle cameriere in un'aula di studio. La parte superiore di ogni casa era difficile da riscaldare in inverno o da mantenere fresca d'estate, quindi decise di utilizzare l'ex sala della musica come luogo di apprendimento.

La residenza della contessa madre era una dimora di considerevoli dimensioni, come si addice a una vedova col rango di contessa. In soli due giorni, un senso di felice industriosità aveva pervaso la casa.

Magari Daniel ne avesse un po' attinto. La cucina era sul retro della casa, in prossimità dei giardini, della cucina estiva, del pollaio e del caseificio. Mentre Daniel si avvicinava, udì una voce femminile provenire dal corridoio che conduceva alle dispense e a un ingresso posteriore.

«Erano gli stivali di mio padre» disse la voce. «Non li lascerei certo in custodia al primo che capita.»

«Gli stivali del vecchio conte?» fece eco un'altra voce in tono meravigliato. La voce di un bambino: probabilmente il destinatario degli stivali

«Sua signoria portava gli stivali da equitazione anche quando ormai non poteva più cavalcare. Erano davvero speciali per lui e sono certa che ne avrai cura.»

Era lady Kirsten, senza ombra di dubbio, sebbene la sua voce non avesse il solito tono d'acredine. Dal corridoio in penombra, Daniel diede una sbirciata nella dispensa più vicina.

Sua signoria sedeva su una panca di assi grezze; al suo fianco c'era un ragazzino biondo, che in braccio aveva un bel paio di stivali da campo.

«Sono già puliti» disse il bambino. «Hanno bisogno di una lucidatina però. La cuoca dice che sono lento, ma non è vero. Non sono lento. Quando avete bisogno di questi stivali, mia signora?»

«Devi avere pazienza con la cuoca, Jeremy. Non ha mai lucidato un paio di stivali quindi è normale che non sappia quanto ci vuole. D'altronde non è che un arrosto è pronto più velocemente solo perché il padrone ha fame, non trovi?»

«Ovvio, mia signora. Ed è la stessa cosa con gli stivali. La pelle dovrebbe asciugare prima e poi l'olio deve essere assorbito, dopodiché bisogna aspettare prima di applicare la lucidatura. Me lo ha insegnato Ralph, perché un tempo era lui ad avere l'incarico della cura degli stivali, quando era giovane. Mi ha detto di fare sempre del mio meglio, ed è quello che faccio.»

Sua signoria non portava il copricapo, la pettorina che aveva indosso era striata di polvere e i capelli biondi li portava su di un lato, sciolti. Pareva una cameriera di una certa età dopo una dura giornata di pulizie. Non aveva affatto le sembianze della figlia di un conte. Seduta accanto al ragazzino attanagliato dalle problematiche tipiche di un bambino della sua età, sembrava quasi come una dolce cugina più grande, una zia...

O quasi come... una *madre*.

«È quello che dobbiamo fare tutti, Jeremy,» disse «cercare di fare del nostro meglio, anche quando le persone dimenticano di dire grazie. Ti puoi mettere a lavorare a questi stivali un giorno in cui non piove, perché tanto so che il conte avrà sempre stivali fangosi per te nei giorni di pioggia.»

«E ha degli stivali grandi e fangosi» rispose Jeremy, saltando giù dalla panca. «I più grandi stivali che ci siano nella contea, dice Ralph. Buona giornata, mia signora!»

Jeremy scappò via e ci mancò poco che andasse addosso a Daniel con il suo piccolo trofeo. Lady Kirsten rimase seduta, sebbene ormai fosse troppo tardi per fingere di non aver visto Daniel.

«Salve, signor Banks. Ho detto alla cucina di servirvi il pranzo su un vassoio in camera, se preferite rimanere qui anziché unirvi alla famiglia.»

Kirsten cercava di evitare di incontrare il suo sguardo, e questo lo infastidì. Lei che aveva offerto un bacio leggermente impudente a un parroco sposato, lei che non si frenava mai dal dire ciò che le passava per la mente e che non aveva nessun problema a fare la guerra alle ragnatele della casa, proprio lei non avrebbe dovuto provare imbarazzo per il comportamento di Daniel. Daniel prese il posto precedentemente occupato dal giovane Jeremy.

«Non pranzate, mia signora?»

«C'è stato un fuori programma: una delle cameriere si è chiusa un dito nella porta e un domestico ha fatto cadere un baule sul piede di un altro. Prima era mia sorella Nita a gestire la casa, tuttavia la casa della contessa madre non ha mai ricevuto tanta attenzione.»

«Vi ringrazio, allora, per i vostri sforzi.»

«Mi godrò la mia permanenza qui fin tanto che la canonica non sia stata sistemata.»

Un'onda di silenzio, insolito e imbarazzante, si levò tra i due.

Daniel riprese la conversazione, perché era quello che gli spettava in veste di parroco. «Grazie dei libri. Sarà un piacere leggerli. Questa settimana darò un'occhiata alla canonica e vedrò se riesco a trovare qualche grammatica latina o qualche copia in più di *Robinson Crusoe.*»

Lady Kirsten era tormentata da sentimenti contrastanti. Daniel lo percepiva, come quando il piccolo Danny stava per scoppiare in lacrime dopo esser stato sovraccaricato di fatica e aver patito la fame troppo a lungo. Daniel aspettò, perché anche quello era compito precipuo di un parroco.

«Vi ho visto» disse lady Kirsten mentre, sollecitamente, strofinava una macchia sulla pettorina del grembiule. «Ieri, in biblioteca. Mi sono imbattuta in voi.»

In biblioteca...? Uno dei sonnellini più piacevoli che Daniel ricordasse.

Addormentarsi in una stanza pubblica non era esattamente appropriato, ma d'altronde neanche lady Kirsten si sarebbe scandalizzata per così poco.

«Mi avete visto dormire? Chiedo venia se le mie buone maniere mi hanno abbandonato. Russavo forse? I vostri fratelli mi hanno portato a credere che schiacciare un pisolino in biblioteca nel giorno del Signore fosse norma comune nella casa. Quando mi sono destato, erano andati tutti via.»

E ben riposato, per una volta.

«Non stavate russando. Però vi eravate tolto gli stivali.»

Ma dove voleva arrivare?

«Vi porgo le mie scuse più sentite, sia perché ero scalzo che per lo stato sconcertante delle mie calze.»

L'ago e il filo non erano mai stati il forte di Olivia. Sebbene Daniel potesse permettersi un nuovo paio di calze, si infliggeva quel supplizio come penitenza per non aver ammesso a sé stesso la vera natura di Olivia quando avrebbe dovuto.

Daniel aveva un vago ricordo di un sogno. Ricordava di essere furibondo e allegro allo stesso tempo, come un ragazzo adolescente.

«Non mi troverete di nuovo addormentato nelle stanze pubbliche, mia signora. Avrò delle camere qui e potrò schiacciare un sonnellino in un letto vero e proprio.»

O negli uffici della chiesa. Daniel aveva da tempo sviluppato l'abilità di fare un sonnellino seduto alla sua scrivania o sdraiato su un banco della chiesa. Ovunque tranne che in casa sua.

«Vi ricordate solo di aver schiacciato un pisolino?» domandò Sua signoria.

Che altro avrebbe fatto?

«Vostro fratello, Nicholas, russa. Questa è l'ultima cosa che ricordo di aver notato prima di essermi assopito. Perché?»

I tentativi di lady Kirsten di eliminare la macchia sul grembiule non avevano fatto altro che ingrandirla. E lei, imperterrita, continuava a strofinare.

«Niente di che, signor Banks. Spesso trovo i miei fratelli addormentati in biblioteca. Mio padre aveva la stessa abitudine, e credo proprio che il prossimo conte non sarà da meno.»

Perché mi avete baciato? Avrebbe voluto chiederle Daniel, sebbene fosse a conoscenza del motivo: l'aveva baciato perché lo aveva desiderato.

«Vi piacciono i bambini, lady Kirsten?»

D'un tratto Kirsten smise di strofinare il grembiule e se lo allisciò per bene sul grembo.

«Invero. I bambini sono onesti e non pretendono molto. Li preferisco alla maggior parte degli adulti. Intendo essere una zia implacabilmente affettuosa e i miei fratelli e le mie sorelle non avranno voce in capitolo.»

Balzò in piedi e, seguendo il suo esempio, anche Daniel si alzò.

«State per caso disertando il pranzo a Belle Maison, mia signora?»

Dalla cucina, il profumo del cibo caldo si apriva un varco tra l'odore di lavanda e la fragranza di limoni. Stufato di manzo, forse, o un pasticcio di carne. Una manna dal cielo per un uomo che aveva saltato la colazione e che aveva trascorso la mattinata a riorganizzare i mobili.

«L'idea di attraversare il giardino mi terrorizza» disse lady Kirsten. «Susannah ha iniziato a leggere vecchi numeri de *La Belle Assemblée*; Della sta memorizzando *Debrett's*, un volume sul galateo; e la contessa non fa altro che parlare di moda. Nessuno *fa* niente. Con tutto il tè e le torte che consumano, le mie sorelle dovrebbero essere delle dimensioni della giumenta di Nicholas.»

«Molti invidierebbero la loro indolenza.» disse Daniel, sebbene lui non fosse tra questi. Il conte diede un buon resoconto di sé stesso, propendendo a discutere dei suoi appezzamenti di terra e dei suoi interessi mercantili, sebbene questi argomenti tediassero le donne.

Una delle donne era mortalmente annoiata, sebbene lei stessa non fosse mai fonte di tedio.

«Voglio prendere in mano la canonica» disse lady Kirsten, avanzando dalla dispensa a passo di marcia. «Dubito che avrò tempo prima di partire per Londra. Il limone e la cera d'api non sono certo sufficienti a risolvere il problema dell'umidità incalzante.» L'unica soluzione a un problema del genere sarebbe stata la sostituzione di ogni singolo pezzetto di legno colpito.

«Presto sarete in partenza, quindi?» La prospettiva di prendere le distanze da lady Kirsten avrebbe dovuto essere fonte di sollievo. Era anticonformista, scontenta e imprevedibile. Peggio ancora, era paziente con i bambini piccoli, aveva una forte vena di competenza domestica e non riusciva a dissimulare nemmeno per placare le apparenze.

E la cosa più importuna era che a Daniel *piaceva*. E molto.

«Leah non ha ancora scelto una data per la nostra partenza» disse lei mentre con la forcella fermava lo chignon che aveva sciolto. «Comunque partiremo, questo è sicuro. Quando saremo sicuri che le strade sono percorribili, partiremo per Londra. Avrete incominciato con la vostra scuola.»

«Scuola? Tre ragazzini che si cimentano nello studio nel latino non fanno una scuola.»

«Sento odore di pane fresco.» Lady Kirsten aumentò il passo, poi si fermò per prelevare una bustina di lavanda fresca da dietro una tenda.

«Nicholas ha detto a George che oltre a Digby e ai mocciosi di Blumenthal, vi prenderete cura anche di entrambi i figli dei Webber. Aspirano a mandarli alla scuola pubblica, ma non hanno le basi.»

E anni di precettori scrupolosi non avevano posto rimedio a questa loro mancanza?

«Penso che fareste meglio a pranzare con me» disse Daniel, riprendendo il loro incedere verso un pasto caldo.

«Credo che lo farò. Adoro un abbondante stufato di manzo con pane e burro in una giornata fredda e uggiosa. La cuoca usa la ricetta della mamma, quindi sono di parte.»

Cucina contadina per la figlia di un conte. A Daniel piaceva sempre di più.

Una sguattera apparecchiò e li fece accomodare a un tavolo di legno abbastanza massiccio, mentre Kirsten serviva scodelle fumanti di stufato e Daniel affettava il pane. Daniel le scostò la sedia per farla sedere e poi senza neanche accennare a ulteriori chiacchiere, approfittò spudoratamente della sua compagnia.

«Voglio sapere ogni minimo dettaglio che conoscete sui miei studenti, lady Kirsten. Si stanno trasformando in un branco di scansafatiche e di piccole canaglie. Mi chiedo se la parrocchia non stia tentando di farmi scappare anziché accogliermi.»

Kirsten sistemò il tovagliolo sul grembo.

«Sono dei veri e propri mascalzoni, tutti, tranne Digby, sebbene George sostenga che anche lui stia mostrando un potenziale dubbio. Non rubate tutto il burro.»

Daniel passò a Sua signoria il piattino di burro, su cui erano impresse piccole rose dorate.

«Ecco il burro e ti-ringraziamo-Signore-per-questo-cibo, amen. Adesso ditemi pure di questi piccoli furfanti.»

Lady Kirsten si appoggiò allo schienale della sedia, con un sorriso indulgente. «Conosco questi bambini da quando erano in fasce, signor Banks. Sprizzano energia e malizia, e non c'è neanche uno che sappia un po' di latino tra loro. Sono pessimi, davvero.»

«Il marito della mamma vuole mandarmi a scuola» il piccolo Danny informò Loki. «Non sa che farsene di me.»

Danny slacciò la treccia che aveva fatto alla criniera del suo pony, perché non gli era venuta un granché bene.

Loki era la parte migliore della vita con la madre – Danny si sarebbe ricordato di chiamarla zia Letty in presenza di altre persone. A volte Loki era l'unico aspetto positivo del vivere lì. Era bianco e nero e veloce quasi quanto un cavallo adulto.

«Mi piace abbastanza il marito di mamma» disse Danny, facendo un altro tentativo con la treccia mentre Loki si gustava della biada. «Ma il visconte vuole bene alla mamma più di ogni altra cosa, e io non so come chiamarlo.»

Il visconte – David, il visconte Fairly – non era il padre di Danny e aveva ingiunto al piccino di non chiamarlo 'papà'. Il primo padre del piccolo Danny era morto, molto tempo prima.

Prima che la vita gli fosse andata a rotoli, e che papà – cioè, lo zio Daniel – avesse restituito Danny alla mamma, – che fino a quel momento era stata semplicemente la zia Letty – prima che la precedente mamma di Danny, Olivia, moglie di papà – cioè dello zio Daniel – fosse andata via.

Prima del momento in cui Danny aveva smesso di sapere in che modo chiamare gli adulti che lo circondavano o dove starsene un pochino per conto suo a pensare.

«La mia mamma di prima era sempre arrabbiata con me» disse Danny. Ancora una volta aveva cercato di fare la treccia con troppi crini grossolani e, quindi, gli era venuta troppo corta e larga.

«Odio questo posto» sussurrò al pony. «Il marito di mamma non mi porta mai con lui a cavallo, perché io ho te, ma non ho nemmeno il permesso di fare dei salti quando ti cavalco. Non ti preoccupare. Presto ti farò fare dei bei salti. Il marito di mamma ha detto che quando il terreno è più solido, quello è il momento giusto per saltare.»

Loki sollevò la coda e liberò dell'aria dal suo corpo con la tipica disinvoltura di un cavallo ben nutrito.

«Le scoregge di Belzebù puzzano peggio delle tue» disse Danny, poi all'improvviso gli si formò un groppo in gola e si aggrappò al collo del suo adorato pony. «Tu sei il mio pony preferito, ma Zubbie mi manca tanto.»

Gli mancavano le scoregge di Belzebù, che lo avevano sempre fatto ridere perché erano davvero orribili. Anche il padre rideva e gli rammentava sempre di ringraziare Dio per la buona salute del cavallo.

«Neanche papà mi vuole e non verrà mai più a trovarmi. Mamma non mi vuole portare a fargli visita, e sono arrabbiato anche con lui.»

E a Danny mancava da morire il suo papà, o lo zio Daniel o come diavolo doveva chiamare la persona che lo aveva amato e cresciuto per i primi cinque anni della sua vita.

«Lo odio, questo posto» disse il piccino mentre una lacrima calda gli scivolava sulla guancia. «Odio anche piangere, e detesto il porridge – papà mi ha sempre dato un pezzo del suo toast imburrato. E odio il cioccolato, e odio non poter saltare, e odio lo stupido vecchio pastore qui che fa durare la stupida messa un'infinità di tempo.»

Loki si spostò e, con lo zoccolo, stava quasi per schiacciargli le dita dei piedi.

«Sto peccando,» disse Danny «e non mi interessa. A che serve onorare mio padre e mia madre se i giorni sulla terra sono miserabili? A che serve andare a messa se mi fa solo annoiare e non faccio altro che addormentarmi?»

In niente riusciva a trovare uno scopo.

Quando papà lottava con qualche problema, pregava per lui.

La preghiera non aveva fatto nulla per far soffrire di meno il cuoricino di Danny.

«Anche papà è andato a fare una lunga cavalcata» disse Danny. «È andato al galoppo, ha fatto salti, e poi ha continuato ad andare al galoppo, finché Belzebù era sfinito ed era tutto fangoso e pronto per schiacciare un pisolino.»

Fuori dalla grande scuderia del visconte, finalmente aveva smesso di piovere. Gli stallieri erano in fermento e il terreno era completamente ricoperto di fango.

Danny si asciugò la guancia sulla manica – piangere era roba da bambini – e sussurrò nell'orecchio peloso del suo pony.

«Domattina, dopo colazione, andremo a farci una bella galoppata, così ci sentiremo meglio.»

Accarezzò il suo adorato pony un'ultima volta prima di lasciare la stalla, sebbene Loki, come tutti i cavalli, fosse principalmente interessato alla sua balla di fieno. Danny non si scompose a disfare l'ultimo tentativo di treccia, perché si era già sciolta completamente da sola.

6

«Cominciate pure con i figli dei Webber» disse il signor Banks mentre porgeva a Kirsten una fetta di pane. Aveva tagliato la pagnotta a fette ben più sottili di come erano servite a casa del conte Nicholas, dando l'idea che un uomo cresciuto nella ristrettezza economica avesse appreso come conservare le risorse della cucina. Non lasciava mai che metà della cioccolata nel pentolino si raffreddasse, così come non sprecava mai la prima ora del mattino a scegliere quale nodo fare alla cravatta.

«Il maggiore dei fratelli Webber si chiama Thomas,» spiegò Kirsten «e il secondogenito Matthias. C'è a malapena un anno di differenza tra i due. Matthias è il più discolo, sebbene sia chiaro di carnagione e abbia il viso da angioletto. Sua madre lo vizia poiché ha avuto problemi di salute quando era in fasce. Thomas è quello fisicamente più robusto ed è molto protettivo nei confronti del fratellino. Per quanto ne so, hanno già cambiato tre insegnanti in un anno.»

Il signor Banks apparve incuriosito. «Mi chiedo se usano lo stesso sistema per sbarazzarsi di ogni istruttore, o se se ne inventano di nuovi adatti alla situazione. E dei gemelli Blumenthal, che mi dite?»

Almeno non li aveva chiamati marmocchi o mocciosi. Kirsten intanto stava cercando di temporeggiare imburrando il pane perché il signor Banks pareva non voler ammettere quel momento scioccante in biblioteca il giorno prima, o forse non lo ricordava davvero.

«Corre voce che i gemelli Blumenthal siano indistinguibili,» replicò Kirsten «ma non è così. Frederick ha il viso più stretto del fratello Frank e in più ha una piccola cicatrice sul lobo dell'orecchio sinistro. La bambinaia che se ne accorse si è guadagnata l'eterna gratitudine della signora Blumenthal.»

«Che razza di madre non distingue i propri figli?» domandò il signor Banks.

«Una madre con dieci figli, di cui cinque maschi. Dubito che rimangano fermi tanto a lungo da essere contati, figuriamoci se riescono a riconoscerli.»

Kirsten riusciva a distinguere i gemelli indipendentemente dalle cicatrici. Frederik era lesto a usare i pugni, il che probabilmente spiegava la cicatrice, mentre il più piccolo, Frank, era un calcolatore. Rimaneva sulle sue, complottava e pianificava e poi, quando uno meno se lo aspettava, ne combinava una.

«Avrete il vostro bel daffare» disse, prendendo un'altra fetta di pane.

Contemporaneamente anche il signor Banks allungò la mano, che si scontrò con quella di lei, e per un breve, imbarazzante momento, entrambi afferrarono un angolo della stessa fetta di pane.

«Perdonatemi» disse il signor Banks, rinunciando al premio. «Iniziamo pure con Frederick Blumenthal. Se poteste approfondire i suoi punti di forza, ve ne sarei molto grato. Ognuno di noi ha qualcosa di cui è orgoglioso o che fa con naturale facilità, ed enfatizzare quelle aree spesso permette al bambino di fare progressi in attività ben più ardue.»

Kirsten usò il coltello per sollevare un fiocco di burro dal piattino da spalmare sulla sua seconda fetta di pane, quando all'improvviso si rattristò.

E fu sul punto di piangere.

Questo è ciò che faceva bene. Dirigeva le cameriere e i domestici, teneva traccia di quale bambino prediligesse la liquirizia e di quale salotto avesse bisogno di nuovi sacchettini di lavanda, si sincerava che le ricette buone fossero sempre tenute a portata di mano, per quanto umile fosse la pietanza che ne risultava. Nita era in gamba a tenere i conti, a organizzare gli orari e a controllare le dispense, ma Kirsten era quella che teneva d'occhio la casa.

Il signor Banks avrebbe apprezzato una donna che contribuiva così tanto a un'unione coniugale. Non avrebbe certo trattato la sua signora come una cavalla da riproduzione che pagava con la sua libertà il privilegio di servire il suo titolo.

«Lady Kirsten? Vi ho recato offesa? Se Sua signoria preferisce posso portare il mio pasto in ufficio e trascorrere qualche ore con i diari di mio padre. Un figlio dovrebbe leggere le parole del padre, purtroppo però negli anni successivi alla sua morte, non ho mai trovato il tempo per farlo. In realtà, non mi sono voluto infliggere alcun rimprovero postumo, se proprio volete sapere la verità.»

Il signor Banks stava ormai farfugliando, mentre Kirsten riuscì a scuotere la testa. Con gentilezza le tolse la fettina di pane dalle mani e finì di spalmare il burro, come avrebbe fatto aiutando un bambino.

«Odio Londra.»

Ebbene sì, Kirsten l'aveva detto: una donna imbronciata, ma pur sempre onesta. La rimostranza della ragazza fece sovvenire al signor Banks la sua corrispondenza in ritardo, gli affari urgenti con il conte, o qualsiasi pretesto avesse scelto dall'arsenale ben fornito di gentili scuse maschili in risposta alla lamentela di Kirsten.

Divise a metà il pane imburrato e le passò la porzione più grande.

«Mio padre chiamava Londra la Sodoma-sul-Tamigi» disse lui. «Deduco che la propensione di Londra al vizio non sia la fonte della vostra antipatia?»

Kirsten prese un boccone di pane il cui sapore era adesso esaltato dalla quantità di burro.

«Siete molto coraggioso, signor Banks. Potete ingannare tutti quanti, ma devo ammettere che siete davvero molto coraggioso. Ricompenserò il vostro coraggio con dei pettegolezzi che probabilmente sentirete sul sagrato: in due occasioni degne di nota, non sono riuscita a portare i miei devoti corteggiatori all'altare.»

Il signor Banks era anche un uomo feroce, sebbene il primo assaggio della sua ferocia era stato per Kirsten di un erotismo conturbante.

E indimenticabile.

«Sono un buon ascoltatore» disse lui, sorridendo alla sua mezza fetta di pane e poi mordendone un pezzo. «Una necessità professionale per un parroco, ma anche una di quelle capacità naturali di cui vi ho parlato poc'anzi. Mi piace sapere come funzionano le cose e cosa smuove le persone. Con la familiarità sopraggiunge anche una maggiore comprensione del motivo per cui una persona incespichi e un'altra non riesca a perdonare. Mi volete parlare di Londra, mia signora?»

Daniel Banks aveva dei bei denti, forti e sani, oltreché la facoltà di far passare un comando per un invito.

«Io invece non sono affatto una buona ascoltatrice, signor Banks. Sono impaziente, mi innervosisco facilmente e sono priva di fascino. Sebbene non sia brutta e sgraziata, le mie più grandi qualità, agli occhi dell'alta società, sono una dote più grande di quella che possono rivendicare le mie sorelle e un certo pragmatismo che mi tornerà utile una volta sposata con un buon partito.»

Tutto vero, sebbene non fosse tutta la verità.

«Un matrimonio senza amore, intendete?» chiese il signor Banks in tono gentile.

«Senza amore ma vantaggioso.»

Vantaggioso per l'uomo che avrebbe potuto aumentare i suoi guadagni e il suo status sposando la figlia di un conte.

Il signor Banks le accarezzò le nocche. «Conoscere il proprio valore è una forza, mia signora. Se vi foste accontentata del figlio arrogante e con la faccia butterata di un qualche visconte, sono sicuro che avreste ucciso il giovane sciagurato a un anno dalle nozze.»

Il signor Sedgewick era stato incline ai brufoli e avrebbe potuto scrivere delle odi per autoincensarsi. Il visconte Morton, invece – 'Chiamatemi Arthur, se non vi dispiace' – aveva rappresentato i segreti più intimi di Kirsten folgorata dal suo sorriso.

E adesso, invece, era quasi sul punto di odiarlo, Arthur Morton.

«Vi è mai capitato di vedere dei brutti matrimoni?» chiese Kirsten.

«Tutti i parroci ne vedono» disse il signor Banks, scrollando le briciole dalle mani. «Ho esaminato la discordia coniugale da un punto di vista molto più vicino di quanto mi aspettassi quando sono entrato in seminario. Come potreste rendere Londra più sopportabile?»

Bruciando ogni sala da ballo nel West End, pensò la ragazza.

«Due anni fa,» riprese Kirsten «mi è venuta una tosse leggera, che mi è tornata molto utile e che solo in parte era simulata. L'aria – specialmente all'inizio della stagione con i fumi delle combustioni delle fabbriche – è ripugnante. Un altro anno, mi venivano spesso delle forti emicranie. L'anno del mio debutto in società, ho escogitato un modo per distorcermi la caviglia, tuttavia adesso le mie sorelle non tollerano più questi espedienti. Se esagerassi, Della e Susannah non mi perdonerebbero.»

«La lealtà verso i vostri cari è una virtù cardinale» disse il signor Banks. «Anche loro però dovrebbero esserlo nei vostri confronti, mia signora.»

Questa sua osservazione rimase sospesa tra di loro e, proprio come le ciotole di zuppa vuote, i boccali di birra mezzi pieni e le briciole di pane, necessitava una rassettata.

«Le mie sorelle mi adorano, così come i miei fratelli.» Solo Nita, però, era stata veramente leale e adesso lei era via con il suo novello sposo per visitare le meraviglie del Continente – o quelle del letto coniugale.

«Io adoro il mio cavallo, lady Kirsten. Adoro ogni crine sul suo bel capo e mi agito se ha problemi di digestione come lo farebbe una madre col bambino, eppure quando gli viene versata l'avena nel cestello, non mi considera nella maniera più assoluta.»

«È un cavallo» disse Kirsten, sebbene il signor Banks stesse parlando fuor di metafora, lasciando intendere che l'avena di una stagione in avvicinamento era stata già versata nei cestelli delle sorelle.

«Vi manca la parrocchia dove eravate prima?»

La sguattera stava togliendo i piatti, il che significava che Kirsten avrebbe dovuto attendere che rimanessero di nuovo soli prima di ricevere una risposta al suo quesito. Era certa che al signor Banks mancasse qualcosa... o forse qualcuno.

Un pensiero deprimente.

Daniel rovesciò il boccale di birra e ne studiò il contenuto: birra scura invernale, sebbene Kirsten preferisse le birre estive più chiare e dolci.

«Mi manca sentirmi sicuro in un posto al mondo che mi appartiene» disse lui, riposando la birra senza neanche averla assaggiata. «Mi manca accogliere le sfide che io stesso ho scelto, non quelle sgradite che sorgono senza preavviso, e che non fanno altro che disturbare l'idea che ho di me stesso. Ho sempre pensato di essere una persona decorosa e rispettabile, in grado di adempiere alla mia missione, insomma una risorsa per la mia comunità. Quelle convinzioni si sono sgretolate e non commetterò di nuovo l'errore di darle per scontate.»

Il signor Banks stava lasciando molte cose non dette. Sebbene sia il rimpianto che la determinazione echeggiassero con forza nelle sue parole.

«Non è un momento piacevole, quando le proprie convinzioni su sé stessi vengono scosse.»

Nel caso di Kirsten, il comportamento di Christopher Sedgewick aveva dato il via a quel processo e Arthur Morton lo aveva portato a termine.

«Il turbamento può rafforzare l'animo e renderlo saggio.»

«Relativamente più saggio, forse.» Il signor Banks ingollò l'ultimo goccio di birra che era rimasto. «Ho iniziato a chiedermi se la saggezza non sia sopravvalutata. In nessun punto dei Comandamenti siamo esortati a essere saggi.»

Si alzò e le scostò la sedia per farla alzare, accortezza che i suoi fratelli non avrebbero mai avuto a meno che non fossero stati in compagnia.

«I Comandamenti non ci esortano neanche a essere felici,» osservò Kirsten «tuttavia non faccio altro che desiderare la mia felicità e quella di coloro a cui tengo.» Desiderava la felicità anche per il signor Banks, eppure non si capacitava perché non si fosse accorta prima ch'egli si sentisse addolorato per qualcosa o per qualcuno.

Kirsten si alzò e il signor Banks rimase dov'era, con le labbra contratte e lo sguardo perso nel vuoto. Da così vicino, Kirsten riuscì a vedere che aveva di nuovo voltato la cravatta per celare la cucitura sfilacciata, mentre un'altra cucitura sul colletto minacciava di disfarsi anch'essa. Di domenica aveva indossato il classico collarino da reverendo, ma a quanto pareva rifuggiva una tale affettazione quando era da solo durante la settimana.

«Signor Banks?»

«Mi avete dato un'idea per il sermone di domenica prossima, mia signora, e siamo solo a lunedì! Vi ringrazio per aver conferito a questa settimana luce e speranza! Se domani esco a farmi un giro a cavallo per distrarmi un po', sono sicuro che il sermone sarà pronto entro mercoledì.»

Doveva forse essere compiaciuta Kirsten, la meno cristiana di tutti gli Haddonfield nella storia secolare della casata, per aver ispirato un sermone?

«Vi ho reso felice?» chiese la ragazza.

La sua attenzione si spostò di nuovo al momento presente, probabilmente lacerato dalle glorie dei Salmi o del Deuteronomio.

«Eccome, mia signora! E per questo vi sono grato!»

Il suo sorriso era così dolcemente e radiosamente soddisfatto che Kirsten voleva essere avvolta nelle sue braccia e sprofondare nella sua gioia, per essere la sua fonte di ispirazione e per regalargli il suo cuore.

Quest'anno non mi assoggetterò alla farsa di una stagione londinese. L'idea si insediò nella sua mente come un fatto compiuto, e il sollievo fu enorme. Il signor Banks aveva ragione: avrebbe assassinato sia Sedgewick che Morton nel caso in cui fosse convolata a nozze con loro.

«Anche voi mi avete reso felice, signor Banks, e vi assicuro che sono in pochi quelli che possono dire di aver fatto altrettanto.»

Gli baciò di nuovo la guancia, incoraggiata dal fatto che il signor Banks non avesse obiettato al primo bacio strappato, mentre la cameriera era affaccendata a lavare i piatti. Il signor Banks non si oppose neanche questa volta: nessun rimprovero e nessuna rimostranza; al che Kirsten diede un buffetto sulla sua cravatta logora e uscì di gran carriera dalla cucina. Mentre a gran falcate percorse le scale della servitù, i raggi del sole illuminavano uno strato di polvere sul pilastro centrale della scala a chiocciola, segno che il sole, finalmente, dopo tanto, era uscito di nuovo.

Dopo aver finito di trasformare la stanza della musica in un'aula, avrebbe chiesto alla servitù di spolverare le scale. Il signor Banks meritava un posto pulito e accogliente per istruire un branco di giovani monelli.

«È accaduto di nuovo» Daniel informò Belzebù, mentre il destriero, trotterellando, si allontanò dal montatoio. «Lady Kirsten mi ha baciato sulla guancia. Sono stato preso così alla sprovvista, vittima di un'imboscata, che non sono riuscito a castigarla per la sua sfrontatezza.»

Belzebù avanzò lentamente lungo il viale umido, sebbene le pozzanghere si stessero asciugando e il sole mattutino avesse già cacciato la rugiada dall'erba. Una bella giornata, davvero, perfetta per farsi una bella galoppata e rilassare un po' i nervi.

«Non volevo ferire i sentimenti di Sua signoria. Bisogna sempre essere gentili.»

Zubbie si mosse di scatto, naturalmente. Il suo ex proprietario aveva definito il castrato 'irascibile', mentre altri lo definivano 'indemoniato'. I suoi movimenti bruschi, le schivate e le scalciate non erano destinate a mettere a repentaglio il suo cavaliere, ma piuttosto a sincerarsi che il cavaliere stesse sempre all'erta.

Come dovrebbe esserlo un cavaliere coscienzioso, in ogni momento.

«Almeno aspetta di arrivare sulla strada prima di iniziare a mettere alla prova le mie doti di cavaliere» disse Daniel, accarezzando la spalla della bestia. «Alcune famiglie sono semplicemente amichevoli, sai? Si abbracciano e si baciano come se niente fosse e non significa niente. Il conte pare un tipo piuttosto amichevole.»

Con la sua contessa. Con le sue sorelle, invece, Bellefonte era più guardingo.

«Se vuoi la verità,» disse Daniel, evitando una pozzanghera in cui il cavallo si sarebbe messo a sguazzare per metà mattina «è che non voglio ferire i sentimenti di lady Kirsten. Qualcuno lo ha già fatto in passato – è stata ferita e umiliata. Non voglio che si incattivisca nei miei confronti solo per aver rifiutato un paio di baci innocenti e amichevoli.»

Una volta il test personale di Daniel su quale fosse un comportamento accettabile era porsi la seguente domanda: si sarebbe comportato in un certo modo se sua moglie o suo figlio fossero stati presenti? A Little Weldon aveva tollerato molti baci e abbracci da parte dei parrocchiani mentre Olivia e il piccolo Danny lo guardavano, eppure con Kirsten il suo test non sembrava funzionare.

Belzebù effettuò un'altra delle sue tattiche preferite per catturare l'attenzione di Daniel, fermandosi bruscamente.

«Su, avanti, dispettoso! Ricorda che chi desidera andare al galoppo, deve prima andare al passo e poi al trotto.»

Daniel aveva trascorso tutta la giornata precedente cercando di distrarsi e di non pensare al piccolo Danny. Nella casa della contessa madre c'era abbastanza posto per una mandria di ragazzini, oltre a un sacerdote inquieto e turbato, e così anche la nuova abitazione di Daniel stava diventando un luogo piacevole.

Lady Kirsten aveva emanato un decreto in tal senso, per cui sarebbe di certo diventata una dimora sempre più accogliente.

«Devo occuparmi di nuovo dei bambini di altri genitori» disse Daniel mentre il cavallo incedeva tutto impettito. «Eppure quanto mi manca Danny...»

Dopo tanto tempo Daniel era in grado di pronunciare queste parole senza che gli venisse il desiderio irrefrenabile di spaccare l'oggetto fragile più vicino a lui e senza voler strozzare Olivia, la sua legittima moglie, o sbraitarle contro a lungo.

«Un bel vattene-al-diavolo o anche due» borbottò mentre si avviavano verso il villaggio. «Quello che avrebbe voluto dirle consisteva in qualche 'non ti voglio più vedere' e i soliti 'come hai potuto', urlati allo stesso volume di un sermone domenicale. In conformità al suo ruolo, si capisce. Posso accettare il fatto che, come marito, abbia deluso Olivia, ma Danny e Letty non hanno fatto proprio nulla per meritare il suo tradimento.»

La rabbia si unì a Daniel in sella, una piena furente e pericolosa che, con il trascorrere dei mesi, era diventata più potente anziché smorzarsi.

«Non permetterò a Olivia di mettere a repentaglio la mia carriera» disse Daniel, affondando il peso nelle staffe.

Belzebù sapeva bene cosa significasse quello spostamento di peso. Si preparò in attesa di un grande balzo in avanti.

«Di tutte le perdite che mi ha inflitto Olivia – la casa, la dignità, la mia posizione nell'Oxfordshire, oltreché la relazione con la mia unica sorella – non le permetterò di privarmi anche della mia carriera.»

E poi via al galoppo, librandosi attraverso la campagna primaverile, una sfumatura indistinta costituita da un destriero scuro e un uomo determinato, che rigurgitava dietro di sé fango, torba, salmi e ira.

«Problemi in vista» mugugnò Alfrydd.

Kirsten seguì il suo sguardo lungo il vialetto e vide un uomo su un grosso cavallo pieno di fango, davanti a lui un bambino piccolo e accanto al cavallo un pony bianco e nero senza cavaliere in sella.

«Il pony sembra in buona salute» osservò Kirsten, sebbene Alfrydd avesse ragione nel pensare a un'aria di guai, giacché a uno sguardo più attento il pony aveva un ginocchio macchiato di erba e sanguinante.

«Il signor Banks è uscito più di due ore fa» disse Alfrydd, strattonando il sottopancia della sella di Kirsten.

«Quel suo bel destriero nero è senza fiato. Devono essersi fatti una bella cavalcata.»

Il signor Banks era furibondo: la linea della sua mascella e l'assoluta dignità della sua postura gridavano rabbia. Il bambino, curiosamente, non era di umore migliore.

«Potete sistemare la mia giumenta, Alfrydd» disse Kirsten. «Ancora meglio, fatela portare da uno degli stallieri a fare una cavalcata. Dopotutto, a quanto pare, oggi non farò irruzione negli scaffali della biblioteca della canonica.»

Kirsten avrebbe potuto ugualmente montare sulla sua giumenta, salutare i due mentre lei si allontanava al piccolo galoppo, lasciandoli soli a risolvere le loro differenze. Tuttavia il bambino era a malapena in età scolare e, da un lato, aveva i pantaloncini tutti infangati. Kirsten non poteva voltargli le spalle.

«Signor Banks!» lo chiamò allegramente. «Buona giornata a voi e al vostro compagno.»

Il reverendo la fissò dalla parte posteriore del suo destriero nero, una *porzione* di quella ferocia che Kirsten aveva visto nella biblioteca indugiava ancora nella sua espressione.

«Lady Kirsten, buongiorno a voi.»

Niente di più, come se tutte le buone maniere, persino il garbo e la cortesia, gli fossero sconosciuti. Il ragazzino rimase vicino al signor Banks, il quale con il braccio lo teneva stretto per la vita.

«Non ci presentate?» chiese Kirsten, prendendo le redini del pony e passandole ad Alfrydd.

«Maestro... Signora» annunciò il bambino, il mento tutto tremante. «Non ho fatto altro che portare il mio pony a fare un giro. Loki è il mio pony. Me lo ha detto il visconte.»

Daniel smontò da cavallo, mentre il bambino si protese in avanti in sincronia con la discesa del signor Banks, come se i due fossero andati a cavallo insieme molte volte in passato.

«Hai preso il cavallo e sei uscito di casa senza permesso, Danny» disse il signor Banks. «Non ti sei fatto accompagnare da uno stalliere e non hai detto a nessuno dove saresti andato. Hai corso un bel rischio e Loki si è anche ferito. Mi hai davvero deluso questa volta.»

Il signor Banks era oltremodo contrariato e, oltrepassati anche i limiti della rabbia, il suo umore stava ormai galoppando verso la disperazione. Kirsten conosceva bene quel territorio, conosceva sia i rovi sia le alte siepi che, inesorabilmente, ne oscuravano ogni uscita.

«Dai, vieni qui» disse Kirsten, prendendo il ragazzo per mano, sebbene i suoi stivali fangosi avrebbero potuto danneggiare in modo permanente la sua tenuta da cavallerizza.

«Il cavallo del signor Banks deve essere accudito e gli stallieri non possono occuparsene se dovete continuare a discutere in pubblico.»

Kirsten aveva giocato la carta delle buone maniere sotto il naso del signor Banks, mentre lui passò le redini del suo cavallo a uno stalliere in attesa e allungò la mano verso il bambino.

«Prendo il bambino. È pesante.»

«Ci penso io» disse Kirsten, allontanandosi. Il bambino era bello pesante, come è giusto che sia un bambino sano, però Kirsten era abbastanza robusta da gestire il suo peso.

Tra l'altro, non le capitava spesso di tenere in braccio un bambino. Il signor Banks, come Kirsten era certa che avrebbe fatto, la seguì. Avrebbe seguito quel ragazzino in capo al mondo, di questo era certa. Per evitare il trambusto di mezzogiorno nelle cucine di Belle Maison, ma anche per tenerlo tutto per sé ancora per un po', Kirsten si diresse verso l'entrata sul retro della residenza della contessa madre.

«Ti sei fatto male da qualche parte, Danny?» fece Kirsten.

«No, signora. Mi sono solo graffiato il braccio.»

«Ti è uscito del sangue?» Kirsten aveva cinque fratelli e sapeva per certo che i bambini di quell'età non solo si divertivano ad emettere gas corporei, ma andavano altrettanto pazzi per le ferite sanguinolente.

«Non ci ho fatto caso. Però mi brucia molto, signora.»

Il signor Banks camminava accanto a loro, le sue labbra erano quasi bianche e i capelli arruffati in tutte le direzioni.

«Mentre ti sistemo, il signor Banks può dire ad Alfrydd di mandare uno stalliere a far sapere ai tuoi che stai bene» suggerì Kirsten, perché era necessario tenerli separati per un po', Daniel e Danny, per raffreddare gli animi.

«Ottimo suggerimento!» rispose il signor Banks per le rime, facendo dietrofront con precisione militare e marciando spedito verso la stalla.

«È furibondo» disse il bambino. «Non l'ho mai visto così arrabbiato. Anch'io sono arrabbiato.»

«Spesso funziona così. Ci si arrabbia sempre in due.» Anche se le peggiori arrabbiature di Kirsten erano state delle imprese solitarie.

«Dimmi la verità. Ti sei fatto male?»

«Non sono proprio ferito, almeno non nel senso in cui lo intendete voi.»

«In quale senso allora?»

Le lesioni interne avevano ucciso molti fantini con più esperienza di Danny, sebbene i ragazzi fossero creature resistenti. Così come lo erano le ragazze. E le signore erano, forse, le più forti di tutti.

«Mi fa sempre male la pancia» disse Danny.«Voglio mettermi a gridare e a correre, ma tanto non servirebbe a molto. Non mi va di giocare con i soldatini, il problema è che sto anche trascurando i miei studi.»

Un'espressione del genere doveva averla sentita da qualche adulto e, forse, proprio lì risiedeva l'arcano dei suoi inspiegabili mal di pancia.

«Volevi andare a cavallo per sfogarti un po'?»

Il bambino distolse lo sguardo, si strinse nelle spalle e poi affondò il viso nel collo di Kirsten.

«Ero arrabbiato con... con *lui*. Loki si riprenderà?»

Kirsten mise il bambino seduto sul tavolo da lavoro – era pesante – pur mantenendo le braccia intorno a lui.

«Il tuo pony verrà trattato come il cavallo di un re nella stalla di mio fratello. Sei arrabbiato con il signor Banks?»

Un cenno di assenso col capo appoggiato alla sua clavicola. I capelli del bambino, scuri, setosi e della stessa identica tonalità di quelli del signor Banks, solleticavano il mento di Kirsten. Il bambino portava anche lo stesso nome del parroco. I suoi occhi erano dello stesso castano con una sfumatura di cioccolato, e la sua mascella...

Nessuno avrebbe dubitato che questo bambino fosse il figlio del signor Banks, nonostante la realtà delle sue origini.

«Diamoci una bella pulita prima che il signor Banks ci raggiunga. Prima però mangiamo un boccone, ti va? A pancia piena le ferite si puliscono meglio.»

La lacerazione sopra il polso del bambino era tutta insanguinata e si sarebbe trasformata in un bel livido. Kirsten gli curò la ferita, gliela fasciò e infine, con un panno umido, cercò di pulire gli indumenti del bambino come meglio poteva. Diede una risciacquata anche agli stivali, più per non inzaccherare i pavimenti e i mobili che per la dignità del bambino. Gli preparò una fetta di pane imburrato con un po' di marmellata e una tazza di latte.

Quando il signor Banks, con passo pesante, entrò dalla porta sul retro, Danny si era già accomodato a tavola, quasi come se non gli fosse successo nulla.

Kirsten lo bloccò in tempo prima che se la prendesse col piccolo Danny.

«Signor Banks, avete un po' di appetito? Danny si è fatto un brutto graffio al polso, ma si rimetterà presto. Era preoccupato per il pony, gli ho detto che ci sarà chi si prende cura di Loki.»

«Dovrebbe essere Danny a prendersi cura del suo pony» ringhiò il signor Banks, cercando di schivare Kirsten. «È Danny ad averlo messo in pericolo.»

A volte capita che i cavalli scivolino, che non vedano degli ostacoli, insomma sono cavalli. Non è sempre colpa del padrone, esattamente come le disavventure dei fratelli di Kirsten non erano per forza da imputare al padre.

Kirsten pose entrambe le mani sulle spalle del signor Banks. «Dopo *aver mangiato un boccone*, potrete accompagnare Danny nella stalla per dare un'occhiata al pony.»

«Non mi va di...»

Kirsten lo scosse prendendolo per le spalle, sembrava stesse cercando di scuotere una quercia massiccia.

«Almeno un po' di pane e formaggio accompagnato da un po' di birra, signor Banks.»

Doveva forse gridargli contro?

Danny era ferito, sconvolto e per di più era un *bambino*.

Daniel si lasciò sprofondare nelle sue spalle larghe e forti.

«Si era smarrito» Daniel sussurrò dolcemente all'orecchio di Kirsten. «Si sarebbe potuto imbattere in chicchessia, avrebbero potuto rubargli il pony, e gli sarebbe potuto capitare anche di peggio. Mio padre inveiva di continuo contro la mia indole indipendente da ragazzo. Ora capisco perché. Danny ha cavalcato per almeno due ore e quel pony sarebbe potuto rimanere zoppo. Il bambino era completamente disorientato, e ho tanta paura che a casa sua nessuno si sia accorto della sua assenza.»

Paura. Un giro nel fango era di gran lunga preferibile alla paura.

Kirsten gettò le braccia attorno al collo dell'uomo *sconcertato* che aveva dinanzi, e lui ricambiò.

«Adoro quel bambino» disse quasi bisbigliando. «Lo amo più... lo amo più della mia vita, e l'ho visto tutto pieno di sangue e smarrito, lontano da casa, da solo e...»

Tutta la ferocia che Kirsten aveva visto e percepito nel signor Banks venne meno in un sussulto; il tutto per un ragazzino che se ne stava seduto a gustarsi una fetta di pane e marmellata a due metri di distanza.

«Sta *bene*» fece Kirsten, accarezzandogli i capelli. «Danny sta bene, benché sia necessario parlarci seriamente faccia a faccia. Anche voi vi riprenderete.»

Anche se rimandare il ragazzo ai suoi negletti guardiani avrebbe ferito terribilmente il signor Banks. Il parroco fece un passo indietro, tirò giù il panciotto e si passò una mano tra i capelli.

«Abbiamo della birra?» chiese.

Certo che ce l'abbiamo, pensò Kirsten.

«Naturalmente, e anche del pane e formaggio. Nessun biscotto per il bambino, ma potrei rimediarne qualcuno per voi.»

Kirsten sistemò i capelli che il signor Banks si era appena arruffato, gli fece l'occhiolino e si diresse verso la dispensa in cerca della sua birra. Una volta lì, versò una pinta, si sistemò su uno sgabello – aveva la gonna davvero tutta piena di fango – e si preparò a concedersi di origliare un po'.

«Il nuovo parroco è piuttosto alto» disse Matthias, tirandosi su gli occhiali. Aveva su un vecchio paio di occhiali che erano del padre e Digby pensava che non gli stessero bene. «Non è poi così bello essere alti.»

«Alto significa che può far oscillare meglio una verga di betulla» convenne Thomas.

Intorno alla piccola cerchia dei bambini che dividevano una stalla vuota nello stallaggio, le loro teste annuivano in accordo.

«Il parroco – il vecchio parroco – si sarebbe addormentato se gli avessi fatto una domanda sugli eserciti romani» disse Digby. Improvvisamente sentì la mancanza del vecchio parroco, che pur essendo burbero, puzzolente e prolisso, non aveva mai sculacciato Digby con una verga di betulla.

«Il nuovo parroco non ha la faccia assonnata» disse Frank Blumenthal. Frank era un ragazzino tranquillo, spesso oscurato dall'ombra del fratello gemello.

«Il mio nuovo papà mi ha assicurato che padre Banks è gentile e ha un cuore d'oro» disse Digby.

Frank e Fred si scambiarono un'occhiata che suggeriva che il padre di Digby avesse mentito, cosa a cui Digby non avrebbe creduto, nonostante i gemelli Blumenthal fossero una coppia formidabile. Dopotutto avevano cacciato ben tre governanti e tre precettori.

«Sono tutti gentili quando parlano con i nostri genitori» spiegò Matthias.

«Quando invece sei rinchiuso in aula con loro ti senti dire: 'Signorino Blumenthal, vi siete bevuto il cervello?' E giù con un colpo di frusta! 'Signorino Blumenthal, mi prendete per sciocco?' E vai con un'altra bella botta. 'Signorino Blumenthal, portatemi il bastone!'»

L'imitazione da parte di Matthias dell'eloquio adulto non era affatto divertente.

«Era tutto così semplice con le governanti,» sospirò Thomas «qualche rana qua e là, un po' di tè versato sul loro materasso prima di andare a dormire, un bel ragnone nelle pantofole, e via... Mi mancano le nostre governanti.»

Un religioso silenzio calò in nome delle governanti passate, sebbene Digby ricordasse a malapena l'unica governante che aveva avuto prima della morte del suo primo papà.

«Credo che dovremmo dargli una possibilità, al nuovo parroco» disse Digby. Era il più piccolo, anche se di stazza era come i gemelli Blumenthal. «Mi ha chiesto cosa pensassi del sermone di domenica e indovinate un po'? Ha persino ascoltato la mia risposta.»

«Cosa gli hai risposto?» Matthias, molto abile con le mani, stava armeggiando con la paglia, trasformandola in un disegno intrecciato.

«Gli ho detto che avrebbe dovuto raccontarci una storia e poi mi ha fatto delle domande sul mio pony.»

«Tu non hai un pony» ribatté Thomas, sollevando lo sguardo dopo aver sistemato i lacci degli stivali. Aveva bisogno di nuovi stivali, a giudicare dalle spaccature della pelle vicino alle dita dei piedi.

«Non ce l'ho ancora, ma il mio nuovo papà me lo ha promesso...»

«A promettere sono buoni tutti» disse Matthias, mettendo da parte la sua bambola di paglia. «Promettono sempre, ma poi gli affitti non rendono abbastanza, o magari tua sorella maggiore deve andare a Londra, o tua madre vuole un nuovo calesse. Non ci sarà mai nessun pony, *mai*. Poi ci spediscono alla scuola pubblica dove dobbiamo sgobbare per i ragazzi più grandi e prendere botte da orbi.»

Digby non aveva sorelle maggiori, il suo nuovo papà aveva già portato la mamma a Londra per acquistare nuovi vestiti e i suoi compagnetti di scuola erano fin troppo tetri.

«Non posso preoccuparmi per la scuola pubblica adesso» disse Digby «e il mio nuovo papà mi procurerà un pony, vedrete.»

Una risposta del genere pareva invitare a nozze Thomas, che era solito sedersi sui ragazzini più piccoli finché non imploravano pietà. Peggio ancora, Thomas aveva un talento per spingere le sue vittime giù tra gli escrementi di cavallo e il fango.

L'arrivo del nuovo parroco aveva modificato le priorità di tutti, a quanto pareva. Non c'era più tempo per giocare con gli escrementi di cavallo o con il fango adesso che la minaccia ben più grave di essere fustigati con una verga di betulla incombeva su di loro.

«Abbiamo bisogno di un piano» disse Matthias, piegando gli occhiali e mettendoseli in tasca. «Abbiamo circuito le governanti, i precettori, il vecchio parroco, e il più delle volte siamo più furbi persino dei nostri genitori. Vedrete, la spunteremo anche con il signor Banks!»

7

Con discrezione lady Kirsten si era ritirata nella dispensa, tuttavia solo l'idea che si trovasse a portata d'orecchio tranquillizzava Daniel. Se il piccolo Danny avesse perso la calma, lei sarebbe prontamente intervenuta. Se fosse stato *Daniel* a dare in escandescenza, sarebbe intervenuta lo stesso.

«Ti piace il pane?» chiese Daniel, prendendo posto di fronte al bambino.

«Ho già fatto la preghiera» controbatté Danny, uno sbaffo di marmellata sul suo piccolo mento impudente. Quel suo piccolo mento tenero, impossibile e tanto cocciuto che proprio quella mattina avrebbe potuto schiantarsi su una roccia. Daniel si servì una fetta di pane – tagliata più spessa del solito – e spalmò burro e marmellata, soprattutto per guadagnare tempo.

«Come va il braccio?» chiese.

Danny abbassò le ciglia timidamente. «Lady Kirsten ha detto che mi sono fatto un taglio profondo e il sangue l'ha quasi fatta svenire. Dopo avermi fasciato il braccio, ha dato un bacino alla ferita, e quando mi ha pulito la ferita, mi bruciava da morire.»

Olivia non aveva mai dato un bacino al piccolo Danny allorché si faceva male. Anzi, lo aveva sempre rimproverato per essersi graffiato.

Daniel si sentiva quasi soffocato dal rimorso, per tutto quello che il bambino aveva sofferto e per quanto stesse ancora soffrendo.

«Sono certo che sei stato molto coraggioso» disse Daniel, spezzando il pane e porgendo a Danny la parte più grande. Avevano sviluppato quest'abitudine molto tempo addietro e Danny prese la sua porzione senza esitazione.

Per un momento, il pane e marmellata rimandò la conversazione, ma solo per un istante. «Danny, ti devo riportare a casa. Tua madre e il visconte saranno in apprensione. Devi loro delle scuse per essere scappato. Anch'io non sono per niente contento della bravata di stamattina.»

Danny posò il pane e marmellata. «*Non* me la stavo spassando, papà. Stavo cercando di mandare via la tristezza andando a cavallo, proprio come fai tu con Zubbie. Mamma non fa altro che abbracciarmi e arruffarmi i capelli e mi ripete senza sosta quanto sia felice di avermi accanto. Almeno il visconte mi ha preso un pony. Non chiedo più niente su di te perché cambiano sempre argomento. *Odio* vivere con loro e a volte credo che finirò per odiare anche loro.»

Sotto il tavolo, Daniel percepì il rumore ritmato degli stivali del piccolo Danny contro le gambe della sua sedia.

«*Odio* è una parola forte, Danny.»

Una parola pericolosa, una parola non cristiana. L'ultima parola che Daniel avrebbe voluto che il ragazzo imparasse sotto il tetto di sua madre.

«Non dovrei provare sentimenti d'odio, lo so bene,» disse Danny «ma in quella casa non mi ascolta *nessuno,* e non c'è *niente* da fare. Una noia mortale. Il mio insegnante si addormenta sempre, non abbiamo mai un po' di pane tostato da imburrare per colazione e il parroco della chiesa locale non fa altro che urlare ogni santa domenica per ogni cosa e... *Mi manchi!*»

Daniel fece appena in tempo a spingere all'indietro la sedia che il piccolo Danny si mise a correre intorno al tavolo.

Le sue piccole braccia si attaccarono al collo di Daniel e con tutto il suo peso confortante si sistemò in braccio a Daniel.

«Lo *odio* quel posto» gemette il piccolo Danny, con le lacrime che gli rigavano il volto. «*Non* è casa, non sarà *mai* casa, e *io voglio andare a casa!*»

Anch'io voglio andare a casa, figlio, pensò Daniel in cuor suo.

Daniel sapeva riconoscere quando il bimbo faceva dei capricci ma non era altrettanto preparato a riconoscere i suoi stessi sentimenti. Mentre Danny singhiozzava, borbottava e stropicciava la biancheria di Daniel peggio di quanto già non lo fosse, lady Kirsten si riunì a loro e, in silenzio, incominciò a sparecchiare.

Non arruffò i capelli del piccolo Danny, tuttavia con la mano pettinò i capelli di Daniel via dalla fronte. In quel momento, non aveva l'energia per mettere in discussione o per contestare il gesto della ragazza, poiché il suo tocco gli recava tanto piacere.

«Del tè, credo» disse lei. «E magari dei biscotti.»

Danny si calmò, esausto, come fanno di solito i bambini dopo aver dato sfogo a una forte emozione.

«Non voglio tornare in *quella* casa, papà. Mamma e il visconte sono gentili con me, ma è difficile tenere in mente che la devo chiamare zia Letty quando non fa altro che ripetermi quanto le piaccia essere la mia mamma. Mi piaceva di più quando era semplicemente zia Letty e tu eri il mio unico papà.»

Anche Daniel preferiva quel periodo. Si sarebbe pentito di quel pensiero egoista più tardi.

«Abbiamo due problemi, ragazzo mio» disse Daniel mentre la fragranza di menta piperita riempiva la cucina. «Il primo è che hai sbagliato a uscire dalla casa del visconte senza permesso.»

«Ho capito, ma non posso andare al galoppo con uno stalliere da un lato e il visconte dall'altro quando non mi permetterebbero di andare più veloce di uno stupido trotto. *Tu* non ti sei mai portato dietro né uno stalliere né tantomeno un visconte quando vai a correre con Zubbie.»

Nei momenti peggiori i bambini sanno sempre come impugnare la logica. Intanto lady Kirsten si era chinata sopra il secchio dell'umido per cercare di soffocare una risata.

«Sono anni che vado a cavallo io» si giustificò Daniel. «Questo è il tuo primo pony e guarda come lo hai ridotto, poverino.»

Con quella frase lo aveva punto nel vivo. Danny scese dalle ginocchia di Daniel e prese posto sulla sedia accanto a lui. «Mi scuserò con Loki e mi prenderò cura di lui, come mi hai insegnato a fare con Belzebù. Anche Zubbie mi manca tanto.»

Detto con aria funesta e straziante – il che non avrebbe portato il ragazzo da nessuna parte.

«Inoltre, devi delle scuse al pony, a tua madre, ma soprattutto al visconte perché hai tradito la fiducia che ti ha mostrato quando ti ha affidato Loki.»

Ah, un fremito gratificante del mento.

«Pensi che mi... mi porterà via Loki?»

Se il visconte Fairly fosse stato sagace – e di solito era geniale – avrebbe vietato a Danny di andare a cavallo per alcuni giorni e lo avrebbe messo in punizione.

«Potrebbe. Hai agito irresponsabilmente, Danny, nei confronti del tuo pony e di coloro che ti vogliono bene e che vogliono proteggerti.»

Mentre Danny si dimenava sotto il peso di quella dichiarazione da zio, lady Kirsten portò un vassoio da tè – fatto di semplice legno e ricoperto con un panno chiaro di lino.

Nessun servizio d'argento, neanche vasellame in peltro, ma semplici e resistenti oggetti in terracotta. Dei biscotti al cioccolato decoravano un piattino in un angolo del vassoio.

Quanto piaceva a Daniel, e quanto avrebbe dovuto pentirsene. Sì, anche di quello.

D'un tratto si sentì assalito da un moto di affetto nei confronti di Danny, un bambino che si sentiva sopraffatto, solo e chiuso in un vicolo cieco. Un bambino che aveva ben poco da aspettare con impazienza e nessuno con cui condividere l'attesa.

Tranne il suo fidato destriero.

«Almeno oggi puoi far visita a Belzebù» disse lady Kirsten, prendendo posto di fronte a Daniel. «Bevi il tè, mangia un biscottino, e poi concentriamoci sulle tue scuse. Di solito vengono meglio se fai le prove.»

Così come un po' di tempo poteva essere utile a una persona adulta per sistemare la situazione dopo che un ragazzino avvilito gli era finito in grembo, tutto graffiato, pieno di sangue e affamato.

Lady Kirsten aggiunse una goccia di miele in una tazza di tè alla menta e la mise di fronte a Danny. Il solo profumo era rassicurante e l'entusiasmo con cui Danny ingollò il tè fece bene anche al cuore di Daniel.

«Mi domando perché» rifletté Kirsten dopo che Danny, mangiato il biscotto, se n'era andato «il silenzio che segue la partenza di un bambino è più profondo di altri silenzi? Vogliamo un bene dell'anima ai bambini, ma quando ci lasciano in pace, proviamo sempre un po' di gratitudine.»

Daniel accettò ben volentieri una tazza di tè senza cedere alla tentazione del biscotto. Per i suoi standard sia i biscotti al cioccolato che il tè alla menta erano dei rari piaceri. Così come lo era la compagnia di lady Kirsten.

La sua lista di ristrettezze stava diventando sempre più lunga, mentre il rimorso era sempre più difficile da provare.

Kirsten aveva avuto pazienza abbastanza a lungo, qualcuno avrebbe dovuto riassettare la vita de signor Banks.

«Non condivido i vostri sentimenti, lady Kirsten» disse il signor Banks. «Quando Danny si allontana dalla mia vista, una parte del mio cuore se ne va con lui. Non sono affatto grato della sua assenza, e non riesco neppure a immaginare una circostanza in cui lo sarei.»

Un altro barlume della ferocia ben mimetizzata del signor Banks brillò nei suoi occhi, assieme a un velo di triste malinconia.

«Dareste la vita per quel bambino» disse la ragazza. La sua considerazione nei confronti del signor Banks stava aumentando. È così che i padri si prendono cura dei figli e, quando l'amore è abbastanza forte, si fanno anche da parte, se ciò dà l'opportunità ai figli di avere una vita migliore. Kirsten non sarebbe mai stata così nobile d'animo.

«Per Danny morirei con un sorriso sulle labbra, mia signora, e talvolta mi pare che una parte di me lo abbia già fatto.»

Che melodramma. E quanta ipocrisia?

«Se il benessere spirituale conta più della sicurezza materiale, allora il bambino dovrebbe stare con voi, signor Banks. Tutta la ricchezza del mondo e il prestigio sociale non potranno mai sostituire l'amore di un padre.»

Il signor Banks si appoggiò contro lo schienale della sedia, la tazza di tè in mano.

«Con cotanta facilità tracciate un percorso attraverso acque agitate, lady Kirsten, ma un bambino ha pur sempre bisogno dell'amore di sua madre.»

Quello era il segnale che era giunto il momento di alzarsi, augurargli il meglio con una questione di famiglia così complessa e recarsi in canonica alla ricerca di storie d'avventura per bambini.

«Una voce nella mia testa mi sta dicendo di farmi gli affari miei, signor Banks, tuttavia essendo in qualche modo amici sono portata a ignorare, alla mia solita maniera, la voce del buon senso. Una madre si vede dalle azioni, signor Banks, e se non erro quando il piccolo Danny era sconvolto e agitato non si è confidato né con la madre né tantomeno con il suo patrigno, il ricco visconte, giusto?»

Per come la vedeva Kirsten, ciò era sufficiente a dirimere la questione. Se il bambino non aveva alleati, tanto valeva che si trovasse in territorio nemico. Senza buone opzioni e con un futuro lungo e desolato dinanzi a sé.

«Il visconte Fairly ha i mezzi per aprire molte porte a Danny, nonostante le origini del bambino non siano delle più pure.» La risposta del signor Banks aveva i toni affaticati di una preghiera recitata sin troppo spesso.

Lord Fairly era un tipo circospetto. A Kirsten piaceva, però non si fidava completamente di lui. Si muoveva in sordina e aveva la tendenza a presentarsi senza preavviso con delle compagnie bizzarre. Inoltre, era un medico e, in generale, i medici non le andavano tanto a genio. Nicholas lo considerava però un amico, e nonostante fosse affabile, era parsimonioso con le sue amicizie.

«Vi siete quindi rassegnato all'idea che il piccolo Danny si debba abituare alla casa della madre?» domandò Kirsten, bevendo un sorso di tè. Come ci si sentirebbe a consegnare un figlio – che amiamo con tutto il cuore – a delle circostanze incerte, sapendo che il bambino è infelice ma che, forse, vivrà meglio?

Sarebbe una sensazione atroce, ecco come ci si sentirebbe. E per il bambino, essere portato via da una benamata figura paterna e da tutto ciò che gli è familiare e gli sta a cuore?

Sarebbe ancora più atroce.

«Danny vive con la madre già da qualche mese,» precisò il signor Banks «anche se, ovviamente, in pubblico deve rimanere zia Letty per lui. Inavvertitamente, l'intera, complessa e sventurata realtà sulla sua nascita è stata rivelata al piccolo Danny, per cui anche lui combatte contro delle verità che avrebbero dovuto risparmiargli, almeno per gli anni dell'infanzia.»

Come Della, che aveva intuito troppo presto che il defunto conte non era suo padre. Di conseguenza era diventata una bambina feroce, triste e disorientata, e fattasi donna era divenuta ancora più impetuosa.

«Cosa pensate di fare, signor Banks?»

Il signor Banks sorseggiò il suo tè, sebbene Kirsten dubitasse che riuscisse a gustarne il sapore. Non aveva neanche toccato un biscotto, mentre lei era tentata di mangiarli tutti.

«Mi sono detto» riprese pacato «che Letty è una brava madre. Ha fatto tanti sacrifici per quel bambino, sacrifici che una madre non dovrebbe neanche prendere in considerazione. È sempre venuta a trovarlo quando abitava con me e ha protetto il piccolo Danny da tante cose. Lei e il suo visconte adorano quel bambino e non badano a spese pur di vederlo sistemato bene.» Il signor Banks posò la tazza sul vassoio, accanto ai biscotti intatti.

«State cercando di convincervi a lasciare le cose come stanno» chiosò Kirsten, delusa, ma anche amareggiata per lui. Il bambino starebbe meglio nella casa di un ricco signore anziché in una canonica improvvisata alla bell'e meglio – agli occhi del mondo.

Poi, fra le altre cose, come aveva spiegato il signor Banks l'esistenza del ragazzino nel suo precedente incarico? Il figlio di un cugino? Un trovatello? Si era limitato a dire che aveva tirato su Danny 'nella canonica'.

«Sto cercando di convincermi a lasciarlo in pace, senza riuscirci» disse il signor Banks, spingendo i biscotti più vicino al gomito di Kirsten. «I sacrifici che ha fatto Letty o qualsiasi imposizione su di me non hanno alcuna importanza. Ciò che conta è che Danny cominci ad affacciarsi alla vita nelle migliori condizioni.»

«Quindi avete intenzione di rimandarlo a casa?» A Kirsten non piaceva quell'opzione, ma il signor Banks non aveva scelta. Il reverendo si alzò e, sebbene gli stivali fossero usurati e la cravatta grinzata, faceva comunque la sua bella figura nella sua tenuta da cavaliere, in particolare quando la determinazione si posava sulle sue ampie spalle e un sorriso gli illuminava il volto.

«Sì, lo rimando indietro, per adesso, sebbene abbia ormai raggiunto l'età in cui dovrebbe ricevere un'istruzione regolare, e molti ragazzini della sua età vanno ad abitare con il parroco prima dell'inizio dell'anno scolastico. In questo modo se ne vanno di casa in modo più gestibile e ricevono un'istruzione, aumentando le conoscenze in una società più ampia rispetto a quelle di casa loro, non importa quanto ricca sia.»

Anche Kirsten si alzò, biscotti e tè ormai dimenticati.

«Lo aggiungerete al vostro gruppo di monelli?»

Che idea meravigliosa, e che donna meravigliosa per averle fatto venire un'idea simile.

«Da un punto di vista legale, ho ancora autorità sul bambino come suo tutore. Posso insistere che Danny si unisca agli altri bambini qui, dove ha sia la compagnia sia gli studi per distrarlo da ciò che lo infastidisce.» Il sorriso del signor Banks era compiaciuto e determinato, oltreché sollevato.

Kirsten stava ancora cercando aggettivi per descrivere quel sorriso quando lui le prese la mano e la strinse tra le sue, calde, mentre si prostrava in un inchino.

«Vi ringrazio, lady Kirsten, per avermi aiutato a fare ordine tra le mie priorità.»

Le sue priorità? Kirsten prese l'iniziativa e gli afferrò la bocca con la mano che aveva libera, dal momento che anche lei aveva delle priorità.

Grazioso, clemente, eterno, perplesso, dolce... dolce, davvero molto dolce...

La perfezione pura, oltreché la piacevole probità, del piano di Daniel per il piccolo Danny aveva ispirato un amichevole gesto di ringraziamento nei confronti della donna, la quale si era impegnata molto per mettere ordine in una situazione difficile.

Un gesto sciocco e amichevole, dato che ormai i baci di lady Kirsten ispiravano a Daniel nient'altro che disperazione.

La ragazza depredò il bacio con delicatezza, derubando un sant'uomo delle sue buone intenzioni, premendo lievemente le sue labbra contro quelle di Daniel.

Daniel cercò di appellarsi alla sua rettitudine. «Mia signora, non dobbiamo...»

La bocca della ragazza riuscì di nuovo a scovare le labbra di Daniel. Sapevano di menta piperita e di entusiasmo – spezia, quest'ultima, che Daniel non aveva più degustato in un bacio da prima del suo matrimonio.

«Dobbiamo, invece...» mormorò Sua signoria, le braccia cinte attorno alla vita del reverendo. «Avete un *ottimo* sapore.»

Per alcuni interminabili istanti, la risolutezza di Daniel rimase sospesa tra il piacere ipnotizzante del desiderio sincero e appassionato di una donna per lui, il dolore per ciò che si sarebbe concluso a breve, e l'orrore.

Non era inorridito dal fatto di aver avuto uno sbandamento morale – era amaramente divertito e leggermente imbarazzato, e avrebbe trovato un'adeguata penitenza per il suo passo falso. Fu inorridito nel rendersi conto che lady Kirsten non fosse una sgualdrina priva di coscienza, né un'aristocratica eccessivamente audace a caccia di una tresca illecita.

Era innocente, pressoché ingenua, e con il suo bacio inesperto, cercò di invitare Daniel all'estremo opposto del peccato. Per quel motivo, permise al bacio di addolcirsi, e poi di sprofondare in un abbraccio, mentre lady Kirsten si appoggiò a lui in una posa di straziante affetto malriposto.

Daniel si inflisse un momento di dolce autotortura per imprimere quell'abbraccio alla sua memoria, poi allentò la presa.

«Lady Kirsten, vi devo le scuse più umili, sincere e contrite che un uomo possa fare.»

Quella donna cara e al contempo dannata si accoccolò a lui rannicchiandosi tra le sue braccia. «È necessario far pratica per apprendere a baciare, signor Banks. Ritengo che entrambi potremmo trarre beneficio rinfrescando regolarmente le nostre competenze. Un inizio promettente, però, non trovate?»

Le donne hanno il seno, pensò Daniel, che sembrava avere rimosso quell'informazione negli ultimi anni. Aveva dimenticato la gioia che prova un uomo quando una donna ben dotata si accoccola a lui in modo amichevole, semplicemente perché sente di farlo.

Non sarebbe mai più stato in grado di dimenticarlo.

«Mi odierete» sussurrò, e questa sarebbe stata una penitenza sufficiente per qualsiasi peccato, dal momento che non avrebbe mai voluto deludere Kirsten Haddonfield, così come non avrebbe mai voluto guadagnarsi la sua ostilità. Era una ragazza dal cuore d'oro e, quando era da sola, le piacevano anche i bambini.

Le piaceva Daniel. Sebbene fosse squattrinato, non avesse nessuna ambizione, e non fosse per niente sofisticato, a Kirsten piaceva così com'era.

«Avrei potuto odiarvi se aveste fatto una ramanzina al piccolo e lo aveste rispedito dalla madre in maniera disonorevole,» disse la ragazza «ma alla fine l'avrei comunque superata. Sembro sempre furibonda ma in realtà le mie arrabbiature durano molto meno di quel che sembra.»

Lady Kirsten esalava un profumo di lavanda. Daniel lasciò che continuasse ad accarezzargli il bavero, quando invece avrebbe dovuto fare un passo indietro. Un qualche clemente angelo delle tenebre instillò un pensiero doloroso, ma utile, nella mente turbinante di Daniel: se si fosse inimicato il conte, avrebbe di certo messo a rischio la sua carriera. Per Daniel la sua professione ecclesiastica era tutto ciò che gli era rimasto e, poco prima, gli era servita per ricongiungersi un po' con il piccolo Danny.

«Mia signora, credo ci sia stato un equivoco» disse Daniel, prendendo le mani di lady Kirsten nella sue e mettendo un piede di distanza tra sé e la tentazione. «La vostra considerazione, oltreché la vostra amicizia, sarà sempre tra i miei più grandi tesori, tuttavia dovete serbare i vostri affetti per un altro.»

Per un breve istante i suoi occhi furono offuscati da un velo di dolore prima di ricomporsi. Poi sfilò le mani dalle sue; nessun gesto drammatico, solo un tranquillo, tragico, inevitabile districarsi delle loro dita, di sentimenti e di vite inconciliabili.

In quel momento, finalmente, ebbene sì, finalmente Daniel capì cosa significasse odiare la sua consorte. Era stato furibondo con Olivia, da lei ferito, amareggiato e sconcertato dai suoi tradimenti, ma mentre ogni speranza e il calore si affievolivano nello sguardo di lady Kirsten, Daniel intravide un affascinante barlume di odio negli occhi della ragazza.

E gli piacque ciò che vide. L'odio era così semplice, così *facile* e invitante quanto una succulenta mela rossa.

«Vi porgo le mie scuse, signor Banks. Mi sono approfittata di quella che era semplicemente una cortese amicizia. Mi dispiace tanto. Non accadrà di nuovo.»

Girò le spalle e fece per andarsene, probabilmente per maledirlo, da signora, nella solitudine del suo salotto privato. O forse per piangere. Se Daniel fosse stato fortunato, la ragazza avrebbe scovato un po' di disprezzo per il nuovo parroco di Haddondale, un compito per il quale lui stesso avrebbe potuto offrirle un po' di aiuto.

«Mia signora... *Kirsten*, sono sposato.»

Sua signoria aveva ampie riserve di indignazione, tuttavia se Daniel aveva sperato che venissero manifestate, ne rimase alquanto deluso. Ma anche rincuorato, dal momento che la ragazza non era furente al punto da fuggire via dopo aver udito la sua confessione.

«*Sposato*, Daniel?»

Non signor Banks. «Non ho fatto una scelta saggia, come sottolineava spesso mio padre. Con mia moglie viviamo separati. È sempre stata ostile nei confronti del piccolo Danny e ha anche tradito la mia fiducia, ma io non disonorerò i miei voti.»

Una volta aveva pensato che *non poteva* disonorare quei voti, non in modo serio o duraturo. Eppure, anche prima di lasciare Little Weldon, aveva ammesso l'errore di quell'ipotesi. Era pur sempre un uomo e, peggio, era un uomo solo e morigerato.

«E se non foste sposato, signor Banks?»

Che razza di donna confusa, fuorviata e respinta poteva fare una domanda del genere? Una donna *coraggiosa*, che ha il diritto di essere sincera.

«Non sono libero di descrivere i sentimenti che potrei provare per voi nel caso in cui non fossi un uomo sposato,» disse Daniel «ma poc'anzi ho parlato onestamente. La vostra considerazione, oltreché la vostra amicizia, avranno sempre un posto tra i miei più grandi tesori.»

Avrebbe potuto amarla.

Dal momento che Daniel avrebbe potuto amare Kirsten come un uomo ama la sua intima compagna, e poiché la teneva in alta considerazione, le risparmiò una litania su sentimenti che non potevano lusingarla provenendo da lui.

«Anch'io mi sono espressa con sincerità» disse lei. «*Daniel, mi dispiace davvero tanto.*»

Non una scusa, ma piuttosto un cordoglio per un uomo in lutto, privato della compagnia e aggiogato alla sua solitudine. Con un leggero fruscio delle vesti, lady Kirsten salì le scale della servitù e sparì.

Susannah sollevò lo sguardo da un volume di sonetti di Shakespeare e sbirciò oltre.

«C'è qualcosa che non va.»

Sì, qualcosa non andava. Susannah non avrebbe dovuto occupare la vecchia aula studio, perché quello era il posto prediletto da Kirsten per starsene da sola e riflettere.

E anche per piangere.

«Quante versioni hai di quei sonetti, Suze?» domandò Kirsten, attizzando il fuoco nel caminetto. «Stai cercando di impararli tutti a memoria?»

«Possiedo sei diverse edizioni e Nicholas ne conserva una in più in ogni biblioteca» disse Susannah, chiudendo il libro attorno al dito per tenere il segno. «Cosa c'è che non va?»

Perché proprio adesso Susannah doveva staccare il suo bel nasino da quel libro?

«A forza di leggere, ti congelerai in questa stanza senza neanche accorgertene» disse Kirsten, sedendosi in bilico su un poggiapiedi davanti al focolare. «Alla fine magari te ne accorgeresti, se il buio ti impedisse di leggere.»

Susannah non abboccò all'amo del litigio.

«Hai la stessa espressione che assumevi sempre durante le nostre gite fuori porta,» disse «quando lady Warne si metteva a discutere dei gentiluomini con i quali avremmo dovuto ballare e come persuaderli a portarci sulla pista da ballo.»

Brutti momenti, quelli in cui la nonna di Nick aveva prevalso su amici, figliocce, compagni di giocate a carte e marchese di passaggio per sincerarsi che Kirsten e Susannah prendessero parte a tutti i balli.

«Odio Londra» disse Kirsten, sebbene non avesse inteso esternarlo ad alta voce.

«Se non fosse per i libri e per il tè, anch'io la odierei» replicò Susannah, poggiando i piedi sul pouf accanto a Kirsten. «Sua grazia la duchessa di Moreland mi permette di prendere in prestito libri dalla sua biblioteca e lady Louisa è sempre disposta a parlare di poesia con me.»

«Sono tue amiche, Suze? La duchessa e sua figlia?»

Susannah era proprio bella. Il dolce sole pomeridiano entrava dalle finestre e conferiva al suo volto serafico un rossore che Kirsten associava ai manoscritti miniati e alle madonne rinascimentali.

Susannah si sentiva anche molto sola, e questo poteva spiegare la sua devozione per il signor Shakespeare.

«Le signore Windham sono un'ottima compagnia,» disse Susannah «ma no, non direi che sono mie amiche.»

«E noi? Siamo amiche, Suze?» La bocca di Kirsten ormai stava prendendo delle direzioni indesiderate – come al solito.

«Siamo sorelle» rispose Susannah. «È meglio che essere amiche. Qual è il problema, Kirsten? Hai un'espressione distratta e ti sei appollaiata su quel poggiapiedi come una gallina pronta a covare quando solitamente te ne staresti a spolverare la mensola del camino o a lucidare le finestre.»

«Non sono certa che ci sia qualcosa che non vada, per l'esattezza. Lo sapevi che il signor Banks è sposato?»

Susannah si tolse un paio di pantofole rosa ricamate con uccelli blu. Indossava delle calze di seta bianca e perfino i suoi piedi – stretti e sottili – erano aggraziati.

«Il matrimonio spiegherebbe l'addomesticamento del signor Banks» disse, muovendo le dita dei piedi. «A rigor di logica, un uomo di bell'aspetto non dovrebbe essere così gentile e ben educato, anche se è un uomo di chiesa. Dovrebbe essere arrogante o sciocco.»

Spesso, però, gli uomini riuscivano a essere entrambi. Sedgewick c'era riuscito con facilità, mentre Arthur... Forse era stato arrogante e sciocco e Kirsten troppo affranta per accorgersene.

«Il signor Banks e la moglie sono separati» puntualizzò Kirsten, anche se in realtà sospettava che la situazione fosse più complicata. «Una moglie scialacquatrice dev'essere imbarazzante per un pastore.»

«Impossibile, direi. A seguire sentiremo storie su come la signora Banks si stia prendendo cura di sua madre, rimasta vedova, o magari si sta occupando del riposo post parto della sorella con tutte le relative complicazioni, fin quando la gente non smetterà di fare domande dirette. D'altronde Nicholas ha preannunciato che il parroco potrebbe non rimanere a lungo al pulpito di Haddondale.»

La signora Banks. Argomento scottante.

«Quando l'avrebbe detto Nick?»

«Ero in biblioteca, stavo cercando la mia Saffo, e Nick è entrato con Leah.»

«Si sono sdraiati sul divano blu?»

Nicholas sosteneva che il divano blu avesse la costruzione più robusta e i cuscini più profondi. In altre parole, il divano blu non cigolava né si spostava quando un certo conte libidinoso si metteva ad amoreggiare con la sua contessa. Una volta Adolphus, il fratello Haddonfield che raramente poteva essere strappato dalle lusinghe scientifiche di Cambridge, aveva detto che il figlio di Nick avrebbe dovuto essere soprannominato 'Blu'.

«Non il divano blu» disse Susannah. «Nick e Leah stavano saccheggiando i biscotti, quando Nick ha detto che il signor Banks potrebbe finire in Catai se Haddondale non gli si confà. Il nostro parroco deve essere molto estraniato dalla sua consorte se è attirato dal Catai; sebbene un coniuge sia pur sempre un coniuge, estraniato o meno. Sally Blumenthal era certa che il signor Banks le avrebbe presto rivolto delle attenzioni speciali. Ne sarà devastata.»

Anche il piccolo Danny rimarrebbe sconvolto se il signor Banks levasse le tende e partisse alla volta del martirio missionario e, per questo motivo, il pulpito di Haddondale e il benessere del piccolo Danny erano temporaneamente al sicuro.

«Mi piace il signor Banks» disse Kirsten, dando una spintarella alle pantofole abbandonate dalla sorella in modo che fossero allineate l'una all'altra sul tappeto. «Lo rispetto e mi piace.»

Che sollievo, essere in grado di rispettare di nuovo un uomo. Un sollievo ironico. Susannah mise da parte il libro nel silenzio della riflessione. A Kirsten piaceva molto il signor Banks, e apprendere che era sposato non faceva che rendere i suoi sentimenti ancora più complessi.

«Mi dispiace, Kirsten. Sei proprio sfortunata in amore. Il signor Banks è veramente determinato a conseguire una carriera ecclesiastica?»

Una domanda straordinaria nel bel mezzo di una conversazione insolita.

«Non vorrei scappare con lui,» disse Kirsten «se è questo ciò che mi stai chiedendo.»

Il signor Banks non avrebbe mai chiesto a Kirsten di voltare le spalle al decoro, nemmeno per amore, poiché tra tutti i pastori di tutte le parrocchie di tutte le contee, la vocazione di Daniel Banks era quella più genuina.

Ironia della sorte.

«Però sei delusa» disse Susannah, incrociando le caviglie. «Vale la pena essere delusi per il signor Banks. Gli altri tuoi spasimanti invece non mi hanno mai colpito un granché.»

«A te nessuno colpisce tranne Shakespeare, e anche lui deve essere in piena forma.»

E a Kirsten stessa, i suoi spasimanti l'avevano colpita? O semplicemente aveva desiderato di essere colpita?

Si alzò dal poggiapiedi, andandosi a sdraiare accanto a sua sorella. «Ho cercato di sedurre il signor Banks. Mi sento un'idiota.» Un'idiota triste, disorientata e solitaria. Se Kirsten fosse stata più sagace, avrebbe provato sdegno nei confronti del signor Banks e dei suoi baci morbidi, dolci e appassionati.

«Lui non ha corrisposto, immagino. Scortese da parte sua. I reverendi sono negati nell'arte del corteggiamento. Pensa a quel tipo con la barba che abbiamo avuto cinque anni fa. Forse il signor Banks non sa come gestire la situazione, o forse la signora Banks lo ha rattristato al punto tale che non riesce a lasciarsi andare.»

Eppure il signor Banks *non* si era sottratto al bacio di Kirsten, per una manciata di secondi splendidi e intriganti. Erano quei pochi istanti che le impedivano di infuriarsi contro di lui – e contro l'Onnipotente – perché quei momenti teneri e seducenti avevano confermato che i suoi sentimenti erano ricambiati.

Al terzo tentativo, Kirsten aveva finalmente scelto un brav'uomo per cui perdere la testa, ma lo aveva scelto nel momento sbagliato. Le sue preghiere erano state esaudite troppo tardi.

Aveva fatto dei progressi, sebbene fossero patetici.

«Se non altro ti distrarrai un po' a Londra» disse Susannah, accarezzando la mano di Kirsten.

«Londra mi terrà impegnata. Non è affatto la stessa cosa.»

«Allora non andare.»

Non appena Susannah pronunciò quelle parole, Kirsten mentalmente le mise da parte, perché avevano lo stesso fascino doloroso e pericoloso dei ricordi dei baci del signor Banks. Si era quasi decisa a evitare Londra *prima del bacio*. Adesso aveva assaggiato il frutto proibito e doveva sopprimere ogni tentazione. Questo lo sapeva, non perché fosse pia e virtuosa ma, piuttosto, perché una sciocca non dovrebbe essere costretta a soffrire inutilmente.

«Se rimango in paese, la gente parlerà» disse Kirsten. «Della non ha bisogno di ulteriori pettegolezzi al suo debutto in società.» Ogni debuttante forniva sempre dei buoni motivi per spettegolare, e Della, non avendo i colori chiari e l'altezza degli Haddonfield, sarebbe stata resa oggetto di speculazioni scortesi.

«Della non ha bisogno di essere scortata da me, da lady Warne, da Leah e neanche da te, Kirsten. Quest'anno Nita non sarà qui a supervisionare la casa, quindi potresti reclamare quel ruolo in modo convincente. Vieni a Londra verso la fine della stagione e nessuno ci farà caso.»

«Stai dicendo che se sarò a Londra o nel Kent, Della dovrà ugualmente sopportare i pettegolezzi.»

«Sto dicendo che non dovresti preoccuparti inutilmente dell'erede del signor Sedgewick quando i suoi genitori, tronfi d'orgoglio, lo mostrano con ostentazione.».

«L'erede di Sedgewick è solo un bambino» disse Kirsten. «Si spera che il povero fanciullo abbia ereditato il mento della madre anziché quello del padre.» E quella, stranamente, era sia una sincera speranza che l'entità dei sentimenti di Kirsten nei confronti di quel bambino.

«Prima o poi erediterà il titolo del nonno e a quel punto gli sarà perdonato anche un mento sfuggente, o tre menti. Metti in conto l'idea di restare qui a Belle Maison, Kirsten. Dài retta a me. Della avrà tutto il supporto di cui ha bisogno.»

«Sei gentile, Suze. Non sono sicura di come rispondere.»

Rimanere a Belle Maison avrebbe risparmiato a Kirsten tante grane, ma in quel modo si sarebbe trovata in prossimità del tristemente sposato signor Banks. Come era possibile non sapere che fosse sposato? Sebbene neanche Susannah ne fosse a conoscenza, il che era di conforto.

Più probabilmente a Susannah non gliene importava niente. Il signor Shakespeare era un rivale formidabile, nonostante anche lui fosse separato dalla moglie.

«Dovresti rispondere alla mia dimostrazione di sostegno seguendo il mio esempio» disse Susannah, prendendo in mano i suoi sonetti. «Anche tu sii gentile con te stessa.»

«Dovrei andare a Londra.» Lontano dal signor Banks, dalla sua *stima*, dai suoi adorabili occhi malinconici e dalle sue cravatte stropicciate e rattoppate. Tra l'altro, Nicholas non avrebbe mai permesso a Kirsten di rimanere a Belle Maison. Il debutto in società di Della era una responsabilità condivisa da tutta la famiglia.

«Per una volta dovresti fare ciò che ti va di fare» disse Susannah, girando alcune pagine. «Penso che il signor Banks ti darebbe lo stesso consiglio. Oltretutto, se rimani qua, posso richiedere di ritirarmi in campagna con la scusa di farti visita di tanto in tanto. Mi piace come idea.»

«E tu mi piaci come sorella.»

A Kirsten piaceva davvero sua sorella. Adorabile. Così come le piaceva davvero anche il signor Banks, il che era... complicato, triste e scomodo. Ma, in qualche modo, altrettanto tenero.

8

«Ne avete parlato con Danny?» chiese Fairly.

Il visconte e Banks non avevano molto tempo per risolvere la situazione, dal momento che Letty si sarebbe precipitata nella stalla se il bambino non si fosse presentato seduta stante nel salotto privato di Sua signoria.

«Non sono così sciocco» ribatté Banks mentre uscivano dal cortile della scuderia. «Non ho detto neanche una parola a Danny sull'idea di cambiare casa. Se è per quello, non gli ho nemmeno detto che sto insegnando ad altri bambini, sebbene l'attività didattica faccia parte delle mie giornate sin da quando abitavamo a Little Weldon.»

In altre parole, costituiva una parte del reddito di Banks. La maggior parte dei reverendi integrava il proprio stipendio con un po' di insegnamento.

Fairly minimizzò la situazione.

«Letty non sarà d'accordo.»

Banks si fermò in mezzo a un giardino in cui i narcisi stavano cercando di sbocciare lungo il muro di cinta rivolto a Est e qualche sporadico tulipano precoce stava spingendo verso l'alto i teneri boccioli verdi che non si erano ancora schiusi.

«Letty non deve acconsentire per forza, mio signore. Neanche voi. A dire il vero, non sono neppure sicuro che avere mio figlio tra i miei studenti sia un'idea che mi entusiasmi.»

«Banks, Danny potrà anche essere vostro figlio secondo gli abitanti di Little Weldon e secondo i dettati del vostro cuore puro, ma non credo che Letty vi ringrazierà per esservi riferito al bambino in quel modo.»

«Papà!» Danny arrivò in giardino tutto concitato. «Papà, papà! Hibbs dice che Loki sarà sano come un pesce!»

Banks ebbe la grazia di non fare un sorrisetto, bensì prese il piccino in braccio e se lo mise sulle spalle, a cavalluccio. Il piccolo Danny ci si sistemò con la disinvoltura di un gesto familiare, a lui tanto caro.

«Sei contento, quindi, che il tuo pony starà bene!» chiosò Banks. «Comunque, non ti ho sentito chiedere scusa al visconte.»

«Mi sto allenando» disse il piccolo Danny «Lady Kirsten mi ha detto che le scuse vengono meglio se si fa pratica. Salve, signore.»

«Ciao, Danny. Sono contento che anche *tu* sia sano come un pesce. Sua signoria e io eravamo molto preoccupati. Ci hai fatto prendere un bello spavento.»

Fairly cercò di assumere un tono severo, perché Letty era andata fuori di sé quando il bambino era scomparso. Nel momento in cui avevano scoperto che il pony non era più nella stalla, si era ammutolita.

«Sapevo che si sarebbe preoccupata» disse Danny. «Le chiederò scusa, perché non mi sono comportato bene. È che... mi mancava papà.»

«Danny!» sussurrò Banks.

«Be', è la verità, mi mancavi, e non mi piace per niente stare qui, ma mi dispiace che la mamma si sia preoccupata e mi dispiace aver preso Loki senza permesso.»

Un po' riluttante nel chiedere scusa ma assolutamente sincero nel confessare che non gli piacesse abitare lì. La scena non poteva concludersi senza qualcuno che scoppiasse in lacrime, di nuovo, eppure con Banks a portata di mano il bambino era stato finalmente onesto.

Danny odiava stare sotto il tetto della madre. Fairly aveva avuto bisogno di sentirglielo dire per ammettere che i bambini felici non erano soliti gettare il loro porridge un giorno sì e uno no. I bambini felici non rispondevano a monosillabi, incluso 'signore' o 'signora'. I bambini felici non vagabondavano per la stanza dei giochi, pallidi e taciturni, con lo sguardo smarrito e sempre rivolto alle finestre.

Neanche il pony lo avevo tirato su di morale.

«Papà ha una bella casa a Haddondale,» disse Danny «e la stalla del conte è ordinata come quella del visconte. Lady Kirsten mi ha perfino dato un bacino sulla fasciatura.»

Danny alzò il suo polso ossuto, mostrando una garza di lino bianco appena fatta.

«Mi raccomando non ti mettere a parlare di ferite e di fasciature davanti a Sua signoria» disse Fairly. «E neanche di come sei caduto dal pony, dei tagli che ti sei inferto, dei lividi, e tantomeno dei *baci di Kirsten.*»

«Volete che menta alla mamma?»

Banks mise il bambino a terra, poiché avevano raggiunto la terrazza sul retro. Danny prese la mano del reverendo con la stessa naturalezza con cui Fairly avrebbe potuto stringere a sé la propria bambina.

Sì, Fairly voleva che il bambino mentisse. Letty avrebbe avuto abbastanza problemi da gestire se Banks fosse rimasto dell'idea di portare via Danny.

«Non dirai una falsità, Danny» disse dolcemente Banks. «Mosso da compassione nei confronti di tua madre, ti limiterai a non ostentare la tua ferita, né ti dilungherai sul fatto che un'altra signora si è presa cura di te e ti ha confortato. Dirai la verità il più gentilmente possibile.»

«Sì, signore.»

Un 'sì, signore' molto diverso da quelli indirizzati al visconte Fairly.

Letty avrebbe soffocato il ragazzo con il suo senso di colpa e col suo amore, lo avrebbe avvolto nell'ovatta morale e metaforica, si sarebbe guadagnata il suo eterno rancore e, con ogni probabilità, lo avrebbe anche viziato. Pur avendo le migliori intenzioni, non avrebbe fatto altro che peggiorare la situazione. Banks sapeva come essere genitore per Danny e il piccolo lo percepiva. Forse, se ne avesse avuto l'occasione, anche lei lo avrebbe ammesso.

«Direi di non rimandare ulteriormente l'inevitabile» disse Fairly. «Vai a cambiarti i vestiti, Danny, e poi procederemo a chiedere scusa a Sua signoria.»

«Quale sarà la mia punizione?» chiese il bambino, con un'aria seria e adorabile quanto l'uomo che gli teneva la mano.

Di nuovo, Banks si introdusse nel momento imbarazzante con la stessa disinvoltura di un cavallo sicuro di sé che sguazza in una pozzanghera.

«Devi considerare, Danny, cosa farà ammenda a coloro cui hai disubbidito. Le scuse sono solo un inizio, ma solo tu sai se chiedere scusa è tutto ciò che puoi fare per riparare il danno che hai inflitto.»

«Ci penserò su, signore, e chiederò a Loki la sua opinione.»

«Ottima idea.» Con delicatezza Banks gli diede uno scappellotto sulla nuca. «Sbrigati, allora, ma aspettati che Sua signoria ti rimproveri. Non me ne andrò senza salutarti.»

Danny corse via con più energia di quanta non ne avesse impiegata negli ultimi sei mesi in tutte le attività svolte, eccezion fatta per l'episodio del porridge.

«Non avevo capito che lo scopo della punizione fosse quello di placare la coscienza del peccatore» osservò Fairly. «Pensavo che venissimo regolarmente fustigati per assuefarci all'ingiustizia.»

«Per apprezzare l'ingiustizia,» disse Banks «bisogna prima avere un istinto di giustizia. La penitenza ci restituisce il nostro onore, mentre una fustigata non fa altro che nutrire la nostra autocommiserazione.»

«Dovreste scrivere un libro di aforismi sulla pedagogia infantile» disse Fairly. «La vostra prospettiva è avvincente, nonostante sia uno schiaffo alle convenzioni.»

Di fatto l'intera situazione di Banks era anticonvenzionale, soprattutto per un uomo di chiesa.

«Oh, un libro. Naturalmente» disse Banks, dirigendosi verso la porta più vicina. «Pubblicherò un libro riscuotendo il plauso del pubblico, e poi spunterà Olivia e annuncerà a tutti che Danny non è mio figlio, mia sorella la viscontessa è una donna disonorata, e che io ho distorto la realtà dei fatti agli occhi del vescovo e della mia intera parrocchia per anni.»

Ogni giardino aveva il suo serpente.

«Banks, non potrete scappare in Perù se Danny diventerà uno dei vostri studenti» disse Fairly. Il bambino non aveva bisogno di essere rimpallato tra famiglie. Neanche i nervi di Fairly avrebbero resistito a una tensione del genere.

«Non ho intenzione di scappare da nessuna parte» disse Banks. «Il bambino ha già avuto fin troppa confusione. È opportuno che torni a chiamarci con gli appellativi con i quali si è rivolto a noi per la maggior parte della sua vita. Io sono papà e Sua signoria è la zia Letty, perché quelli sono i termini che il mondo deve sentire uscire dalla bocca di Danny e non avremmo dovuto discostarci da essi neanche tra noi.»

Haddondale aveva fatto bene al fratello di Letty. Daniel aveva messo su un po' di peso da quando Fairly lo aveva visto l'ultima volta e aveva anche recuperato parte della sua energia di un tempo.

Gran parte della sua energia di un tempo.

«Combattete questa battaglia con Letty» disse Fairly, lasciando che il signor Banks lo precedesse in salotto. «Adora udire il piccolo Danny chiamarla mamma.» Anche se, dopo averci riflettuto, Fairly si rese conto che il piccolo Danny faceva di tutto per evitare quell'appellativo.

«Non una battaglia, Fairly, una discussione» disse Banks. «Siamo adulti ragionevoli, per cui avremo una discussione altrettanto ragionevole.»

***

Era ormai trascorso più di un decennio da quando Olivia Maitland Banks era uscita dalla classe scalcinata del padre in tutta la sua bellezza mozzafiato. Era tuttora bella, purché evitasse la luce diretta del sole. Attorno ai suoi occhi cominciavano a intravedersi delle lievi rughe e anche la bocca iniziava a essere segnata da qualche ruga leggera. Bertrand sapeva bene che non doveva alludere a nessuno dei due difetti, dal momento che Olivia era vanitosa.

«Scegliesti il reverendo anziché scegliere me perché era un bellissimo ragazzo, non è forse vero?» chiese Bertrand mentre passeggiavano nel giardino sul retro.

Erano trascorsi anni da quando aveva scelto il reverendo, anche se adesso avrebbe voluto fare un salto indietro nel tempo.

«Daniel è piuttosto attraente e lo sarà sempre» rispose Olivia. Non rivolgeva mai nessun complimento al marito, e anche se lo avesse fatto avrebbe usato lo stesso tono per valutare le condizioni fisiche di un cavallo da tiro.

«Non tiene in nessun conto il suo aspetto fisico, però, e non lo userebbe mai a suo vantaggio. È il massimo che una moglie possa auspicare. Una donna del genere sarebbe oggetto di invidia, ma il suo uomo non si allontanerebbe mai da lei. Egli mi ha sposato in parte per ribellarsi al suo devoto padre, secondo il quale eravamo troppo giovani. Per nessuna ragione Daniel avrebbe tradito la moglie che aveva scelto, nonostante il padre fosse contrario all'unione.»

Bertrand non si mise a contraddire Olivia, ma in cuor suo sapeva bene che sin da giovane Banks era stato un tipo prudente. Sposarsi per sfidare il padre era qualcosa a cui non aveva mai pensato. Olivia non l'avrebbe mai ammesso, ma in realtà ammirava l'integrità di suo marito – anzi forse questo era anche uno dei motivi per cui aveva incominciato a odiarlo. Olivia odiava passionevolmente, cosa che aveva affascinato Bertrand sin da ragazzo.

«Comunque non potresti denunciarlo per adulterio» disse Bertrand, mentre con un fazzoletto si era messo a spolverare una panchina di marmo vicino alla meridiana. «Lui invece potrebbe farti causa.»

Erano necessari tre diversi procedimenti giudiziari per porre fine a un matrimonio con un divorzio dovuto a adulterio, e uno di questi procedimenti si sarebbe tradotto in una legge del parlamento. Il giorno prima Bertrand si era consultato con i suoi legali, dal momento che avere Olivia al suo fianco aveva riacceso una scintilla che gli mancava da tanto tempo. Olivia era una donna complicata: egoista e di straordinaria bellezza.

«Daniel dovrebbe rinunciare alla carriera ecclesiastica per ottenere il divorzio» disse Olivia in tono derisorio, sistemandosi sulla panchina. «Non ha né il denaro né le conoscenze giuste. Direi che è indissolubilmente legato a me.»

Il che significava che anche Olivia era legata a lui. Bertrand prese posto accanto a lei – ormai si prendeva queste libertà senza neanche dover chiedere il permesso – e si impossessò della sua mano.

«Finché sarai legata a Banks, non potrai essere mia, non legalmente almeno. Gioisci a vedermi soffrire, Olivia?»

Non era l'agonia sopportata da giovane, piuttosto il ricordo di quella passione frustrata alimentava parte della possessività di Bertrand. Olivia aveva sbagliato a sposare quel maledetto uomo di chiesa, nonostante l'aspetto attraente e il carattere onorevole. Senza dubbio, Banks rimaneva un uomo di bell'aspetto, ma squattrinato, mentre Bertrand poteva ricoprire Olivia con la sicurezza materiale che tanto bramava.

«Sì, un po' mi diverto a vederti soffrire, Bertrand. Però gradirei ancora di più rendere Daniel miserabile.»

Bertrand non era miserabile, tantomeno era divertito dall'affermazione di Olivia. «Non vedo come potrebbe essere altrimenti, colombina mia. Non ha più il figlio al quale, come sostieni tu, era affezionatissimo. Ha lasciato il pulpito a Little Hogwallow per un piccolo pulpito nel Kent e, in qualsiasi momento, puoi denunciarlo al suo vescovo per aver falsamente presentato il bambino come suo figlio. Se fossi Banks, sarei alquanto nervoso.»

Con i nervi a fior di pelle, altro che nervoso. Olivia era diventata pensierosa negli ultimi giorni, il che non preannunciava niente di buono.

«Daniel potrebbe sempre provare ad annullare il nostro matrimonio» disse Olivia, agitando le sottane di seta di un delizioso azzurro pallido che metteva in risalto la sua carnagione – stoffe pregiate.

Un annullamento sarebbe stato leggermente meno scandaloso di un divorzio, e di gran lunga meno complicato, se ci fossero state prove concrete.

«No, non può provare ad annullare il matrimonio,» replicò Bertrand «non se vuole continuare a indossare il collarino ecclesiastico, e sembra che non voglia altro, come mi hai assicurato tu stessa. Non è un lord benestante, quindi non potrà fabbricare nessuna motivazione, né corrompere il vescovo adatto. Hai forse intenzione di ricattarlo? Il tuo silenzio riguardo ai suoi sotterfugi col bambino in cambio della sua complicità verso la nostra storia?»

L'Inghilterra era un posto grande, e Bertrand possedeva delle belle proprietà in Northumbria. Poteva presentare Olivia come la sua nuova moglie e nessuno si sarebbe accorto di niente. I suoi avvocati gli avevano assicurato che simili unioni erano all'ordine del giorno tra coloro che avevano i mezzi e la risolutezza per intraprenderle.

E Bertrand era certo che Olivia stesse pianificando un supplizio estremamente raffinato da infliggere al suo sposo, bello e santo.

«Daniel è un buon parroco e un uomo fermamente virtuoso» disse Olivia, lisciandosi la gonna nello stesso modo in cui una vedova benestante avrebbe accarezzato il suo gatto preferito. «Ha mentito per proteggere il bambino, ma non mentirebbe mai per alleviare la sua situazione. Ci devo riflettere ancora un po'.»

«Olivia, mia cara, Londra è situata tra il Kent e Oxford. Prima o poi qualcuno ti riconoscerà qui, mia ospite, quando dovresti invece essere al Nord. Sarai compatita da tutti se la gente pensasse che tu sia qui per un atto caritatevole offerto da un tuo lontano cugino, mentre sarai oggetto di scherno se capiranno che tuo marito ti ha abbandonata.»

Per lei la pena e il disprezzo sarebbero stati come assenzio e veleno. A confronto, l'idea della vita in Northumbria sarebbe dovuta risultarle allettante.

Poi, con un gesto improvviso, sottrasse la sua mano.

«Quei bifolchi provenienti da Little Weldon non frequentano molto Mayfair, Bertrand. Mi assilli tanto per divertirti.»

Ogni mattina i mercati di Londra erano affollati di carri agricoli che portavano i prodotti freschi dalla campagna e nessuno era in grado di spettegolare tanto quanto i contadini quando condividevano una bella pinta di birra con i cugini di città.

«Le mie scuse per averti messo in agitazione, mia cara. Il mio amore per te mi rende impaziente.»

Anche allora, Bertrand voleva conoscere i suoi piani. Qualunque uomo prudente, per quanto innamorato, avrebbe voluto conoscere i piani di Olivia se in qualche modo veniva coinvolto dagli stessi. Bertrand lasciò Olivia appollaiata sulla panchina di marmo sotto il sole smagliante. Aveva assunto un'espressione di una concentrazione talmente intensa che a Bertrand venne spontaneo fare una piccola preghiera per l'incolumità del reverendo Banks.

***

Letty stava osservando dalla finestra del salotto quando il piccolo Danny si arrampicò sulla schiena di Daniel, come una scimmietta, aggrappato alla persona che amava di più al mondo. Il dolore di una simile confessione era sublime. L'amore era spietato, irrazionale e così dannatamente ingiusto. Poco dopo, due uomini grandi e ansiosi entrarono nel suo salotto. Danny era stato senz'altro mandato di sopra per cambiarsi d'abito.

«Così è caduto dal pony» disse Letty rivolta al fratello, senza nemmeno salutarlo. «Non avevi intenzione di dirmelo, ma so riconoscere il fango sui pantaloni di un bambino. Comunque mi è parso che Danny non si sia fatto nulla.»

Non solo non si era fatto nulla, traboccava dell'energia e del buon umore di cui aveva goduto da piccolo.

«Sta bene, Letty» disse Fairly. «Mortificato, ma sta bene. Scenderà a breve e ci offrirà le sue scuse più sincere. Vogliamo farci preparare un tè?»

Se Letty si fosse trovata vicino a un servizio da tè, lo avrebbe ridotto in frantumi.

«Il tè può attendere fin quando Danny non ci avrà raggiunto. Prego, sedetevi pure. Non vi preoccupate, non sono sull'orlo di una crisi isterica.» Aveva oltrepassato quel limite, ore addietro.

Dal momento che nessuno dei due uomini sembrava intenzionato a muoversi, Letty diede il buon esempio sedendosi, come di consuetudine, in un angolo del suo divano prediletto. Daniel prese posto sulla poltrona in linea rispetto a dove era seduta Letty. Fairly si accomodò accanto a lei – a una distanza sufficiente nel caso in cui si fosse presentata la necessità di passarle un fazzoletto.

«Non piangerò davanti a mio figlio» disse Letty. Aveva parlato con le bambinaie, con il precettore e con i ragazzi della scuderia, cosa che avrebbe dovuto fare regolarmente. Poi aveva pianto a lungo. La situazione richiedeva una soluzione e Letty non ne aveva.

«Letty, non devi incolpare il bambino» disse Daniel, mentre Fairly fece scivolare la sua mano in quella di lei. «Ha fatto delle scelte sbagliate e si scuserà sinceramente per questo, ma anche noi, nonostante tutte le buone intenzioni, abbiamo fatto delle scelte sbagliate.»

Daniel era vicino a implorarla e, per quanto avesse fatto di tutto per proteggere Letty, lei ora non poteva sopportare la sua gentilezza.

«Danny non è felice qui» disse Letty. «È infelice e se mio figlio è infelice, neanche io posso essere del tutto felice, no?»

Almeno la logica materna era sua da rivendicare e lo sarebbe sempre stata.

«E se la mia cara sorella è infelice» disse Daniel «allora neanche io posso essere felice. Ne hai già passate fin troppe, Letty, per cause che esulano dalla tua volontà. Siamo di fronte a un dilemma e io penso di avere una soluzione.»

No, non erano di fronte a un dilemma, bensì a un bambino piccolo da accudire. Una piccola creatura che si meritava tutta la felicità del mondo. Fairly non disse niente, ma la sua presa sulla mano di Letty era confortante. Suo marito era un medico nell'anima, un guaritore e incapace di ignorare la sofferenza da qualsiasi parte provenisse.

«Rendimi partecipe di questa tua soluzione, Daniel. Ti dico subito che se ti limiterai a invitarmi a pregare, chiederò a Fairly di riaccompagnarti subito nella scuderia.»

Erano in una tale confusione che Letty stava perdendo la pazienza persino con il fratello – l'anima più gentile, più devota e altruista del regno.

Il cuore di Letty non poteva sanguinare più di quanto non lo stesse già facendo, tuttavia un pizzico di vergogna riuscì ugualmente a farsi spazio. «Danny è tuo figlio» disse Daniel. «Questo è un dato di fatto e niente potrà mai cambiarlo. In un certo senso ti sto chiedendo di prenderlo in prestito, di aggiungerlo temporaneamente a una famigliola di ragazzini ai quali insegnerò durante la settimana nella mia nuova veste di parroco di Haddondale.»

Letty aveva il petto stretto dalla morsa dell'afflizione, ma le orecchie le funzionavano abbastanza bene. 'Prestito' e 'temporaneamente' erano dardi avvelenati di dolore, ma non squadroni di fanti armati di ragione e colpevolezza come si era aspettata.

«Non si prendono in prestito i bambini» sbottò Letty, mentre accanto a lei, Fairly aveva assunto quella posizione immobile e vigile che diceva che era pronto a marciare nella conversazione se Letty si fosse offesa per le parole di Daniel.

«Se è per questo, allora, non si danno neanche in prestito,» disse Daniel, pacato «eppure Danny me lo hai dato in prestito per i primi cinque anni della sua vita. Il tuo altruismo e l'amore materno erano sconfinati all'epoca e credo che da allora non abbiano fatto che aumentare.»

La disperazione di Letty era stata senza limiti allorché il piccolo Danny era stato svezzato, poiché Olivia l'aveva minacciata in sordina dicendole che avrebbe creato problemi al figlio, a Daniel e a Letty stessa. Letty avrebbe dovuto rivolgersi a Daniel allora, avrebbe dovuto essere onesta con lui. Avrebbe dovuto fidarsi di lui.

«Daniel, non me lo puoi portare via.» Più disperazione, perché qualunque piano avesse in mente Daniel, Letty gli doveva almeno un'udienza imparziale.

«Non si tratta di portartelo via» precisò Daniel. «Non lo farei mai. Proporrei di far venire Danny a Haddondale come uno dei miei studenti. Ho radunato una mezza dozzina di ragazzini che desiderano un corso preparatorio alla scuola pubblica. Danny si inserirebbe senza nessun problema e non sarebbe poi così lontano da qui. Durante le vacanze, d'estate e in altre occasioni speciali potrebbe venire a trovarti e stare qui con voi.»

«Pensaci» disse Fairly. «Banks ti sta solo chiedendo di valutare l'idea, Letty.»

«Tu appoggi la proposta?!» ribatté Letty, accusando il marito di tradimento e, forse anche peggio, di buon senso.

«Non sei felice,» disse Fairly «e men che meno lo è Danny. Non ha fatto nessuna amicizia e non sta progredendo con gli studi. Non stava cercando di fuggire, Letty, non questa volta.»

Ovvero, non ancora.

Daniel non disse nulla. Era seduto a due piedi di distanza, rilassato come solo un uomo in pace con il Creatore poteva essere; nient'altro che compassione nel suo sguardo. Daniel aveva rischiato tutto per garantire una casa al piccolo Danny, aveva acconsentito ai piani di Letty senza esitazione, e non l'aveva mai redarguita per quello che gli aveva chiesto.

«Quindi lo prenderesti solo in prestito, il piccolo Danny?» chiese la donna, sondando mentalmente la domanda che aveva appena fatto, cercandoci dentro il dolore sordo che provava, la morte di tutte le sue speranze e trovandone invece soltanto la normale resistenza di una madre a una nuova idea.

Daniel si sistemò la cravatta, che non era stata inamidata da almeno una settimana a giudicare dal tessuto floscio delle pieghe. «Ho scelto l'espressione 'prendere in prestito' per diplomazia,» precisò Daniel «ma non mi piace ciò che si nasconde dietro il termine, Letty. Quello che voglio veramente è condividere Danny con te e con Fairly. Voglio che il bambino sappia che la sua famiglia, tutta la sua famiglia, lo ama incondizionatamente. Se ti senti minacciata da questa mia ambizione al riguardo, me ne tornerò a Haddondale, ma sappi che ti verrò a trovare molto più spesso.»

Daniel parlava con un tono di voce dolce e pacato – come sempre d'altronde – eppure nessuna forza della natura era uguale a Daniel Banks una volta che aveva preso una decisione. Il padre lo chiamava testardo, per Letty, invece, Daniel aveva semplicemente vissuto del coraggio delle proprie credenze.

Se avesse rifiutato la soluzione proposta da Daniel, le si sarebbe presentato alla soglia d'ingresso un giorno sì e uno no, offrendosi di portare Danny a cavallo, facendogli delle domande di matematica e correggendogli le buone maniere a tavola.

La decisione fu lasciata a Letty: se essere una sciocca egoista e iperprotettiva o una madre abbastanza saggia da accettare il fatto che la proposta di Daniel fosse un'idea geniale. Danny avrebbe potuto essere circondato da tutta la sua famiglia, oltre a ricevere una buona educazione e farsi degli amici. Non proprio un miracolo, ma una soluzione. Di lì a breve, Letty sarebbe stata grata a Daniel, ma prima avrebbe dovuto sopportare il resto della conversazione.

«Sabato ti porteremo Danny» disse Letty, un senso di giustezza soppiantò il suo dolore. «Riprenderà la sua vita da figlio del parroco, mi chiamerà zia Letty e tu sarai suo padre.»

«Sei sicura?» chiese Daniel. «Questo sarà un altro notevole aggiustamento, più per te che per il bambino. Nulla di ciò che tenteremo a nome di Danny funzionerà, a meno che non abbia il tuo pieno appoggio, poiché Danny ti vuole un mondo di bene e te ne ha sempre voluto.»

Le lacrime erano sul punto di sgorgarle dagli occhi. Letty le ricacciò indietro, poiché aveva già pianto abbastanza nell'arco della giornata. Danny voleva bene *anche* a lei e non a lei più di chiunque altro.

«Facciamo ciò che è meglio per Danny, sia io che Fairly continueremo a volergli un bene dell'anima.»

«Farete più che volergli bene» disse Daniel, accavallando le gambe e tormentandosi i pantaloni. «Ho riflettuto un po' sulle opzioni di scelta, Letty, e se Danny deve riprendere a vivere con me, devo ottenere il tuo assenso alle seguenti condizioni.»

Daniel era estremamente sollevato, il che si denotava dall'accavallamento di gambe e dal gesto di raddrizzare le cuciture. Questo atteggiarsi sulle condizioni da stabilire era un contentino per la dignità di Letty – di cui aveva tanto bisogno.

«Valuterò le condizioni, Daniel, anche se ormai ho preso una decisione.» Una decisione che aveva preso con il cuore. Ancora una volta il fratello di Letty aveva risolto un problema che non aveva creato lui. Danny sarebbe rimasto entusiasta di quell'accordo, senza ombra di dubbio.

«Tempo permettendo, verrete a trovare Danny a Belle Maison

oppure manderete la carrozza a prenderlo nel fine settimana» disse Daniel con un tono di voce rassicurante, tipico di un predicatore. «Nessun bambino dovrebbe ignorare le relazioni nobiliari, in particolar modo quelle nella stessa contea.»

«Lo verrò a prendere io stesso» disse Fairly «e verrò con molti nobili di mia conoscenza. Le mie sorelle sono sposate rispettivamente con un marchese e con un conte e, tramite loro, posso ordinare di essere accompagnato da un erede ducale, da conti, baroni...»

Letty mise una mano sulla bocca di Fairly prima che chiamasse il reggimento di ussari e Wellington in persona a scortare un bambino di sei anni.

«Continua pure, Daniel» disse lei. «Non credo che quella sia la tua unica condizione.»

«Danny ti scriverà ogni settimana e tu risponderai, immancabilmente, a ogni sua missiva. Ti renderà partecipe dei suoi progressi e di qualsiasi altra cosa abbia intenzione di parlarti. Non leggerò la sua corrispondenza.»

Perché un gentiluomo non avrebbe mai letto la corrispondenza di un altro e Daniel era un vero gentiluomo.

«Cos'altro?»

«Se Danny dovesse ammalarsi, lo manderò qui da te, di modo che non contagi anche gli altri bambini. Dopotutto Fairly è un medico.»

«Naturalmente.» Oh, naturalmente, naturalmente. *Che Dio benedica Daniel, naturalmente.*

«Devo prendermi cura della mia parrocchia durante le feste natalizie,» disse Daniel «quindi Danny trascorrerà una parte considerevole del periodo natalizio con voi. E anche le vacanze estive, in modo da avere il tempo di immergermi negli studi.»

In realtà Daniel avrebbe trascorso tutto quel tempo sul suo volubile destriero nero in giro per la contea – col pensiero fisso su Danny.

«Acconsenti» mormorò Fairly. «Per favore, per amore di Dio, del ragazzo e dei miei nervi, di' di sì, Letty. Danny è abbastanza grande da frequentare la scuola pubblica adesso e stare lontano da noi per mesi, mentre io proprio non riuscirei a... Per favore, acconsentiamo. Danny ti vorrà ancora più bene per questo.»

Danny adorava sua madre, ma iniziava anche a essere un po' risentito, e questo Letty non riusciva proprio a sopportarlo.

«Sì» acconsentì Letty. Sì al dolore, ma anche sì l'amore infinito, perché questo era ciò che significava essere una madre. Per suo figlio, poteva farsi saggia, coraggiosa e temeraria. Per lui, poteva superare la paura di non vederlo mai più, e il terrore che non l'avrebbe mai perdonata per gli errori commessi in passato.

Tutto ciò non aveva più alcuna importanza. Il sorriso di Daniel diceva altrettanto. Le uniche cose davvero importanti erano l'amore e la felicità del bambino.

«Vado a prendere Danny» disse Daniel, balzando in piedi. «A questo punto, con tutte le prove che ha fatto, le sue scuse dovrebbero competere con le prestazioni teatrali dello stesso David Garrick. Siatene debitamente impressionati. È in gioco la dignità di un giovane uomo.»

Come quella di un uomo adulto.

«Ti amo» disse Fairly, prendendo Letty tra le sue braccia dopo che Daniel se ne fu andato. «Ti amo, ti amo, ti amo. Tu e Banks siete proprio cruenti, ma di buon cuore, oltreché gentili e coraggiosi; sapevo che tu lo fossi, ma Banks mi ha sorpreso.»

Letty sprofondò nell'abbraccio di suo marito, indebolita come se avesse partecipato a una gara podistica in salita.

«La gente sottovaluta Daniel solo perché è bello e dolce. Daniel stesso si sottovaluta.»

Fairly le baciò le nocche. «Si è precipitato qui pronto a fare la predica, ad ammonire e a implorarti di cedergli il bambino a qualsiasi condizione immaginabile.»

«Lo sospettavo quando ha incominciato a contrattare.» Eppure, i termini che Daniel aveva imposto erano stati il miglior arrangiamento possibile per il piccolo Danny. «Suppongo che Daniel ci abbia riflettuto a lungo. Mio fratello è scaltro, ma nessuno si aspetta che la sagacia si allinei alla compassione.»

Daniel fece capolino da dietro la porta. «Fairly, preparatevi a essere chiamato zio David d'ora in poi.»

«Perfetto» fece eco Fairly, stringendolo a sé. «Caro, adorabile zio David. Sono esageratamente affezionato ai miei nipoti. Chiedete pure alle mie sorelle e ai loro mariti.»

La porta si chiuse e Letty fece cadere la fronte sulla spalla di Fairly. «Daniel è così felice, così sollevato.»

«Mentre il tuo cuore è infranto.»

Letty valutò la diagnosi che le aveva appena fatto il marito e la respinse. «Sono triste ma non mi sento affranta. Se amo davvero mio figlio, e ci mancherebbe altro, allora non posso essere io a decidere di cosa abbia realmente bisogno. Non posso far altro che darglielo. Lo stesso vale per mio fratello, per te e per la bambina. Adesso lo capisco meglio rispetto a quando non eravamo ancora sposati.»

Si tirò su a sedere e suonò la campanella, dal momento che offrire scuse recitate bene poteva essere un lavoro talmente duro da far venire fame e sete. «Finiremo col viziare sia Danny che il padre» disse Fairly. «Procuragli una carrozza dignitosa, perlomeno, e un cavallo calmo, ché non c'è da fidarsi di quel demone nero che cavalca Banks. È probabile che non sia neanche addestrato.»

«Daniel crede in un'educazione classica sia per i bambini che per i cavalli, e Zubbie è un perfetto gentiluomo imbrigliato.»

Imbrigliato. Una sensazione di disagio si insinuò nel sollievo di Letty per la decisione presa e il benessere del bambino.

«Cosa c'è?» domandò Fairly, districando le sue braccia dalla vita di Letty. «Hai avuto un pensiero. Riguarda la bambina? Stava facendo un sonnellino quando sono passato a darle un'occhiata, ma l'istinto di una madre...»

«Fairly, se ti chiedessi di fare qualcosa per me, qualcosa di iniquo, lo faresti?»

«Ovviamente.»

Quanto lo amava Letty, e quanto amava tutti gli uomini della sua vita.

«Daniel è sagace e ama il piccolo Danny, ma è anche vulnerabile. Olivia ha minacciato di denunciare le circostanze della nascita di Danny alle autorità ecclesiastiche. Può tuttora creare delle grane per Daniel e per il piccolo Danny. Davvero, guai seri.»

«Di nuovo lei...»

«Sì, lei.»

Gli occhi di Fairly erano belli ma inquietanti. Per un istante, brillarono di intenti letali.

«Non c'è bisogno che tu metta a repentaglio la tua anima mortale» disse Letty, dal momento che un medico conosceva bene i veleni e come fare per far sembrare una morte accidentale.

«Molto bene, metterò solo in pericolo il mio onore signorile, che non conta nulla in confronto alla tua serenità.»

«Olivia dovrebbe essere al Nord da dei parenti, ma non è mai stata ben gradita neanche dalla sua stessa famiglia. Dubito che si sia trattenuta a lungo, tuttavia non ho la più pallida idea di dove possa essere. Dovremmo scoprirlo.»

«Ottima idea! E scoprirlo non intaccherà affatto il mio onore. A proposito, avevo anche intenzione di farti qualche altra domanda sul rapporto tra tuo fratello e la bella Olivia.»

Lo sguardo del visconte Fairly aveva assunto un'espressione molto fiera.

Meravigliosamente fiera.

«Ti dirò tutto quello che so» disse Letty. «Ma prima dobbiamo sopportare il calvario delle scuse.»

Letty si stava ancora fortificando con i baci appassionati di suo marito quando la porta del salotto si aprì e un ragazzino ridacchiò.

9

Il conte di Bellefonte era un uomo affabile che amava i bambini e adorava sua nonna. Lo sapevano tutti. Tuttavia, la cordialità di Sua signoria fu del tutto assente quando Daniel gli fece visita nella sua officina di lavorazione del legno nel retro della scuderia.

«Spostatevi da davanti la luce, Banks. Sto costruendo una casetta per uccelli per la vostra canonica.»

Il conte sedeva a un tavolo da lavoro, che i più avrebbero trovato troppo alto, intento a tracciare linee su una lastra di quercia.

«Costruite delle casette per uccelli con il legno di quercia? Non sarebbe più semplice farle con il legno di pino?»

Un'altra linea disegnata sul legno con un tratto sicuro e preciso.

«Il legno di pino non durerebbe a lungo con tutti gli insetti. Come sta il fanciullo?»

«Ve ne volevo parlare.»

Bellefonte fissò la quercia, un legno resistente, vero, ma un vero inferno se lo si vuole segare o intagliare.

«State per spiegarmi che la situazione del bambino è complicata,» disse Bellefonte «e questo ha a che fare con quella vostra moglie che non abbiamo ancora incontrato. Sapete una cosa? Non mi piacciono per niente le situazioni complicate, Banks, e voi ne avete portata una in casa mia.»

«Anche la situazione di vostra sorella lady Della è molto complicata. Siete preoccupato per lei, mio signore?»

Lo sguardo torvo di Bellefonte pareva solamente contrariato, non offeso. «Preoccupatissimo, quanto la contessa. Della tratta tutti con sufficienza e ne sa fin troppe per essere una ragazza che non ha ancora fatto il debutto in società. Sarà dovuto alle sorelle più grandi e ai fratelli, suppongo.»

Daniel prese uno sgabello, perché ascoltare le preoccupazioni del suo gregge era uno degli aspetti più importanti dell'essere un parroco. Le sue problematiche potevano attendere.

«Ne avete parlato con lady Della? Molto probabilmente neanche lei è poi così entusiasta del debutto in società.»

Bellefonte si mise la matita dietro l'orecchio. Aveva dei trucioli di legno nei capelli biondi e un paio di occhiali cerchiati d'oro inforcati sul naso. Non aveva la parvenza di un vero conte, bensì di un conte novello, i cui concetti di responsabilità e famiglia stavano subendo un significativo aumento di complessità.

«Della dovrebbe saperlo che ha il nostro appoggio. Non dovrei essere io a dire a mia sorella che...»

Daniel, memore delle disgrazie di molti ragazzi imbronciati, lo interruppe. «Diteglielo comunque. Fatela partecipe. È cresciuta con la convinzione che i genitori le sarebbero stati vicino durante il calvario del debutto in società, e adesso invece non ci sono più. Inoltre, da quel che ho capito, la vostra contessa non è proprio entusiasta delle macchinazioni dell'alta società, per cui probabilmente sarete preoccupato anche per lei.» Fairly glielo aveva riferito mesi addietro durante una loro conversazione riguardo il pulpito di Haddondale. C'erano dei motivi ben precisi per cui il conte e la contessa preferivano una vita di campagna, aveva detto Fairly.

Sua signoria sfilò la matita da dietro l'orecchio e cominciò a girarla tra le dita, sopra-sotto, sopra-sotto, dietro. Aveva delle grandi mani, abili e aggraziate. Si sarebbe detto fossero le mani di un artigiano anziché quelle di un gentiluomo o di un lavoratore.

«Banks, avete proprio fallito nel tentativo di rallegrarmi. Per prima cosa, non sembrate avere nessuna intenzione di proibire questi maledetti balli di gala, e adesso mi sbattete in faccia la prospettiva di un sacco di donne tristi, quando invece dovrei diffondere dannati arcobaleni e raggi di luna sulle mie donne.»

Era desolante udire un linguaggio così scurrile. A Daniel venne da sorridere. «Forse vi è sfuggito, mio signore, ma siete un conte.»

Il conte posò la matita, poi si alzò e si mise a camminare avanti e indietro, un immane orso d'oro in una gabbia di ricchezza e responsabilità.

«Ogni attimo di veglia e in metà dei miei incubi, mi viene continuamente ricordato di essere un conte. Sono in possesso di locatari, fattorie, boschi, frantoi e altri interessi sul Continente per gentile concessione dei miei fratelli Beckman e Ethan. George mi ha coinvolto in un piano per lo sviluppo di pecore ibride, e Adolphus mi assilla di continuo per corrispondenza per investire in un'invenzione o in un'altra. Ora dovrei anche portare un gruppo di donne ansiose e infelici a ballare il valzer? E per quale motivo?»

Domanda lecita. Lady Kirsten l'aveva chiesto con insistenza a Sua signoria a più riprese.

«È un'occasione per socializzare, mio signore. Fairly mi ha rammentato che, tramite il matrimonio, è imparentato con un conte, un marchese e, credo, un visconte. Sono tutti schierati per supportare le sorelle al ballo.»

«Conosco quei signori e non hanno né figlie né sorelle in età da marito.»

La politica parrocchiale pareva avere campo d'applicazione anche nel mondo laico: la sua esperienza come parroco gli rendeva chiare molte situazioni della vita quotidiana.

«Non hanno *ancora* femmine dipendenti in età da matrimonio» rettificò Daniel, raccogliendo la matita abbandonata. «Prima o poi le avranno, e voi sarete il generale che conosce il terreno meglio di chiunque altro.»

La matita aveva bisogno di essere temperata, quindi Daniel pescò un temperino dalla tasca del panciotto e si mise al lavoro.

«Siete astuto, Banks» disse Bellefonte, aprendo una finestra. L'odore di fango, letame e primavera si diffuse nella stanza. «Non è quello che mi aspetto da un pastore.»

«Probabilmente non vi aspettavate neanche che portassi mio figlio a Haddondale, e invece Danny si unirà ai ragazzi che sto istruendo.» Daniel trovò un'altra matita sul tavolo da lavoro e si mise a temperare anche quella.

In cuor suo Danny era suo figlio e lo sarebbe sempre stato.

«Un gruppetto di ragazzini non costituirà un gran problema» disse Sua signoria, appoggiando le spalle contro il muro. «Non come un branco di sorelle. Kirsten ha deciso di essere ostinata come al solito, ma le ho detto che questa volta non l'avrebbe avuta vinta. Se devo sopportare dei calzoncini di seta che mi arrivano all'altezza del ginocchio, allora lei potrà benissimo sopportare un altro ballo di gala per il bene di sua sorella.»

Daniel aveva affilato ogni matita in vista, e aveva annunciato la sua intenzione di portare Danny a Haddondale, ma la conversazione non era ancora giunta al termine.

«Lady Kirsten odia Londra, mio signore.»

«L'antipatia è il dono più grande di mia sorella. Andrà a Londra a costo di trascinarcela io stesso.»

L'antipatia era il mezzo più fidato che lady Kirsten aveva a disposizione per celare un cuore infranto.

Sua signoria si tolse gli occhiali e se li mise in tasca, e quello avrebbe dovuto essere un chiaro segnale per Daniel di ritirarsi.

«Tutti quelli che hanno dato buca a lady Kirsten hanno, poi, rivolto le loro attenzioni ad altre donne a Londra» disse Daniel

Bellefonte si scostò dal muro senza l'ausilio delle mani.

«Non osano dire una parola.»

Il raso sulle scapole di Sua signoria aveva raccolto la polvere accumulatasi sul muro della stalla, e l'osservazione di Daniel aveva colpito un nervo scoperto – o forse il suo lato protettivo.

«I signori non dovranno dire nulla che sia un aspro rimprovero e un dolore per vostra sorella. Le signore che hanno fatto il debutto assieme a lei e che da allora si sono sposate porteranno avanti la conversazione. Un buon fratello avrebbe permesso a lady Kirsten di rimanere in campagna.»

«Rettifichiamo una cosa, sua santità. Non sono un buon fratello, sono un conte. Se Kirsten rimane nel maniero, la gente parlerà.»

Daniel non credeva nella contrattazione con Dio, tantomeno nello sfidare la sorte. Credeva nella gentilezza e nell'onestà. Sicuramente, con una mezza dozzina di ragazzi tra i piedi, sarebbe stato troppo occupato per notare lady Kirsten, nel caso in cui fosse rimasta a Haddondale.

Inoltre, ciò che importava veramente non erano tanto le notti insonni di Daniel, quanto il fatto che Kirsten avesse bisogno di un punto saldo, poiché Bellefonte si stava rivelando inadatto.

«Sua signoria è preoccupata per il debutto in società dal momento che quest'anno rivestite i panni del nuovo conte di Bellefonte, tuttavia, per quanto possa comprendere questa vostra ansia, la contea non dovrebbe essere anteposta al benessere della vostra famiglia.»

Una coltre di silenzio calò nella stanza, mentre sopra di loro gli stallieri stavano spostando dei mucchi di fieno, e una grassa colomba bianca si andò a posare sul davanzale.

«Banks» disse Sua signoria, sottovoce. «Avete oltrepassato il limite.»

Era ora che qualcuno oltrepassasse il limite con Bellefonte. Era un brav'uomo, ma non aveva ancora trovato la strada nel suo nuovo ruolo.

«Considerate i Dieci Comandamenti, mio signore. Nessun comandamento vieta a una ragazza stanca di situazioni socialmente inconsistenti di assentarsi da simili supplizi. Lady Kirsten è maggiorenne. Sono anni che è costretta a sorbirsi i pettegolezzi delle malelingue e le avance di qualche libertino. Con ogni probabilità, la sua presenza a Londra causerebbe più pettegolezzi della sua assenza e della decisione di cedere il campo alle sue sorelle più giovani.»

Sua signoria aveva un aspetto tipicamente sassone: capelli biondi come il grano, occhi azzurri, e carnagione chiara. In quel preciso istante, però, la sua pelle stava assumendo un'interessante sfumatura rosacea nella parte superiore del collo.

«Di quale libertino state parlando?»

Dopotutto, era un bravo fratello, uno che si preoccupava molto. Daniel ripiegò il temperino e lo ripose in tasca.

«Coloro che pensano che una donna che rimane nubile sia interessata solo ai piaceri della carne senza il fardello della responsabilità a esse associato.»

Bellefonte si sistemò sullo sgabello tirando un sospiro esausto. «La contessa ha accennato al fatto che Kirsten non dovrebbe essere costretta ad accompagnarci.»

«Molte donne che hanno fatto i loro inchini a lady Kirsten si sposeranno e faranno tanti bambini, ogni anno che passa sempre di più.»

Più matrimoni, più bambini e più sorrisi condiscendenti rivolti a lady Kirsten. Bellefonte valutò attentamente Daniel, mentre questi tracciava con un dito delle linee immaginarie lungo i disegni tratteggiati sulla quercia, ma non riusciva a dar loro alcun senso.

«Non permetterò che mia sorella sia oggetto di pietà o di sdegno» disse Bellefonte. Kirsten avrebbe preferito lo sdegno, ma se non altro Sua signoria si era rivelato ragionevole.

«Apprezzerà la vostra comprensione, mio signore.»

Bellefonte afferrò una delle matite temperate. «Quale comprensione? Non farò altro che capitolare alle insistenze della contessa, come sempre d'altronde. Qual è quel comandamento che dice non uccidere...?»

«È il sesto, mio signore.» Come ben sapeva qualsiasi studente e ogni conte inglese che si rispetti. «Vi auguro una buona giornata.» Daniel si alzò, grato di essersi messo alle spalle l'annuncio dell'arrivo di Danny.

«Banks?»

«Signore?»

«Amo le mie sorelle.»

«Lo so bene, mio signore, come lo sapete anche voi, ma non guasterebbe sincerarsi che anche *loro* lo sappiano di tanto in tanto.»

«Odio essere un conte.»

Daniel azzardò una pacca sulla spalla robusta del conte.

«Ma adorate essere loro fratello, e loro adorano voi. Non il conte, *voi.*»

Daniel se ne andò mentre la matita tracciava segni su un altro ciocco di pesante, eterna quercia.

La voce del signor Banks era gradevole e sonora. Anche davanti a un vassoio da tè nel salotto di famiglia del signor Blumenthal – quello ufficiale in cui ricevevano gli ospiti non era agibile in quanto stavano ridecorando le mura con della seta rosa – persino in quell'ambiente, era un piacere stare a sentire il signor Banks.

«Allora a che ora devo attendere i bambini lunedì?» chiese lui, mentre restituiva la sua seconda tazza alla padrona di casa.

«Pensavamo di mandarli domenica sera, di modo che il lunedì mattina possiate cominciare subito con le lezioni» rispose il proprietario terriero mentre un altro biscotto sparì nelle sue fauci. I bambini erano rimasti seduti come due angioletti, ognuno al fianco del padre, per ben cinque minuti.

Non avevano detto altro che: 'Lieti di conoscervi, signore', 'Sì, signore', 'Sì, signora.' Kirsten aveva sentito odore di complotto.

«Domenica sera?» ripeté il signor Banks.

Kirsten vide i pezzi del puzzle incastrarsi insieme nella sua mente, sebbene la sua espressione fosse rimasta cordiale. Accanto a lei, la tazza da tè di Susannah colpì il suo piattino con un *plink* definito.

«Certo, domenica sera» disse il proprietario terriero, afferrando il bavero.

«Sono abbastanza grandi per dormire fuori casa, non abitate così lontano, e da quello che ho sentito, risiedete nella casa della contessa madre, quindi avrete un sacco di spazio. Niente è meglio dello scalpiccio di piedini innocenti per tenere compagnia a un uomo solo, giusto?»

«E a voi non mancheranno quei piedini?» chiese Kirsten, la quale non era affatto d'accordo con l'idea di far vivere i gemelli con il signor Banks. Daniel aveva bisogno di requie e di tranquillità, non di un'insurrezione armata, sotto il suo stesso tetto.

La signora Blumenthal lanciò un'occhiata al marito, simile a quella che Wellington aveva presumibilmente lanciato alla sua fanteria quando i francesi erano in buona forma.

Tenete duro, o dovrete affrontare la corte marziale.

«Devono essere fatti dei sacrifici» disse il proprietario terriero, prendendo l'ultimo biscotto. «I miei ragazzi devono incominciare con il piede giusto, e se questo vuol dire che la signora Blumenthal e io soffriremo senza di loro per il bene della loro educazione, così sia.»

Il sorriso della signora Blumenthal, al pensiero della loro solitudine, aveva un che di giulivo.

«Cinque giorni senza vedere i propri figli sono parecchi» disse Kirsten. «Siete certi che i bambini se la caveranno?»

«Cinque giorni...?» La domanda della signora Blumenthal rimase sospesa sul vassoio del tè, proprio come la teiera di porcellana di Sèvres che teneva sospesa sopra la zuccheriera.

«Il sabato mi serve per preparare il sermone della domenica,» disse il signor Banks «e presto manderete i vostri figli alla scuola pubblica, e a quel punto staranno lontani da casa per mesi e saranno ben più lontani che un paio di chilometri in fondo alla strada. Non potrei chiedervi di lasciarli con me anche durante il fine settimana.»

«Naturalmente» mormorò lady Susannah. «Il cuore della signora Blumenthal non sopporterebbe l'idea di non poter abbracciare i suoi piccoli per tutta la settimana.»

Ci mancò poco che la teiera si schiantasse sul vassoio. «Ma certamente...»

«Dovete pensare a voi stessa» disse Kirsten prendendo la teiera dalle mani della padrona di casa e collocandola prudentemente accanto al piattino di biscotti ormai vuoto.

«La casa sarà come una tomba senza le loro risate e i loro schiamazzi, il lavoro della servitù diminuirà drasticamente, e le loro sorelle litigheranno a morte senza poter incolpare i fratellini. Quando i miei fratelli sono andati alla scuola pubblica, mia madre ha pianto disperata per mesi.»

Anche il papà aveva sofferto. Ma Kirsten l'aveva dimenticato.

«Se i bambini dovranno viaggiare avanti e indietro, avranno bisogno di un pony» ponderò il signor Banks. «Ci vuole un po' di esercizio fisico dopo una giornata a studiare Orazio e Cicerone.»

La signora Blumenthal scattò in avanti. «Pony? Ma i pony costano...»

«Un pony!» tuonò il proprietario terriero. «Certo che avranno bisogno di un pony. Quant'è che vi dico la medesima cosa, signora Blumenthal? E invece no, neghereste loro anche dei cuccioli di cane, a quei poveri. Adesso il signor Banks dice che hanno bisogno di pony, e pony avranno!»

Kirsten udì uno stridio provenire dal corridoio, poi il tonfo ritmico di piccoli piedi con indosso gli stivali.

«Avete avuto il tempo di preparare i loro guardaroba?» chiese Kirsten. «Quando i bambini vanno via di casa per studiare, hanno bisogno di tante cose. Camicie nuove, stivali nuovi, giacca e cappotti. La mattina è ancora piuttosto freddo, no?»

«Prepararsi per il debutto in società è un'impresa più semplice che mandare un ragazzino a scuola» soggiunse Susannah. «Le vostre figlie devono aver cucito per settimane.»

«Un bambino non può certo cavalcare con stivali della misura sbagliata» osservò il signor Banks come se stesse citando la Bibbia. «Non sarebbe sicuro, né si sentirebbe a suo agio, e una vescica infetta può essere un vero inferno da curare.»

«Ma non c'è tempo...» iniziò la signora Blumenthal.

«Porterò i fanciulli a Londra domani stesso» si intromise il proprietario terriero. «I calzolai di Londra hanno sempre merce in più e poi ci sarà almeno una sartoria in ogni benedetto angolo di Bond Street. Farà bene anche ai fanciulli trascorrere un po' di tempo con il loro vecchio padre prima di intraprendere gli studi.»

«Potete concludere la giornata da Tatt's, e scegliere dei pony per i vostri figli!» soggiunse Kirsten.

Il signor Banks ritenne necessario consultare il suo orologio.

A lungo.

«Avete molto da programmare» disse Susannah, alzandosi. «Non v'invidio, signora Blumenthal, ma ammiro tanto i sacrifici che siete disposta a fare per il bene dei vostri figli.»

«Davvero lodevole» mormorò il signor Banks, alzandosi in piedi. «Ora non resta che decidere in quale settimana del mese manderete ai ragazzi i loro cesti di dolciumi.»

Susannah cadde in preda a un attacco di tosse. Kirsten non riusciva a distinguere le dita dei suoi guanti.

«Un cesto di dolciumi?» ripeté la signora Blumenthal, alzandosi barcollando. «Uno per ogni bambino?»

«Naturalmente» disse il marito, finendo il suo tè e alzandosi. «È una buona vecchia tradizione della scuola pubblica: il cestino di dolciumi preparato a casa. Per i fanciulli è un qualcosa da attendere con trepidazione e da desiderare. A Fred glielo manderemo la prima settimana del mese e a Frank la terza settimana. Va bene, signora Blumenthal?»

«Impartirò le direttive al cuoco, signor Blumenthal.»

Il proprietario di campagna li accompagnò alla loro carrozza, il braccio di Kirsten legato a quello di Susannah, sebbene non osasse incontrare lo sguardo della sorella. Il signor Banks le aiutò ad accomodarsi sulla carrozza e poi si allontanò di qualche passo con il signorotto.

«Aspetta che arriviamo in fondo alla strada» mormorò Kirsten alla sorella.

«Poi dobbiamo ricomporci prima di raggiungere i Webber» disse Susannah. «La tensione sarà notevole.»

Danny sarebbe stato felice di avere la compagnia di altri bambini e Kirsten sospettò che anche il signor Banks stesse attendendo con impazienza quel momento.

Il parroco salì sulla carrozza un attimo dopo e si sistemò sul sedile in senso contrario alla marcia.

«Ho pensato che i cestini di dolciumi fossero una bella trovata» disse Daniel. «Quelle povere creature saranno lontane da casa e sgobberanno senza sosta sotto il mio occhio critico e severo, dopotutto. Persino mio padre, un burbero incorreggibile, di tanto in tanto mi inviava un cestino di dolciumi quando ero all'università.»

Susannah ridacchiò, il signor Banks sorrise e Kirsten sentì un languore dentro di sé. Questa volta non era un sorriso timorato di Dio, triste, rammaricato, di circostanza o tenero. Niente di tutto ciò. Era il sorriso piratesco di un monello che si era divertito a combinarne una delle sue e che era soddisfatto dei risultati.

«Avrete bisogno di una bella verga di betulla con tutti questi studenti» disse Susannah. «Forse anche di una di ricambio. Thomas Webber è grande per la sua età e incline alle scazzottate.»

«Non ci sarà nessuna fustigazione» disse il signor Banks, il sorriso svanì. «Abbiamo dei pony e dei cestini di dolciumi, che sono molto più efficaci.»

«Se proprio non ci sono altri mezzi, il conte mostrerà loro come costruire una casetta sull'albero» disse Kirsten. «È fenomenale e George li aiuterà.»

«Il signorotto verrà a controllare» disse Susannah. «Quel povero uomo. Non mi ero resa conto di quanto impervia fosse la sua situazione.»

«Adora i suoi pargoli» disse il signor Banks mentre i cavalli cominciavano ad andare al trotto. «Mentre la signora Blumenthal è fuori di sé alla prospettiva di provare a organizzare il debutto in società per le sue tre figlie più grandi.»

Tutta la seta rosa al mondo non sarebbe sufficiente.

«Sono delle signorine abbastanza carine» osservò Susannah «ma non hanno né la bellezza né una grande fortuna dalla loro parte per essere così appetibili.»

«La madre senza ombra di dubbio è preoccupata che le figlie saranno eclissate dalle sorelle del conte che vive proprio in fondo alla strada» disse il signor Banks, mentre tirò su la tendina per far entrare uno spiraglio di sole primaverile. «Davvero un peccato, quando voi potreste essere alleate delle ragazze locali.»

Perché Kirsten non si era resa conto che l'atteggiamento sprezzante della signora Blumenthal era sintomo della disperazione di una madre anziché della mancanza di cortesia fra vicini?

«Forse è ora di far risorgere il coro» disse Kirsten. «Non ne abbiamo uno da almeno cinque anni.»

«Per i giovani?» chiese il signor Banks. «Abbiamo un direttore del coro?»

«Lo facciamo fare a Elsie» propose Kirsten. «Ha una bella voce da soprano, suona l'organo discretamente, e avrà bisogno di qualcos'altro oltre a George per distrarre la mente dall'assenza di Digby.»

«Un coro, allora, e degli studenti tra i piedi» mormorò il signor Banks. «Chi potrebbe chiedere di meglio?»

Gli studenti avevano bisogno di mangiare almeno tre volte al giorno, un pasto in più sarebbe stato anche meglio. I loro pony mangiavano senza sosta. I ragazzini avevano bisogno altresì di biancheria pulita, sapone e piatti – e quanti piatti – oltreché libri. Consumavano carta e carbone come una piaga biblica e facevano prodigi nel far sparire il pane e la marmellata.

Daniel era determinato a gestire la sua abitazione senza spendere più del previsto. Olivia era stata molto rapida nel sollevare un tale fardello dalle sue spalle a Little Weldon accaparrandosi il denaro disponibile, sebbene rinfacciasse a Daniel persino i soldi usati per acquistare del foraggio per il suo destriero.

Era stato felice di assecondare qualsiasi avvisaglia a riprova del fatto che sua moglie sostenesse la sua vocazione molto sciocco da parte sua. I fondi che aveva estorto da Letty erano stati recuperati, poiché erano stati depositati in banca a nome di Daniel. I fondi domestici che aveva sottratto a Daniel, invece, non sarebbero stati né conteggiati né tantomeno restituiti.

Persino il padre di Daniel, al quale Olivia non era mai andata a genio e che non era d'accordo sulle unioni strette prima di aver visto gran parte del mondo, non avrebbe potuto prevedere il supplizio che era diventato il matrimonio di Daniel.

Daniel spostava le perline di un abaco con una mano mentre con l'altra tracciava delle cifre a matita su un foglio protocollo.

«Scusate per il disturbo, signor Banks.»

Lady Kirsten si trovava sulla soglia della biblioteca a Belle Maison, con una scatola in mano. Daniel si alzò e prese la scatola, senza però richiudere la porta dietro di lei.

«Buon pomeriggio, mia signora.»

Era in tenuta da maniero: senza grembiule e senza chignon sbilenco. Gli ultimi effetti di Daniel, incluso l'ultimo dei diari del padre, erano stati trasferiti nella casa della contessa madre quella mattina, quando era andato a fare visita alle famiglie dei suoi allievi.

Quella sera, avrebbe dormito sotto lo stesso tetto di lady Kirsten per l'ultima volta.

«Vi reco disturbo, signor Banks? Sto facendo un ultimo controllo degli scaffali per vedere se ci sono dei duplicati, in particolare della letteratura per bambini.»

Sì, lo aveva disturbato.

«Molto gentile da parte vostra, lady Kirsten. Non vi ho ancora ringraziato come si deve, sia voi che lady Susannah, per il vostro aiuto stamattina. La signora Blumenthal probabilmente sta cucendo nuove camicie per i suoi ragazzi in questo momento.»

«Forse stanno cucendo le figlie» puntualizzò lady Kirsten, attraversando la stanza fino alla scrivania. «Siete preoccupato per le vostre finanze, signor Banks?»

«Sì.» In qualche modo, le finanze di Daniel si erano invischiate con la sua anima immortale e con la sua ostilità nei confronti della sua consorte. «Se fossi stato più astuto riguardo alle questioni di denaro, più vigile e meno fiducioso, mia moglie non avrebbe creato tutto questo scompiglio.»

Lady Kirsten fece scorrere un dito lungo la colonna di cifre associate ai costi del carbone.

«Vi rimproverate di aver avuto fiducia in vostra moglie? Se non vi potete fidare neanche dell'unica persona nell'intero regno che ha giurato pubblicamente di amarvi, onorarvi e obbedirvi, allora quale speranza rimane per qualsiasi unione?»

Messa così, il cilicio mentale che Daniel aveva indossato per mesi pareva una vanagloria anziché una penitenza.

«Sono stato uno sciocco» disse Daniel, desiderando di poter chiudere la porta. Non perché cercasse di strappare qualche altro bacio a lady Kirsten – li bramava, sì, ma non si sarebbe certo messo a cercarli – ma perché lady Kirsten era equa, onesta e imparziale.

Portò il discorso su un altro piano rispetto a quello dei soldi e delle spese. «Signor Banks, posso garantirvi che siete l'unica persona nella storia dell'umanità a essersi comportata scioccamente, con i soldi o con gli affetti. Nessuna persona ha mai fatto affidamento sulla promessa d'amore di un altro, così come nessuno ha mai malriposto la fiducia assieme al buon senso. Siete il primo.»

Sua signoria rimase alla scrivania, fissando i costi associati al mantenimento di ragazzini per tenerli al sicuro, ben nutriti e caldi.

«Chi è stato?» chiese Daniel, benché non avrebbe dovuto. Lady Kirsten gli piaceva davvero tanto, si sentiva attratto da lei e bramava i suoi baci. Le sue confidenze avrebbero solo complicato le cose. Eppure, desiderava quelle confidenze, voleva la sua fiducia dal momento che sapeva di non poter avere il suo cuore.

«Ve ne ho già parlato in realtà. La prima delle mie follie è stato il signor Sedgewick, erede di una contea, un giovane abbastanza piacevole. Non avevo questa grande considerazione di lui, ma era affabile, si prendeva cura della propria igiene, e non sembrava che... gli dispiacessi.»

Daniel avrebbe voluto regalare a lady Kirsten dei fiori, un sorriso, un abbraccio, qualsiasi cosa per scacciare lo smarrimento dai suoi occhi. Le rivolse una domanda onesta.

«Vi sareste accontentata di un marito che vi tollerava?»

Si allontanò dalla scrivania e prese posto sulla poltrona accanto al divano blu, che, essendo adattata alle dimensioni del fratello, le conferì una parvenza giovane e minuta.

«Molte donne sarebbero felici di avere un marito che le tolleri. Ci sono parecchie donne che invece cercano con avidità un uomo che dimentichi di essere sposato per l'intera stagione della caccia, o durante le sedute del parlamento, o non appena sopraggiungano l'erede e il secondogenito.»

«Vi meritate di meglio.»

«Anche voi.»

La simmetria della sua logica era sbalorditiva, un colpo diretto a mesi di autocastigazione e di filosofeggiamenti. Daniel prese posto sul divano blu accanto alla poltrona dov'era seduta la giovane donna.

«Mio padre ha cercato di avvertirmi» disse Daniel. «Ero giovane, non volevo sentire ragioni.»

«Adesso siete anziano» replicò lady Kirsten, il tono lugubre come lo era stato quello di Daniel. «La vostra età avanzata spiega la disinvoltura con cui conoscete il latino, visto che durante la vostra fanciullezza era la lingua locale. Dovevate essere proprio un figurino con la toga e i sandali.»

«Non sono così...» *Vecchio*. Daniel aveva varcato da poco la soglia dei trent'anni, era nel fiore degli anni – e allora perché si sentiva il peso degli anni addosso?

Perché non appariva giovane come invece era?

«*Pax*» disse Daniel. Poi, dal momento che era divertito, ma al contempo anche irritato e affascinato, soggiunse: «Non dovreste essere qui da sola con me, nonostante la mia anzianità.»

«La porta è aperta, signor Banks, e ci sono due sorelle, un fratello, una cognata e una ventina di domestici pronti a intervenire se cercassi di corrompervi. A proposito, vi volevo parlare proprio di questo.»

Daniel avrebbe tanto desiderato stuzzicare lady Kirsten per quella frase sibillina, ma la ragazza sedette con le mani giunte in grembo, e dalla sua espressione non si intravedeva la minima traccia di buonumore.

«Preferirei che mi raccontaste qualcos'altro su questo sciagurato di Sedgewick.» Perché solo uno sciagurato non avrebbe saputo apprezzare il fuoco che ardeva nel cuore di lady Kirsten.

Si alzò e vagò lungo gli scaffali che contenevano libri più vecchi di lei.

«Poc'anzi vi ho detto che era un mio pretendente, in realtà era il mio promesso sposo. Devo dire la verità, non sono rimasta affatto delusa quando ha sciolto il fidanzamento. Dapprima ero mortificata, e poi ho provato solo una gran rabbia.»

«Come fa un uomo a ritirarsi da un fidanzamento senza essere oggetto di scandalo?» O peggio, di denuncia. E per quale motivo avrebbe dovuto farlo? Lady Kirsten poteva anche avere un caratteraccio, ma era adorabile, gentile, leale, intelligente...

Maledetta Olivia, che bruciasse nelle fiamme dell'inferno!

E dannati anche tutti i giovani uomini ignari; nonostante un sentimento di questo tipo faceva sì che Daniel sembrasse la copia di suo padre.

«Se l'uomo è coinvolto in uno scandalo, allora lo è anche la donna, no?» osservò lady Kirsten. «Mio padre ha acconsentito a non denunciarlo per aver infranto le promesse di matrimonio a patto di ricevere una somma di denaro.»

«Ma non vi siete tirata indietro voi, siete stata accantonata.»

«Abbandonata come un carico di rifiuti. Il visconte Morton, invece, che anche lui aveva raggiunto lo status di promesso sposo, ha pagato persino il doppio un anno dopo, anche se in difesa di entrambi gli uomini, c'è da dire che hanno tenuto la bocca chiusa e i fidanzamenti non erano neppure stati annunciati.»

Gli uomini avevano tenuto la bocca chiusa a causa della loro perfidia, mentre lady Kirsten aveva serrato il suo cuore, o perlomeno aveva tentato di farlo. Fece scorrere un dito lungo il bordo della libreria, poi esaminò il polpastrello e arricciò il naso.

«Nicholas dovrebbe usare della torba e del legno in questa stanza» disse lei. «La polvere di carbone non fa bene ai libri.»

Daniel si alzò e passò a Sua signoria il suo fazzoletto di lino per pulirsi le dita, dopodiché Kirsten glielo restituì.

«Lady Kirsten, mi dispiace. Una persona viscida che interrompe un fidanzamento può capitare, ma quando sono due la colpa è da imputare a loro, non certo a voi.»

La ragazza prese un volume a caso e lo aprì. «Su questo vi sbagliate, signor Banks.»

«Non siete certo una che si spaccia per un angioletto e che poi si trasforma in una gorgone tra le ore del tramonto e l'alba. Non bevete e non siete ossessionata dalla moda o dal gioco d'azzardo. Non siete sciocca, avete una bella arguzia e tanto buonsenso, e siete molto piacevole da guardare. Quegli energumeni sono stati dei semplici idioti.»

Chiuse di scatto il libro e glielo lanciò – la recente traduzione del reverendo Cary dell'*Inferno*, tratto da La Divina Commedia.

«Erano degli idioti che avevano bisogno di eredi, signor Banks, e di tutte le virtù che così generosamente mi attribuite, quella era l'unica che non avevo. Non avrei potuto garantire loro i bambini che li avrebbero motivati a prendermi come loro sposa. Mia madre ha assolto ai suoi doveri di contessa in modo egregio, ma il semplice dono biologico della riproduzione mi è stato negato.»

Di colpo, Daniel si trovò davanti a una sofferenza alla quale non c'era consolazione. Un dolore senza fine. Un semplice 'mi dispiace' gli pareva vergognosamente inadeguato, eppure, neanche adesso, neanche con la porta della biblioteca aperta, alla luce del sole, riuscì a prenderla tra le sue braccia.

Così decise di condividere con lei una verità che nel tempo aveva corroso la sua gioia, oltre a togliere la linfa vitale al suo matrimonio, e minacciare la sua stessa fede in Dio.

«Detesto che abbiate dovuto patire tanto, mia signora. Non è giusto, non ve lo meritate, e farei qualsiasi cosa per liberarvi da questa maledizione, perché... anch'io ne soffro.»

«Noi avremo dei pony tutti nostri» disse Fred Blumenthal nella solitudine del fienile.

«E voi?»

«Anche noi» rispose Matthias Webber. «Chissà per cosa.»

Digby lo sapeva. «I pony ci servono perché vivremo con il parroco e nel fine settimana dovremo tornare a casa. Me lo ha spiegato mio padre.»

Il padre gli aveva anche detto che vivere tutti insieme sarebbe stato molto divertente, anche se la madre aveva sbattuto le palpebre più volte. La vita con il parroco probabilmente avrebbe significato porridge freddo a colazione, fustigazioni regolari, e ginocchia doloranti a causa delle continue preghiere. Vivere con il parroco avrebbe anche messo fine agli incontri nel fienile, dov'era difficile rimanere puliti e si finiva sempre col beccarsi un raffreddore.

«Adesso andiamo a piedi ovunque» disse Matthias, tirando su gli occhiali sul suo naso sottile. «Il parroco sta tramando qualcosa.»

I cospiratori vedevano complotti ovunque, come era solita dire la madre di Digby a proposito dello zio Edward.

«Il parroco non potrà cavalcare i nostri pony» puntualizzò Thomas Webber. «È il parroco più robusto che abbia mai visto.»

«Si siederà su di te,» ribatté Frank Blumenthal «e ti schiaccerà nel letame come fai tu con gli altri.»

Ne scaturì una zuffa che aveva più le parvenze di una scaramuccia dato che nel fienile non c'era né fango né letame e tutti erano presi dalle considerazioni sui pony.

Un pony a testa.

«So una cosa» disse Digby quando Thomas e Frank avevano finito di impolverarsi i vestiti.

«Sai che il tuo nuovo papà sta sbattendo tua mamma, ecco cosa sai!» disse Fred.

Digby fece finta di niente perché molto probabilmente Fred stava solo ripetendo qualcosa che aveva sentito dire da un fratello più grande. Sebbene non avesse inteso cosa stesse 'sbattendo'.

«So che il parroco ha un figlio all'incirca della nostra età» disse Digby. «Si chiama Danny e ha già un pony tutto suo.» Digby tralasciò il fatto che era stato il padre a dargli questa notizia, e gli aveva anche fatto notare che Danny e Digby sarebbero stati gli unici bambini senza fratelli nell'abitazione del parroco.

«Come ha fatto ad avere un pony se il padre è solo un pastore?» chiese Frank.

«Non ha sorelle» suggerì Matthias. «Le sorelle costano un sacco di soldi.»

Su questo, anche gli altri sembravano d'accordo.

«Avete visto il cavallo del parroco?» chiese Digby, abbassando la voce. «È enorme, nero e mezzo selvaggio, e scommetto che con un calcio riesce a far arrivare un pony quasi a Dorset.»

«Lo stesso potrà fare il parroco con noi» incalzò Thomas. «I pastori dovrebbero essere dei vecchietti piccoli piccoli che si addormentano su una tazza di tè.»

«Mi manca la nostra governante» disse Frank. «Mi manca tanto.»

«Rimanete pure qua a compiangere la governante» ribatté Matthias, alzandosi in piedi e spazzolando via il fieno dai calzoncini. «Io me ne vado a catturare una mezza dozzina di rospi bitorzoluti. Chi viene con me?»

Digby non ebbe altra scelta se non quella di unirsi a loro, anche se catturare rospi era un lavoro fangoso e puzzolente. Anche perché cosa se ne faceva esattamente uno di una piccola creatura indifesa che saltellava e faceva degli strani rumori tutta la notte?

Figuriamoci con sei!

10

«Signor Banks» disse Kirsten, fissandolo intensamente. «Non sono sicura di aver capito bene.»

Tra tutte le condoglianze prive di senso, le banalità imbarazzanti e le inutili promesse che Daniel avrebbe potuto offrire alla ragazza con l'ausilio della preghiera, Kirsten non si sarebbe mai immaginata, neanche nei suoi sogni più febbricitanti, che il signor Banks condividesse la sua angoscia.

«Non l'ho mai detto neanche a mio padre» disse il signor Banks, ripiegando il fazzoletto e riponendolo via. «Possiamo sederci un attimo?»

Non sul divano blu, dove Nicholas se la spassava con la sua contessa.

E di certo *non* sul divano davanti al camino, dove Kirsten si era imbattuta nel signor Banks nell'atto di sognare piaceri proibiti.

E invece proprio lì sedettero, sul divano davanti al camino, nonostante i ricordi che suscitava. Daniel prese posto di nuovo accanto a lei, a pochi passi di distanza ma senza sfiorarla.

Dannazione.

«Vi sarò grata se vorrete spiegarvi, signor Banks, poiché ero convinta che i problemi riproduttivi riguardassero solo le donne.»

Egli fissò il focolare che, per la prima volta da mesi, era spento. «Qualche esperto vi ha riferito che solo le donne possono essere afflitte da un problema del genere?»

Kirsten non aveva avuto il coraggio di chiedere a nessuno, tranne a sua sorella Nita, che peraltro non era neanche un vero medico.

«Mio padre voleva mandarmi da un esperto in Svizzera, ma mia madre gli ha rivelato che tutta l'alta società sarebbe venuta a sapere di questo mio viaggio. Nessuna ragazza in età da marito ha mai trascorso l'estate in Svizzera se gode di una salute perfetta. Mia madre invece avrebbe voluto consultare un'ostetrica francese.»

«E voi invece? Cosa desideravate?»

Domanda audace, ma d'altronde così era Daniel Banks, in modi che una donna non poteva prevedere.

In quel momento Kirsten si rammaricò di non aver pensato a mettere un bel mazzo di fiori davanti al focolare vuoto, come spesso aveva fatto sua madre. Dei fiori allegri, luminosi, fragranti e destinati ad appassire.

«Volevo morire» rispose lei. «Una ragazza di buon lignaggio viene cresciuta con l'idea che, in definitiva, il suo unico valore risieda nella facoltà di trasmettere il suo sangue blu. A me non è concesso. Sono destinata a diventare oggetto di pietà, se non di disprezzo, una reliquia tollerata dalla mia famiglia.»

Per un parroco di campagna avere dei figli poteva essere un desiderio, per una donna nella posizione di Kirsten una necessità.

«Ho avuto il morbillo» spiegò il signor Banks, con la stessa facilità con cui un uomo avrebbe potuto rivelare di essere un tenore anziché baritono. «Una forma grave, poco prima di sposarmi. La donna del villaggio specializzata nelle cure a base di erbe ha detto che il morbillo può rendere un uomo incapace di procreare, sebbene la malattia in sé non interferisca con i meccanismi riproduttivi.»

Daniel non arrossì minimamente e neppure Kirsten.

«Ne avete parlato con lei?»

«Ero pronto a sposarmi, lady Kirsten. Conoscete forse qualche parroco senza figli?»

No, non ne conosceva. I reverendi avevano famiglie numerose; e quelle dei vescovi erano spesso enormi. Re Giorgio, capo nominale della Chiesa d'Inghilterra, aveva procreato quindici figli legittimi.

«Avete parlato almeno con qualche medico?» domandò la ragazza. Daniel avrebbe sopportato quell'umiliazione almeno una volta per il bene dei bambini.

«Con uno. Fairly è stato ambiguo, per gentilezza presumo, e quindi ho interpretato la sua opinione come conferma di quanto mi aveva detto la donna esperta in cure a base di erbe. Era molto anziana e aveva una vasta esperienza. Ho sposato Olivia, almeno in parte, perché era disposta a chiudere un occhio sui miei possibili fallimenti procreativi. A lei sembravo sano, per cui non prese seriamente in considerazione le mie rivelazioni.»

La stessa donna che con altrettanta facilità era venuta meno ai suoi voti matrimoniali.

Kirsten avrebbe tanto voluto stringergli la mano, perché questa conversazione trascendeva qualsiasi intimità che avesse condiviso con chiunque altro. Questo non era uno scambio di passione sfrenata ricambiato da un tormentato riserbo, come aveva dovuto tollerare con Sedgewick e Morton. Non si trattava neanche di quali fossero i desideri della ragazza. Queste confidenze erano il tessuto di un'amicizia più intima perfino di quella che Kirsten condivideva con le sue sorelle. Era un'intimità che andava al di là del contatto fisico.

«A quindici anni ho avuto un problema femminile» disse Kirsten, il suo sguardo si spostò sul dipinto sopra il divano blu. Fiori, ovviamente. Rose bianche, alcune sfumate. Tutte belle, nessuna autentica.

«Il problema è scomparso dopo mesi di afflizione,» proseguì la ragazza «ma gli esiti sono rimasti imprevedibili e mia madre, che aveva dato alla luce molti bambini, mi ha assicurato che quel disturbo era motivo di seria preoccupazione.»

«E di dolore» soggiunse Daniel.

L'orologio a pendolo continuava a ticchettare placidamente. Il profumo del carbone del caminetto e di vecchi libri era sospeso nell'aria. Solo un altro silenzio prosaico in una biblioteca che pareva fatta apposta per il silenzio.

Senza neanche sfiorarlo, Kirsten era riuscita a condividere con Daniel una gamma di momenti tristi che non avrebbe mai pensato di poter spartire con qualcuno, momenti che le diedero un po' di pace interiore in mezzo al mare di rabbia che tutto quel dolore aveva provocato in lei. I sogni di qualcun altro erano stati troncati da un capriccio del destino. A qualcun altro era rimasto un senso di inadeguatezza disperata.

«Lo avete detto sia a Sedgewick che a Morton, non è così?» chiese Daniel.

«Certo che gliel'ho detto, scatenando l'ira dei miei. Mio padre ha insistito dicendo che nessuno avrebbe mai potuto provare che la mancanza di eredi potesse essere colpa mia, e mia madre aveva messo in preventivo che le questioni di salute sono il bersaglio più frequente dei miracoli.»

«E invece non siete riuscita a mentire all'uomo con cui vi sareste sposata.» Mentre la moglie di Daniel, a quanto pareva, non aveva fatto altro che mentire e ingannare. Forse angosce peggiori dell'incapacità di avere figli potevano capitare agli innocenti.

«Non mi attribuite nessuna grande virtù» disse Kirsten. «Entrambi volevano anticipare i voti, il che è abbastanza comune. Non potevo concedergli questo privilegio senza spiegare loro quali rischi avrebbero corso. Non mi sarei tirata indietro se avessi concesso a un uomo la mia virtù.»

La ragazza venne assalita dal ricordo del robusto divano blu e del fiato caldo di Arthur Morton sul suo collo mentre imprecava in modo abietto e lottava con le sottane nel tentativo di riabbottonarsi i calzoni il più in fretta possibile.

Daniel si alzò, allontanandosi solo di pochi passi. Andò a stare accanto al focolare spento, con il gomito appoggiato contro la mensola del camino.

Doveva proprio essere così bello e dolce d'animo?

«Perché state sorridendo, lady Kirsten?»

«Il tempismo della mia rivelazione al visconte Morton richiedeva una certa *finesse*, o forse il mio tempismo fu perfetto.»

Sebbene con Daniel Banks fosse arrivata troppo tardi.

«Voi avete Danny» disse la ragazza. Non parve tanto un'accusa quanto un'intuizione.

«È l'unico figlio che vi è stato concesso, per cui ci siete legato quanto un re al suo unico erede al trono.»

Danny doveva ricongiungersi con il parroco, o comunque unirsi al branco di giovani allievi scapestrati ai quali Daniel avrebbe insegnato. Le era stato riferito dalla sorella Della un'ora prima.

«Danny deve imparare a peccare» disse il parroco di Haddondale, spingendo nel camino, con la punta del suo stivale, un pezzetto di legno arso. «Con una madre come Olivia e un padre come me, Danny è diventato un ragazzo perfetto: non l'ha mai offesa, per paura che desse sfogo al suo lato crudele. Con me men che mai, perché sebbene fossi all'oscuro della vera indole di sua madre, ero il suo unico rifugio dalle aggressioni della donna. L'influenza corruttrice di altri ragazzi gli risparmierà un mondo di disprezzo verso sé stesso e di inutili rimproveri man mano che matura.»

«Vorrei potervi aiutare, Daniel Banks» Kirsten avrebbe voluto anche passargli la mano nei capelli, abbracciarlo e confortarlo.

E baciarlo, dannazione.

«Sono lento ad accettare certe intuizioni, lady Kirsten, ma vi posso assicurare che la mia riserva di odio verso me stesso e di inutili rimproveri sta diminuendo man mano che resto a Haddondale.»

Daniel le rivolse un sorriso, dolce e rivelatore come una benedizione. Il rimpianto di un sorriso che comunque li univa nella loro miseria e nella loro infelicità.

«Sono venuta qui per dirvi che siete al sicuro con me» disse Kirsten, per paura che, come un'idiota, rimanesse a guardarlo con un sorriso ebete stampato sulla faccia.

Daniel si sistemò appoggiandosi alla mensola del camino e poi, all'improvviso, assunse un atteggiamento malizioso. Financo diabolico. Kirsten infilò i palmi delle mani sotto le cosce, come avrebbe fatto un bimbo piccolo in presenza di dolci proibiti.

«Al sicuro?» disse Daniel con finta costernazione. «Non mi sgriderete più per i miei eccessi di virtù? Non mi prenderete più a calci sotto il tavolo da tè quando dimentico di insistere che ai figli dei Webber vengano regolarmente inviati dei cestini di dolciumi? Se è così, allora non gradirò questa forma di sicurezza.»

Era un tesoro di uomo e un tesoro di amico e anche Kirsten voleva ricambiare la sua amicizia. Per le altre cose non ci sarebbe stato niente da fare.

«Voi avete Danny» disse Kirsten. «Io voglio quei monelli scapestrati.» Avrebbe voluto anche il loro parroco, il che forse la rendeva altrettanto monella.

Magnifico.

«I ragazzi devono ancora cadere nelle mie grinfie riformatrici, mia signora. Che destino avete in serbo per loro?»

«Un tè insieme, il giovedì» disse Kirsten, resistendo a malapena all'impulso di riannodare la cravatta decentrata di Daniel. «Per imparare il portamento, l'ordine di precedenza, le dinastie reali e altri trucchi da salotto per impressionare i loro genitori mentre i loro studi progrediscono a un ritmo più ragionevole.»

Daniel si allontanò e appoggiò un fianco contro il davanzale, quasi come se avesse saputo che la dignità di Kirsten stava perdendo la lotta con i suoi impulsi più inopportuni.

«A voi questi trucchetti da salotto mentre io sarò il guastafeste che insegna loro i sostantivi di prima declinazione e la lettura dei salmi? Non è affatto giusto, mia signora. Posso unirmi a questo vostro tea party?»

Lo voleva davvero? Kirsten avrebbe adorato condividere...

«Sarebbe meglio di no» disse la ragazza, prima che la sua indole potesse farle dire altrimenti. «Non potete stare sempre appiccicato ai ragazzi. Avete dei sermoni da preparare, dopotutto. Vi consiglio anche di nominare Ralph il vostro factotum. Presto ci recheremo a Londra e la servitù avrà bisogno di cose da fare.»

Fuori, intanto, il tempo stava cambiando, da coperto e piovoso, a soleggiato e umido. La luce del sole era ancora debole e invernale, e Daniel appariva una sagoma solitaria e malinconica che si stagliava in controluce.

«Ogni preside ha bisogno di un braccio destro» disse lui, aprendo la tenda abbastanza da rivelare la vista dei giardini dormienti. «Pensavo che sareste andata a Londra con le vostre sorelle.»

«Stiamo ancora negoziando con Nicholas. Se la servitù deve preparare pasti regolari per i bambini, ci sarà un sacco di bucato da fare e una mezza dozzina di pony ribelli – perché i pony sono sempre ribelli – be', allora sarà meglio che qualcuno rimanga nei paraggi per tenere tutto in ordine.»

Probabilmente la famiglia si sarebbe anche divertita a vedere qualche rospo randagio, qualche pipistrello, qualche scoiattolo, e magari anche qualche coniglio, e Kirsten non se lo sarebbe perso per niente al mondo.

E invece no. La fierezza soffondeva il suo onore come pure la sua gentilezza, e Kirsten non avrebbe mai violato la sua gentilezza o compromesso l'onore.

«Avevo deciso di organizzare le finanze» disse il signor Banks, aprendo uno spiraglio di finestra. «Non avevo pensato al resto. Voi sapete anche come curare ferite lievi.»

Anche la capacità di Kirsten di far fronte a un cuore infranto stava migliorando.

«Vi suggerisco di riprendere il vostro posto alla scrivania, signor Banks, e di buttare giù qualche appunto. Ho cinque fratelli, figli privilegiati di un conte, mentre voi siete cresciuto come figlio unico in una canonica rurale.»

«State insinuando che la mia educazione ha i suoi limiti, e non posso certo darvi torto.» Si sedette dietro la scrivania, estrasse un temperino e tagliuzzò una nuova punta sulla sua matita. «Signora, sono in attesa della vostra assistenza.»

Si misero a discutere e a un certo punto, quando Kirsten insistette che il parroco avrebbe dovuto prendere in prestito il terrario di vetro dall'aula studio il prima possibile, la ragazza alzò perfino la voce.

Daniel Banks era diventato suo amico, e lei ormai era talmente presa che era incapace di non proteggerlo.

Lady Kirsten aveva assegnato a tutti e sei i fanciulli i loro letti: delle brandine in una stanza al piano superiore che aveva un grande camino, un tavolo da lavoro e una fila di finestre che si affacciavano sulla scuderia e sui pascoli.

«Forse non staremo così male qui» disse Thomas Webber, arrampicandosi sotto le coperte. «Sua signoria non ha nemmeno accennato al bagno, e le donne parlano sempre di bagni.»

Digby scambiò un'occhiata con Danny Banks, che era risalito lungo il viale con il suo pony in compagnia di un grande signore biondo.

«Faremo il bagno in lavanderia» disse Matthias Webber. «La pulizia è vicina alla santità, e i reverendi sono dei sant'uomini. Se non altro domani riceverò i dolci, non vedo l'ora!»

«A me i dolci non piacciono un granché» disse Danny. Con uno straccio si stava asciugando gli stivali, forse l'unico paio che aveva. I pastori erano poveri, per cui a rigor di logica i figli dei pastori dovevano essere ancora più poveri. Povero, a quanto pareva, non significava stupido.

«Neanche a me» disse Digby. «Il cricket invece mi piace un sacco.»

«Te lo puoi anche dimenticare, il cricket» borbottò Frank Blumenthal, schiaffeggiando il cuscino. «Caspita, questo è un cuscino nuovo.»

«Non durerà a lungo se lo prendi a botte in quel modo» ribatté Fred Blumenthal, schiaffeggiando il suo nello stesso identico modo.

«Abbiamo bisogno di un set da cricket, se vogliamo giocarci, sempre che il parroco non ci incateni alla scrivania.»

Danny sputò sulla punta di uno stivale e proseguì a lucidarlo. «Non può incatenarci alla scrivania. Dobbiamo badare ai nostri pony.»

Un silenzio imbarazzante cadde nella stanza. Tutti avevano dei pony, ma come Digby, li avevano acquistati solo di recente.

«Che ne sai tu di come ci si prende cura di un pony?» disse Matthias con tono di scherno. Senza occhiali che gli scivolavano di continuo sul naso, sembrava meno un cucciolo di gufo, aveva più l'aria di un ragazzino magro e stanco.

«Tutto» rispose Danny con disinvoltura, mettendo uno stivale lucido accanto al suo compagno. «È da quando sono piccolo che aiuto papà con Belzebù. C'è molto da imparare, comunque i cavalli lo capiscono se state cercando di imparare e sono molto pazienti con noi se non abbiamo brutte intenzioni.»

C'era da pregare il Signore che il parroco fosse altrettanto paziente, perché Digby non era proprio portato per il latino.

«Dicci cosa sai di come ci si prende cura di un pony,» disse Fred con uno sbadiglio «sebbene mi aspetti che il conte manderà i suoi stallieri a badare ai nostri.»

«Scordatelo, non lo farà» osò dire Digby. «Un gentiluomo sa come badare al suo cavallo, quindi anche noi dovremo imparare a prenderci cura dei nostri pony.»

Daniel aveva ammiccato quando lo aveva detto, anche se oltre al Latino, al Francese, alla Geografia, alla Matematica, alla Storia e alle Scienze naturali, pulire il box di un pony si profilava come uno di quei lavori impossibili, fatti apposta per quel grosso tizio greco il cui nome, Digby, aveva dimenticato.

Harold? Hairy-qualcosa?

«Qual è una cosa che dobbiamo sapere riguardo alla cura dei pony?» chiese Thomas. «Non gli ho neanche ancora dato un nome, al mio.»

«Il nome è importante» disse Danny, mettendosi a letto. «L'acqua è financo più importante. La prima cosa che il tuo pony deve avere sono frequenti razioni di acqua buona e pulita.»

«Cos'altro?» incalzò Fred. «Nessuno vive solo d'acqua.»

«I pesci sì, invece» rimbeccò Frank.

«Non credere che condividerò i miei dolci solo perché ci stai raccontando dei pony» disse Matthias, spegnendo l'ultima candela, giacché si era autonominato responsabile delle candele.

«Voglio che Digby condivida il suo set da cricket» ribatté Danny. «Anche se sono certo che agli altri piacerebbe mangiare i tuoi dolcetti.»

A seguire ci fu un silenzio di riflessione, forse anche un po' di stupore, interrotto da un singolo e debole gracidio che proveniva da sotto il letto di Matthias.

«Condividerò io il mio cestino di dolciumi,» disse Thomas «che Matthias facesse pure lo spilorcio. Un mese è tanto tempo tra un biscotto e l'altro.»

«Danny dovrà dirci come badare a un pony» propose Digby, giacché era probabile che il figlio di un pastore non ricevesse mai un cestino di dolciumi.

«Tu condividerai il tuo kit per il cricket» rispose Danny. «E avremo tutti dei dolci.»

Un altro gracidio solitario, forse consenziente, dopodiché tutti e sei i bambini scivolarono nel sonno sognando pony e biscotti.

La settimana di Daniel proseguì in direzione di una nuova routine, che lo rendeva felice e lo tormentava in egual misura. Per motivi che non riusciva a comprendere, lady Kirsten gli aveva chiesto di riempire un terrario con del muschio, dei bastoncini e delle foglie, e di tenerlo nascosto.

Il lunedì successivo arrivò il cestino di Matthias Webber ricolmo di dolciumi. Era pieno zeppo di biscotti, conteneva anche un pezzo di formaggio, una grossa pagnotta di pane fresco e persino qualche violetta candita. Il giorno dopo, Matthias ebbe mal di pancia. Daniel lo incaricò di rendere grazie prima di tutti e tre i pasti, perché il mal di pancia era segno di una punizione divina. Il martedì era anche il giorno in cui il signor George Haddonfield avrebbe tenuto la sua prima lezione di equitazione, quindi Daniel avrebbe avuto il pomeriggio libero per lavorare al suo sermone.

I giovani allievi erano partiti col piede giusto, per cui il mercoledì dopo gli studi, il set da cricket del signorino Digby venne utilizzato, con Ralph, i ragazzi della scuderia, e i servi che riempivano i ranghi atletici. Nel frattempo Daniel andò a visitare diversi parrocchiani, troppo malati o infermi per partecipare alla messa domenicale.

Il giovedì pomeriggio, ai bambini vennero fatte lavare le mani strofinando a fondo, prima che attraversassero il giardino e invadessero il salotto di lady Kirsten. Le meraviglie della cerimonia del tè erano poste dinanzi ai loro occhi, come pure le meraviglie dei biscotti allo zenzero e – con l'aiuto dello stesso conte che adorava i biscotti allo zenzero – l'arte dell'inchino corretto.

Seguì un'altra partita di cricket su richiesta della signora, sebbene non rientrasse nel programma di Daniel. La squadra della ragazza perse, ma non parve dispiaciuta della sconfitta.

Il venerdì successivo, giorno in cui Daniel intendeva somministrare ai ragazzi i loro primi esami, si scatenò l'inferno.

«Ne conto sei» borbottò Ralph mentre il gracidio nella scuola raggiungeva un crescendo.

«Un rospo per ognuno di noi, e questi sono i rospi più grandi che abbia mai visto, signore.»

«Anche i più rumorosi» rispose Daniel. I bambini, seduti ciascuno al proprio banchino, non riuscirono a reprimere piccoli sorrisetti compiaciuti, sebbene Danny stesse facendo un grande sforzo.

«Se apri l'armadio dietro la scrivania nel mio studio, Ralph, troverai un grande terrario di vetro. Per favore, va' a prenderlo, ma fai pure con calma. Devo spiegare una cosa ai bambini.»

Una specie di sermone prese forma nella mente di Daniel. «Bambini, seguitemi in corridoio.» Dove Daniel sarebbe stato udito sopra il gracidio degli sfortunati anfibi. Non c'è da stupirsi che le rane siano state definite un flagello biblico.

I sei ometti, che all'improvviso si erano fatti seri, lo seguirono in fila indiana in corridoio. Daniel chiuse la porta, per evitare che fossero raggiunti dai loro nuovi animaletti domestici.

«Qualcuno sa azzardare un'ipotesi su come siano stati interrotti i nostri studi?» chiese Daniel.

Silenzio, rumore di piedini che venivano trascinati, un'occhiata tra i gemelli. Matthias Webber si tirò su gli occhiali dal naso. Danny esaminò i suoi stivali. Digby guardò dritto davanti a sé.

«Come sospettavo, una semplice e sfortunata coincidenza» disse Daniel. «Una mezza dozzina di rospi galanti e ambiziosi si sono messi in testa di studiare il Latino. Non dobbiamo deluderli. Prima faremo il nostro esame, e poi vi lascerò riunire quelle povere creature mentre io mi assento per il pranzo. Quando i rospi saranno tornati nel loro habitat naturale, faremo un esperimento sui benefici della cattività per la nostra lezione di Scienze questo pomeriggio. Vi sembrano delle condizioni accettabili?»

Thomas, una cara piccola anima con un cuoricino d'oro, azzardò una domanda.

«Significa che noi saltiamo il pranzo, signore?»

«Ma no! Certo che mangerete» disse Daniel. «Ma abbiamo a che fare con una questione di amministrazione, Thomas. Questi poveri rospi avranno saltellato per giorni interi per arrivare fino a qui. A meno che qualcuno non abbia pensato di dar loro da mangiare la loro dieta abituale, stanno per morire di fame per non parlare della sofferenza indotta dalla disidratazione, mentre noi abbiamo gustato toast, uova e porridge solo poche ore fa. Dobbiamo prenderci cura di coloro che non riescono a gestirsi da soli.»

«Se stanno morendo di fame e sete, non dovremmo allora occuparci di quei poveri piccoli rospi subito, prima di fare l'esame?» domandò Matthias. Il ragazzo avrebbe voluto che la caccia al rospo fosse durata per tutto il giorno, ovviamente.

Com'era sveglio, il giovanotto.

«Ascoltateli» disse Daniel. «Sono sconvolti, irrequieti, saltano di qua e di là, nel disperato tentativo di trovare acqua fresca e mosche di cui hanno bisogno per sopravvivere. Si calmeranno mentre voi sarete occupati a fare l'esame. Ne sono certo.»

I rospi, compiacenti, non si tranquillizzarono. Nel bel mezzo delle fatiche accademiche di Digby, un rospo andò a finire sul suo foglio. Digby si mise a strillare mentre intanto il malfattore, prima di saltare su un suo stivale e di procedere poi per l'aula, lasciò una striscia acquosa marrone sul foglio del giovane.

«Vuoi ricominciare a scrivere, Digby?» chiese Daniel, tirando fuori con un gesto teatrale un foglio protocollo pulito.

«Dal principio?»

«Temo di sì. Tieni più pulito il tuo soprabito. I rospi non sanno usare il vaso da notte.»

Lo sguardo che attraversò la faccia del bambino quasi sciolse la compostezza di Daniel, talmente era inorridito il suo piccolo allievo affamato. Gli altri cinque bambini presero a stringere le braccia protettivamente attorno al loro lavoro, che, ahimè, non progredì molto rapidamente.

Ralph giunse con il terrario e Daniel si assentò, lasciando che fosse lui a sorvegliare il resto dell'esame, dal momento che nulla si sarebbe messo tra Daniel e la sua penitenza preferita, la più temuta.

Lady Kirsten aveva preso l'abitudine di unirsi a lui per il pranzo nel suo studio. La porta rimaneva sempre aperta, naturalmente e, di tanto in tanto, qualche allievo, Ralph, o magari un cameriere con un secchio di carbone interrompevano la loro quiete.

La ragazza prese posto alla scrivania dove era solita sedere, accontentandosi di un vassoio di zuppa e del pollo freddo accompagnato da una fetta di pane imburrato.

E, a quanto pareva, della compagnia del reverendo.

«Una volta mio padre disse che per lui l'undicesimo comandamento era il seguente: una routine assennata è una cura per quasi tutti i mali» disse Daniel, passando la saliera a Sua signoria. Papà si era sbagliato, ovviamente. La routine avrebbe potuto curare i mali di un ragazzo, ma non certo quelli di un uomo.

I diari del padre non si misero a volare dagli scaffali in segno di protesta nei confronti dei pensieri irrispettosi di Daniel. Avrebbe dovuto davvero trascorrere i suoi pasti a leggere quei diari.

«Si sono ambientati i fanciulli?» Lady Kirsten usò le dita, e non il grazioso cucchiaio d'argento, per aggiungere un pizzico di sale alla sua zuppa.

«Stamane Ralph ha contato sei rospi nell'aula» disse Daniel. «Un segno incoraggiante di solidarietà tra i ragazzi, anche se i loro risultati scolastici lasciano un po' a desiderare purtroppo.»

Persino Danny aveva perso terreno dall'ultima volta che aveva condiviso un tetto con Daniel.

«Rospi? Le rane sono più viscide. Mio fratello Adolphus è sempre stato affascinato dagli effetti di una rana nel letto di una sorella. A titolo di raffronto, man mano che crescevo i rospi sono cominciati a piacermi di più. Del burro, signor Banks?»

Daniel aveva dimenticato di imburrare il pane.

Quando era con lady Kirsten a discutere di bambini, di rospi, o di qualsiasi altro argomento, avrebbe potuto dimenticarsi anche il proprio nome. La difficoltà primaria non risiedeva tanto nel desiderio sessuale, sebbene fosse fortemente attratto da lei. Il tormento principale che Sua signoria gli procurava, che era anche il più grande conforto, era la sua semplice compagnia. Le preoccupazioni di Daniel la interessavano, i bambini la interessavano, come pure sincerarsi che avesse le indicazioni giuste per andare a trovare i parrocchiani.

Le loro mani si sfiorarono mentre lei gli porgeva il burro. Daniel si appoggiò allo schienale, cercando di domare un amalgama di sensazioni, tra cui la solitudine, il desiderio, la frustrazione e lo smarrimento.

«Siete sicura di non dover andare a Londra?» chiese lui.

Lady Kirsten mise giù il cucchiaino e si mise a imburrare il pane di Daniel. Aveva delle mani così belle e abili.

«Durante i pasti, la mia famiglia non fa altro che parlare di Londra. Chi era fidanzato l'anno scorso ma non si è ancora sposato quest'anno. Chi è alla sua terza stagione, accompagnato da una sorella minore più carina. Chi è entrato in possesso di un'eredità o di un titolo. Non ce la faccio più a sentire a sentire queste chiacchiere.»

Così cercava rifugio da Daniel e dai bambini.

E dai rospi, che aveva imparato ad apprezzare.

«Non riesco proprio a immaginare le vostre sorelle discorrere di queste cose con malizia» disse Daniel, accettando una fetta di pane completamente imburrata da Sua signoria senza rischiare di sfiorarle le dita.

«Le mie sorelle non sono mai maligne, ma poi Nicholas si schiarisce la voce. Leah mi lancia un'occhiata di compassione, e Della fa un'osservazione sull'ultima stupida scommessa di Prinny, come se a qualcuno gliene importasse qualcosa.»

Lady Kirsten riportò l'argomento sui ragazzi, che erano stati talmente occupati che non avevano nemmeno avuto tempo di farsi un bagno, anche se avrebbero presto rimediato.

In quella prima settimana Daniel aveva cercato di familiarizzare con i suoi allievi anziché sovraccaricarli subito di compiti.

«Sono bambini svegli, nonostante abbiano iniziato col piede sbagliato» disse, mentre stava sorseggiando la sua birra da un boccale identico a quello di lady Kirsten. «Thomas non è sveglio come gli altri, ma si impegna molto. Quando giunge a delle conclusioni, di solito sono ben ponderate. Avrà un influsso positivo sugli altri se riuscirà a evitare di sedersi per dispetto sui bambini più piccoli.»

«A volte i bambini piccoli hanno bisogno che qualcuno di più grande li bacchetti» disse lady Kirsten. «Non erano fuori a catturare quei rospi la scorsa notte, Daniel.» Ormai aveva dei lapsus sempre più frequenti, chiamandolo col suo nome di battesimo, benché di solito capitasse solo quando erano da soli.

«Sospetto che i rospi si siano immatricolati assieme ai bambini» disse Daniel. «Non mi intrometto mai in camera dei bambini, però all'inizio della settimana la governante mi ha segnalato uno strano gracidio che, a suo dire, proveniva da sotto i loro letti.»

«Quelle povere creature sono state inscatolate per tutta la settimana? Senza cibo e acqua? Ci manca solo che vengano agghindati con un elegante abito da sera e spediti a Mayfair a fare quattro salti, roteando i loro ombrellini parasole.»

Lady Kirsten era indignata, e non solo per via dei rospi.

«Eravate proprio terrorizzata all'idea di andare a Londra» disse Danny, mentre lui era terrorizzato dal giorno seguente: nessun allievo, niente Danny e soprattutto niente pranzo con lady Kirsten. Non avrebbe saputo che fare: il suo sermone era già stato preparato con cura e i conti sistemati.

«So che non dovremmo odiare niente e nessuno» disse lady Kirsten, alzandosi. «Ma, Daniel, odio vedere Della così nervosa e Nicholas così tranquillo. Il debutto in società di Della a Londra sarà difficile. Ci sarà chi le dimostrerà affetto solo perché è figlia di un conte. Altri spettegoleranno che è una figlia illegittima. Ma che importanza ha? È tanto cara, intelligente e gentile, ed è tutto così...»

«È molto amata» disse Daniel, alzandosi anche lui. «Deve imparare a farsi strada, ma avrà sicuramente dei sostenitori, vostro fratello primo fra tutti. Bellefonte può essere un alleato formidabile e la contessa non soffre gli sciocchi. Lady Susannah ha memorizzato tutti gli insulti pittoreschi messi insieme nel *Bardo*, solo per affinare il suo spirito letterario, si intende.»

Lady Kirsten aveva bisogno di rassicurazioni e di comprensione. Aveva bisogno di un abbraccio consolatorio.

Rimanere in campagna non era affatto un modo di abbandonare le sorelle, e tuttavia un uomo più saggio avrebbe cacciato Lady Kirsten a Londra, nonostante le precedenti posizioni in materia. Daniel allungò a Kirsten la fetta di pane mezza smangiucchiata dal piatto di lei, il burro luccicava in abbondanza. La prese e, di nuovo, le loro dita non si sfiorarono neanche.

Daniel, la sua anima immortale, i suoi organi di riproduzione e il suo onore erano proprio al sicuro con Kirsten Haddonfield. *Maledizione*. Non riusciva proprio a essere grato per la sicurezza che la ragazza offriva alla sua integrità di gentiluomo.

«Finiamo il pasto?» chiese lui.

«Volevo chiedervi come sono andate le prime prove del coro.»

A un certo punto aveva dato al coro giusto un pensiero passeggero.

Sua signoria diede un morsetto al pane imburrato e si sedette di nuovo dall'altra parte del tavolo. Si misero a chiacchierare dei parrocchiani infermi e di chi avrebbero dovuto invitare a unirsi al coro nonostante la mancanza di doti musicali.

Finirono di mangiare e l'orologio da taschino di Daniel indicò che avrebbe fatto meglio a controllare i progressi dei suoi mandriani di rospi in erba al piano inferiore. Indugiò altri cinque minuti insieme a lady Kirsten, non perché la desiderasse, né perché l'amministrazione accademica lo richiedesse, e neanche perché era sola. Né tantomeno perché lui si sentiva solo. Ma solo perché Olivia non aveva mai pranzato con il marito, discutendo di parrocchiani, di studenti, di rospi o di giovani in atteggiamento civettuolo. Mai, neanche una volta. La mancanza di sostegno da parte di sua moglie rammentò a Daniel l'angoscia di lady Kirsten nel dover sopportare le serate di gala, attanagliata dai pettegolezzi, dai giudizi e dai rischi emotivi che sopraggiungevano da tutte le parti.

Londra aveva già le sue piaghe, senza bisogno di cavallette o di rane.

Daniel rimase quei minuti in più con lady Kirsten semplicemente perché si piacevano, e chiunque – ogni singola persona sulla faccia della terra – meritava il conforto della semplice amicizia.

Perché non l'aveva saputo? Perché la sua incapacità di essere amico di sua moglie non lo aveva infastidito molto di più e molto prima?

Quando arrivò Ralph per prendere i vassoi vuoti, Daniel fece un inchino di commiato a lady Kirsten, sapendo che la ragazza avrebbe dato un'occhiata agli allievi prima di attraversare il giardino per ricongiungersi alla sua famiglia.

«Tutti i rospi sono chiusi nel te-rra-ri-come-caspita-si-chiama. Ne manca solo uno all'appello» disse Ralph, una volta che lady Kirsten se ne fu andata. «Quel rospetto saltellante è più veloce di tutti gli altri. Non siamo stati capaci di prenderlo. È stato un vero e proprio spasso, signore.»

«Mangia un boccone, Ralph» disse Daniel. Essendo un parroco di campagna, catturare rospi svelti sarebbe stato un gioco da ragazzi per lui. «A breve quel latitante solitario sarà incarcerato insieme ai suoi simili.»

Anche se non per molto tempo, dato che i rospi dovevano essere liberati in campagna. Quanto lo invidiava, Daniel, quel rospo sgraziato che presto sarebbe saltato libero nella pozza di sua scelta.

Per alcuni momenti audaci, ma fini a sé stessi, Daniel si concesse il lusso di immaginare una vita senza Olivia. Sia il divorzio che l'annullamento del matrimonio gli sarebbero costati la carriera. Una situazione del genere avrebbe creato scompiglio nella vita del piccolo Danny gettandolo nel vortice dello scandalo e ridotto i mezzi di Daniel a quelli di un lavoratore comune, dal momento che nessun gentiluomo si sarebbe preso la briga di assumere un uomo di chiesa che rifuggiva da un matrimonio fallito.

Daniel inscatolò mentalmente le sue riflessioni e le accantonò sotto la voce sempre più ampia di 'penitenza'. Un ultimo rospo inane aveva bisogno di essere messo in salvo dalla sua indole indipendente, mentre sei ragazzini stavano senza dubbio morendo di fame.

11

«Come è possibile che dei bambini di campagna non sappiano nulla sui cavalli?» domandò George. «Digby è stato tagliato fuori dalla scuderia un po' perché la madre gli stava sempre addosso e un po' per l'avarizia dello zio; ma il signor Blumenthal adora andare alla caccia alla volpe e Denton Webber non si perde mai una corsa di cavalli.»

«Non tutti i bambini sono tirati su dal conte di Bellefonte» disse Kirsten. «Per molti, i pony sono un lusso.»

George prese Kirsten sottobraccio e la condusse attraverso il cortile della scuderia, che, per la prima volta da giorni, era asciutto.

«Si è indispettito Nick per aver aggiunto una mandria di pony nelle stalle?» domandò George.

«No, anzi. Ha detto che era una buona idea per insegnare ai bambini il senso della responsabilità e se ti dovessi mai stancare di insegnare loro equitazione, ti sostituirebbe volentieri.» Kirsten aveva quasi abbracciato suo fratello per quell'offerta, tuttavia Nicholas aveva mormorato questa dichiarazione col naso infilato in un libro mastro. Probabilmente era per la sua indole schiva.

«Nicholas adora i bambini» disse George. «Quanto me.»

Il matrimonio tra George ed Elsie era stato una sorpresa per i suoi fratelli e sorelle, ma forse anche per George stesso. Quando frequentava l'università, aveva il vezzo di addentrarsi nel cuore di Londra in zone losche e malfamate, anfratti un tempo prediletti da personaggi del calibro di Byron e Brummel. A quell'epoca, Della non era stata in grado di scoprire più di tanto – era uscito il nome di un giovane conte di bell'aspetto – e in ogni caso Kirsten non avrebbe voluto essere resa partecipe di nessun dettaglio. Era, però, abituata ad affrontare questioni importanti in modo diretto.

«Hai intenzione di avere dei figli con Elsie?»

«Vieni a sederti con me, Kay-Kay.» George era l'unico fratello a chiamarla con quel soprannome. La condusse su una panchina al sole e la ragazza prese posto accanto a lui.

«Saresti un padre d'oro» disse lei, e lo pensava davvero. «Digby adora il terreno su cui cammini atteggiandoti e tu sei splendido con lui.»

«E lo amo come se fosse mio figlio, ma... Elsie ha detto che tu saresti dovuta essere la prima a ricevere la notizia.»

George fissava i suoi stivali da equitazione impolverati, il sorriso dolce, distratto e schivo. Era un uomo straordinariamente bello, ma nel cortile delle scuderie, pregno dell'odore di cavallo e senza abiti eleganti, George era anche un uomo radiosamente felice.

Un altro nipotino in arrivo. Kirsten abbracciò il fratello intensamente.

«Sono felicissima per voi, George! Tanto, tanto felice per te ed Elsie! Sarò una zia eccessivamente affettuosa, ti avverto. La prima volta che ho preso in braccio il figlio di Nicholas e di Leah...»

Kirsten si era innamorata subito di quel piccolo fagotto. Dopo averlo abbracciato era salita di corsa in camera sua a piangere per la triste sorte che gli era stata riservata di non poter mai abbracciare un figlio tutto suo.

«Elsie ha detto che sono stato uno sciocco a preoccuparmi» replicò George, abbracciando a sua volta Kirsten «ma che ci posso fare, è normale preoccuparsi.»

«Io non avrò mai dei figli, George» disse Kirsten «ma questo significa soltanto che quelli che mi è concesso di amare, mi sono vieppiù cari.»

Si trattava di una conclusione alla quale era arrivata nell'arco dell'ultima settimana, mentre ammirava lo splendore degli stivali del piccolo Danny e la potenza dei bicipiti di Thomas. Nessun genitore tiene un figlio legato a sé per sempre. I bambini crescono, a Dio piacendo, e se ne vanno di casa per trovare la propria strada. Nessuno ha un figlio tutto per sé per molto tempo, non nel normale corso delle cose.

George tirò fuori un fazzoletto e si diede una spolverata alla punta degli stivali.

«Elsie mi ha detto anche di non preoccuparmi se non vuoi andare a Londra in primavera.»

«Perché ti dovresti preoccupare per me quando io...?»

Smise di pulire gli stivali che tanto sarebbero tornati sporchi di nuovo.

«Sono il tuo fratello più perfido e impulsivo,» proseguì George «secondo alcuni. Sono l'ultima persona che ti giudicherebbe per esserti concessa qualche attimo rubato tra le braccia di un parroco solitario.»

Qualche settimana addietro, Kirsten avrebbe riso o se ne sarebbe andata seduta stante, insultata dalle insinuazioni di George.

«George, taci.»

«Il modo in cui Banks ti osserva è palese, Kay-Kay. Quelle poche volte che ha pranzato con noi a Belle Maison, ha fatto una gran fatica a non rivolgere lo sguardo nella tua direzione. Riconosco una persona quando è innamorata persa.»

Kirsten era presa, ma non innamorata persa – non del tutto persa.

«Daniel Banks è *sposato*, George. Lo sarà per sempre, e neanche Della è riuscita a scoprire i dettagli dell'allontanamento tra lui e la moglie.»

La *signora Banks*.

Kirsten non l'avrebbe chiamata in quel modo ad alta voce, perché la donna che aveva tradito la fiducia di Daniel non meritava quel titolo.

«Cosa ti ha detto Banks?»

Senza bisogno di parole superflue, Daniel le aveva detto di volerle bene e che se fosse stato libero non si sarebbe frenato. Un bouquet di sentimenti destinato a rimanere nel regno dei sogni e dei desideri, senza neppure avventurarsi nel regno degli sguardi.

«Il signor Banks mi ha detto che mi rispetta» disse Kirsten «e che sua moglie ha sottratto indebitamente fondi sia da sua sorella che dalla chiesa. Immagino che si senta responsabile.»

Sempre meno di quanto si sarebbe sentito un paio di settimane addietro.

«È tanto affezionato a quel bambino e devoto alla sua professione.»

Kirsten non avrebbe mai tradito le confidenze che Daniel le aveva fatto riguardo al piccolo Danny.

«Hai conosciuto lady Fairly, la sorella di Banks?» le chiese George, infilandosi in tasca il fazzoletto ormai polveroso.

«Naturalmente.»

«Ha una notevole somiglianza con suo nipote. Non trovi? Potresti chiedere informazioni a Banks a tal riguardo.»

«Non mi metto certo a ficcare il naso in faccende che non mi riguardano, George, e mi raccomando non evitare la biblioteca nelle prossime settimane solo perché temi di trovarmi sdraiata sul divano blu assieme al parroco. Il signor Banks e io siamo amici e basta. Infine, ribadisco ancora una volta che non mi piace Londra. Tutto qua. Non ho altro da aggiungere.»

Dall'altra parte del giardino, il signor Banks era a capo di un'ordinata fila di sei ragazzini, ognuno accanto al suo pony, e dalla scuderia procedevano verso il grande abbeveratoio vicino alla cisterna.

«Elsie non è rimasta affatto colpita dal mio aspetto» disse George. Questa conclusione strampalata sembrava lusingarlo.

«Non c'è niente di strano, George. Entrambi i miei fidanzati erano considerati uomini di bell'aspetto, eppure neanch'io sono rimasta particolarmente colpita da loro.»

«Ma io sono magnifico! Non credi?» ribatté George. «Lo ha dichiarato lo stesso Byron, opinione confermata da un certo numero di signore e anche da qualche gentiluomo.»

«Sei un bell'idiota stonato come una campana, ecco cosa sei!» rispose Kirsten in tono scherzoso, perché l'aspetto di George era un fardello, più che una benedizione. Richiamava l'attenzione su di un uomo che per indole era timido, dal cuore tenero e sensibile sia con i bambini che con gli animali.

«Quello che sto cercando di dire è che Elsie è mia amica, Kirsten. Ride dei miei tentativi di cantare e non le interessa se ho indosso una cravatta frivola o se addirittura esco senza. Non tollera alcuna critica nei miei confronti da parte di altri, e una volta mi ha sgridato per averle comprato un paio di orecchini. Pensavo che mi piacesse e basta e invece, in un lasso di tempo spaventosamente breve, credo proprio di essermi innamorato di mia moglie.»

E, a quanto pareva, c'era finito anche a letto.

Beata Elsie, e saggia Elsie.

«George, sono felice per te ed Elsie, perché non ho dubbi che i tuoi sentimenti siano ricambiati. Ma cosa c'entra tutto questo con la mia situazione?»

«Vorrei farti capire che la retta via si trova solo nei libri di favole e nei sermoni a messa» disse George. «Non ti sto suggerendo di fuggire con il marito di un'altra donna e portare disonore a un ragazzino innocente. Ti sto solo suggerendo di accettare i regali che sono tuoi senza che nessuno ne abbia a soffrire. Banks è una brava persona, anche se magari non è esattamente la persona giusta.»

«Siamo amici» ripeté Kirsten. «Non avrei mai potuto essere amica di Sedgewick o di Morton, eppure li avrei sposati e avrei commesso un grave errore. Non mi sposerò mai con il signor Banks, anche se...»

«Esatto» disse George. «La vita non è sempre in ordine ed equilibrata. Riflettici mentre io torno a casa a dire alla mia signora che Digby è sopravvissuto a un'altra lezione di equitazione senza rompersi le ossa.»

E fu proprio in quel preciso istante che scoppiò il pandemonio tra i pony e i bambini che cercavano di tenerli a bada.

Poco prima del finimondo, mentre i fanciulli stavano strigliando i loro pony, George Haddonfield aveva preso Daniel in disparte, nel retro della scuderia, dove il conte teneva la sua officina per la lavorazione del legno – anche se in realtà fungeva perlopiù da nascondiglio privato per i suoi appuntamenti segreti.

«Banks,» aveva sussurrato George, «non potete guardarla in quel modo. Non in pubblico.»

Daniel smise di ammirare gli schizzi di una fantasiosa casetta per gli uccelli – o meglio smise di far finta di ammirare.

«Signor Haddonfield, prego?»

La stanza era spaziosa, ma con un uomo della stazza di George che andava avanti e indietro, Daniel non sapeva esattamente dove stare.

«Nel corso dell'ultima ora» proseguì il signor Haddonfield «mentre sei ragazzini se ne andavano in giro saltellando, i pony sollevavano nuvole di polvere e io stavo in mezzo alla pista a sbraitare per incoraggiarli, voi siete rimasto impalato a fare gli occhi dolci a mia sorella.»

«Ve ne siete accorto dall'altra parte del maneggio?»

«Avrei potuto scorgere quei vostri sguardi languidi dagli alloggi della servitù al quarto piano del maniero. Contenetevi, altrimenti Nicholas non potrà più ignorare la situazione.»

Di nuovo lui. Nicholas – il conte, il capo della famiglia, il nobile che teneva in vita Haddondale.

«Invece adesso il conte starebbe ignorando la situazione?»

«Mi ha esortato a tenere d'occhio Kirsten in sua assenza, senza starle col fiato sul collo. Elsie ed io ci fermeremo qui, a Belle Maison, nonostante io e mia moglie abbiamo anche le nostre responsabilità a casa di cui ci dobbiamo occupare.»

Il che veniva considerato come ignorare la situazione ma non le apparenze.

«Mia sorella è stata condotta a un passo dalla rovina da un reverendo lascivo, signor Haddonfield. Pensate veramente che io possa depravare lady Kirsten nello stesso lurido modo e gettare alle ortiche i miei voti matrimoniali?»

Il signor Haddonfield si arrestò. «Non fate il drammatico. Una storiella discreta non è certo un'orgia sotto la luna piena. Non mi interessa affatto sapere cosa combinate con Kirsten in chissà quale dispensa di quale maggiordomo, ma per l'amor di Dio, abbiate un po' più di discrezione.»

Se Daniel avesse avuto intenzione di infrangere quei voti con Kirsten, lo avrebbe fatto su un letto largo e soffice, su lenzuola fresche, dietro una porta chiusa a chiave, e non certo in una polverosa...

Che Dio lo aiuti.

«Vi ringrazio del vostro avvertimento, signor Haddonfield, ma vi posso assicurare che è del tutto superfluo.»

«Molto bene. Fate finta che non abbia detto nulla, allora, ma ricordatevi che la virtù è una compagna di letto molto fredda, signor Banks, e non è mai riuscita ad alleviare nessun cuore affranto. La settimana prossima, venite a fare una passeggiata con me e i bambini.»

Magnifico. Una passeggiata interminabile e faticosa con sei lumaconi a forma di pony, mentre Belzebù avrebbe scorrazzato e saltellato tra un viottolo e l'altro.

«Non vedo l'ora, signor Haddonfield.»

Daniel stava ancora riflettendo sulla sua nuova capacità di raccontare menzogne quando, quindici minuti dopo, condusse i bambini e i loro pony verso l'abbeveratoio.

Danny aveva una buona intesa con Loki, poiché avevano avuto tempo di imparare le rispettive abitudini. Il cavallo grigio di Thomas era tozzo e tarchiato, mentre a Fred e Frank erano stati dati dei cavalli il cui colore spaziava dal grigio al marroncino. Matthias e la sua piccola puledra erano nervosi l'uno in compagnia dell'altra, per cui Daniel li posizionò alla fine della fila. La giumenta, tuttavia, si oppose all'attesa e a forza di spallate si fece avanti lasciando Matthias a tenere la cavezza mentre i pony, indifferenti a quello che era solamente un ragazzino, si spintonavano per passare avanti.

«Non mi vuole dare retta!» gridò Matthias, tirando invano la cavezza. «Non mi ascolta! È cattiva!»

Loki sollevò la testa dall'abbeveratoio, i peli sul mento gocciolavano acqua. La bestiola di Thomas si scagliò contro la giumenta dal lato opposto, e Matthias raggiunse il limite della sopportazione.

«Mi stanno schiacciando» urlò, spingendo sui fianchi dei pony. La giumenta colpì il bambino con la sua parte posteriore. Matthias si divincolò tra due code, e urlò che la maledetta coda del pony gli aveva quasi cavato un occhio.

«Bambini, fermi dove siete!» esclamò Daniel, dal momento che

Matthias aveva mollato la presa. «Matthias, silenzio! Stai spaventando i pony!»

«Ma mi fa male l'occhio! Lo ha fatto apposta, e poi i pony sono stupidi, brutti, e pelosi...»

«Taci, Mattie!» gridò Thomas, e a quel punto anche la giumenta sollevò il capo.

George Haddonfield arrivò a grandi passi da una panchina del giardino, mentre lady Kirsten, grazie a un po' di buon senso, si tenne alla larga da un branco di pony e di ragazzini sempre più irrequieti.

«Matthias Webber,» lo apostrofò George «vai subito da Sua signoria farti controllare l'occhio! Voialtri, badate a...»

Se Daniel fosse stato lucido di mente, anziché invidiare Matthias Webber per il suo essersi appiccicato come un cerotto alla vita di lady Kirsten, avrebbe potuto semplicemente calpestare la cavezza della giumenta, impedendole così di scalpitare oltre.

E invece no. Daniel era un idiota innamorato perso e si chinò tra zoccoli di pony affilati e stivali da bambini per cercare di recuperare la cavezza. Da quel momento avrebbe potuto filare tutto liscio – George stava sistemando i bambini – e invece no: la puledra aveva deciso di approfittare della diserzione del suo padroncino nell'istante preciso in cui Daniel afferrò la corda. La puledra provò a scappare, e mentre Daniel chiuse la presa, la corda gli bruciò il palmo sinistro come un coltello rovente. Afferrò la corda con la mano destra e tirò strenuamente.

«Fermati, maledetta cavalla!»

La puledra si arrestò arrendevolmente, con quei suoi innocenti occhioni castani fissi su Daniel, mentre i sei bambini fissavano la scena con gli occhi strabuzzati e gli altri cinque pony si immobilizzarono.

«Coraggio, bambini» disse il signor Haddonfield con allegria. «Mettiamo i castroni nei loro box. La giumenta pensa di attirare l'attenzione comportandosi in questo modo e la cosa migliore che possiamo fare è ignorarla. Il signor Banks la tiene in pugno.»

Dentro di sé il signor Banks stava lanciando tutte le imprecazioni che un parroco avesse mai udito di sfuggita e inventandosene pure alcune di sana pianta.

«Ci penso io a quella piccola impudente!» esclamò il vecchio Alfrydd, trascinando i piedi fuori dalla stalla. «Ha bisogno di uno con il pugno di ferro, tutto qua. Quel giovanotto lì non ci ha ancora fatto la mano. Vi prego di seguirmi, vostra altezza.»

La giumenta li seguì, sollevando la coda ed esprimendo i suoi sentimenti in direzione di Daniel, come erano soliti fare i cavalli. Matthias allentò la presa su lady Kirsten, il suo spirito evidentemente rinfrancato dalla flatulenza tempestiva del suo pony.

«Cerca di perdonarla» disse Daniel a Matthias. «L'occhio magari ti farà male per un po', ma Freya ha bisogno di sapere che non l'hai abbandonata.» E più che altro, Freya doveva comprendere che non sarebbe riuscita a spaventare il suo signore, il suo addestratore e il suo padroncino semplicemente agitando la coda e battendo i suoi graziosi zoccoli.

«Non mi piace» disse Matthias, sconsolato. «Ho aspettato un sacco di tempo per avere un pony e lei è anche carina ma non mi piace.»

Almeno il bambino non era *sposato* con il suo pony tanto carino e che aveva atteso tanto a lungo.

«I cavalli sono come le persone, Matthias» disse Daniel con una pazienza che non corrispondeva a come si sentiva realmente. «Sono felici se conoscono chi è al comando e sono in grado di rispettarlo, chiunque sia. Freya è l'unica giumenta ed è anche la più piccola, quindi non è tanto sicura, né di sé né di te.»

Matthias si tirò su gli occhiali polverosi sul naso. «Freya non mi rispetta, signore. A casa è la stessa storia. Sono sempre le cavalle a comandare.»

Un fruscio di sottane salvò Daniel dal dover rispondere a quel lamento.

«Nessuno deve comandare nessuno, Matthias, se siamo tutti amici» disse lady Kirsten. «Stasera, quando hai finito i compiti, vieni qui e spiega a Freya che vuoi esserle amico, ma che a nessuno piace un pony che si comporta in modo scorretto. Gli altri pony saranno gelosi delle attenzioni che le riservi, vedrai!»

«Se lo dite voi, mia signora.»

Il piccolo Matthias si allontanò mogio mogio, mentre il palmo di Daniel passò da una sensazione di bruciore a un amalgama di dolore, di pulsazioni e di pizzicore.

«Andiamo, signor Banks» disse lady Kirsten, prendendolo per la mano destra e conducendolo in giardino. «Stavo imprecando a vostro nome prima che George si alzasse dalla panchina. Se il mio intuito non erra, vi si formerà una bella cicatrice.»

«La ferita è fastidiosa» ammise Daniel, avvolgendo un fazzoletto attorno al suo palmo ormai sanguinante. Gli si sarebbe formata di certo una brutta cicatrice, ma al contempo avrebbe avuto anche un bel ricordo.

Tenersi per mano con lady Kirsten era poco avveduto e da stolti, e avrebbe dovuto quantomeno sentirsi un minimo in imbarazzo. E invece no, il tocco della ragazza era balsamo per il cuore di Daniel.

Purtroppo, con ogni probabilità, era l'ultima volta che la teneva per mano.

Attraversarono un giardino senza fiori, oltrepassarono la panchina, si inoltrarono in un giardino secondario, per proseguire attorno al pergolato e poi fiancheggiare siepi spinose lontane dalla fioritura. Per tutto il tragitto, Kirsten camminò mano nella mano con Daniel. Con l'uomo che non avrebbe mai chiamato amore, sebbene lo fosse. La giumenta si era meritata più di un semplice rimprovero e Kirsten meritava di più del semplice camminare mano nella mano con il signor Banks.

E invece...

Abbandonò la presa quando raggiunsero la terrazza sul retro.

«Andiamo in biblioteca» fece la ragazza. «Mia sorella Nita è molto ben informata sui medicinali e ha sempre preferito non curare ferite vicino alla cucina. Se lo preferite, possiamo andare nello stanzino delle erbe.»

Si trattava di uno stanzino piccolo e ordinato nel sottoscala. Nessuno li avrebbe disturbati lì.

«Vada per la biblioteca. Comunque posso curarmi la ferita da solo se mi indicate dove sono i medicinali. Non vorrei recarvi troppo disturbo.»

«Non vi verrà bene da solo e poi non riuscirete a capire tutte le etichette dei medicinali di Nita» disse Kirsten, aprendo le porte francesi che conducevano direttamente alla biblioteca.

«Usiamo la scrivania.»

Il signor Banks prese posto su una delle sedie di fronte alla scrivania. La benda che aveva avvolto intorno alla mano si era inzuppata di sangue. La ferita doveva fargli davvero male.

«Ho imparato la lezione» ringhiò Daniel, guardando torvo il suo palmo martoriato. «Hanno inventato i guanti da indossare quando si lavora con i cavalli proprio per questo motivo. Qualsiasi cavallo si può spaventare all'improvviso, scappare, impennarsi, o fare qualsiasi altra cosa che può rappresentare un pericolo per le mani dell'addestratore. Sciocco da parte mia dimenticare una regola di base.»

Kirsten andò a prendere la scatola che Nita teneva per le emergenze mediche, insieme a delle bende di ricambio.

«Si tratta di una dimenticanza, signor Banks, non siate troppo severo con voi stesso.»

«Ma i guanti sono una parte fondamentale della tenuta di un addestratore di cavalli, come gli stivali che servono per tenere le dita dei piedi al sicuro e per prevenire lo sfregamento dei polpacci o le lacerazioni dovute ai rovi. Come una calza legata al collo da usare come fasciatura nel caso in cui succeda un contrattempo quando si è lontani da casa. O come un cappello che può essere usato per cospargere d'acqua la bestiola nel caso in cui...»

Kirsten appoggiò la scatola sulla scrivania. «Orbene, concordiamo che come la giumenta di Matthias, anche voi siete un caso perso, una vergogna per la vostra specie, uno scellerato che non dovrebbe mai essere autorizzato a mettere piede in nessuna stalla.»

Daniel si ammutolì. Probabilmente avrebbe continuato a criticare e punire sé stesso dove Kirsten non sarebbe riuscita a udirlo. La ragazza prese posto sulla sedia accanto alla sua, allargò diversi lembi di lino in grembo e si appropriò della mano ferita, ormai impiastrata completamente di sangue.

«Tenete la mano bassa,» disse Kirsten «fate scorrere il sangue. Nita ha scoperto che se una ferita sanguina per un po', è meno probabile che si infetti.»

Daniel si sottomise alle direttive della ragazza, sebbene lei percepisse delle rimostranze ribollire nel suo sangue. Erano entrati nella biblioteca dalla terrazza, quindi l'onnipotente e infernale Porta del Decoro poteva dirsi chiusa. Mentre il dannato Divano dei Ricordi Indecenti si trovava direttamente nella visuale di Kirsten.

«Vi fa molto male?» domandò lei.

«Ho sofferto di peggio. L'inutilità della lesione è più dolorosa della ferita stessa.»

Le parole di Daniel erano una metafora di qualche altro aspetto della sua vita. Si riferiva forse al suo matrimonio? La sua mano sanguinava più lentamente adesso, eppure Kirsten non voleva affatto procedere alla fasciatura per poi essere costretta a dargli il commiato.

«Sentirete una sensazione di bruciore» disse lei, stappando una bottiglia marrone che Nita aveva giurato essere un'arma efficace contro gli orrori dell'infezione. C'era il rischio di perdere l'arto con un'infezione del genere se uno fosse stato disattento. Avrebbe potuto rimetterci la vita se fosse stato negligente e testardo al tempo stesso. Kirsten tamponò il sangue e applicò la distillazione di Nita direttamente sulla ferita. Daniel trasse un profondo respiro.

«Non imprecate mai, signor Banks?»

«Cerco di non farlo a voce alta, anche se mi ci sono avvicinato molto di fronte ai bambini.»

Maledetta cavalla. Più delle parole, era stata la forza con cui le aveva pronunciate ad aver catturato l'attenzione sia dei pony che dei bambini. George era rimasto senza dubbio colpito dal ritegno di Daniel. Mentre Kirsten, l'unica cosa che aveva registrato era stato il suo dolore.

«Nita dice che è meglio fare una doppia applicazione» disse Kirsten. «La seconda volta brucia meno.»

«Merito di soffrire per la mia stupidità e per il cattivo esempio che ho dato.»

Oh, per carità. Kirsten lo medicò nuovamente, lasciando che la mistura si raccogliesse nell'incavo del suo palmo e inumidisse completamente la ferita. Gli inclinò la mano, procedendo al lavaggio della ferita con la tintura.

«Dovrebbe pensarci la governante a curarmi la ferita» disse Daniel. «Voi siete la figlia di un conte. Le lesioni da stalla sono al di sotto del vostro...»

«Fate silenzio, Daniel.» Kirsten girò la mano, versando le ultime gocce di disinfettante sulla stoffa che aveva in grembo. «Mia madre si è sempre attenuta alla consuetudine della padrona di casa che si prende cura della sua gente e Nita ha continuato quest'usanza. La governante sarebbe meno esperta di me, perché io ho appreso da mia sorella mentre la governante non saprebbe da che parte girarsi.»

Avrebbe trovato qualcos'altro contro cui inveire, perché al momento, Daniel Banks non era in debito col mondo, con sé stesso o con i suoi compagni di vita. Alla luce di una lunga esperienza, Kirsten sapeva come ci si sentiva.

Gli avvolse la mano con della garza pulita, aderente ma non troppo stretta, proprio come le aveva mostrato Nita. Completata la fasciatura, rimase seduta accanto a lui, mentre con le sue mani cullava la mano fasciata di Daniel.

«Cosa c'è che non va, Daniel? Siete di malumore, e si tratta di qualcosa di più di una semplice arrabbiatura per la cattiva condotta di una giumenta scontrosa.»

Aveva cominciato a chiamarlo per nome quando erano in privato e lui non aveva obiettato. Una piccola consolazione contro tutte le libertà che non avrebbero mai potuto prendersi l'uno con l'altra.

«Non dovremmo starcene qui da soli» disse, con un filo di disperazione nella voce.

«Per l'amor di Dio, se trascurate una ferita del genere, subita nei pressi di una stalla, potreste rimetterci la mano se non addirittura la vita. Che vi prende, Daniel? Sareste pronto a perdere un arto per motivi di decoro?»

Il suo volto cambiò espressione: da furibondo a mesto.

«Avete ragione, mia signora, tuttavia perdere un arto non sarebbe affatto un problema, visto che ho già perso il cuore.»

Kirsten tenne stretta quella confessione, un tesoro da esaminare più tardi in privato, eppure anche lei capì che era stato oltrepassato un limite. Daniel non le stava confessando la sua stima eterna; stava ammettendo l'esistenza di un problema.

«Vorrei quasi che non l'aveste detto» sussurrò Kirsten, rannicchiandosi in avanti sulla sua mano e posando la fronte sul ginocchio virile e ossuto di Daniel. I suoi calzoni da cavallerizzo erano talmente logori che erano diventati morbidi come il velluto, e il camoscio emanava odore di cavallo.

Fece tesoro anche di quelle sensazioni, dal momento che facevano parte della sfera privata di Daniel.

La mano incolume di Daniel sfiorò delicatamente i capelli della ragazza, una carezza che qualsiasi madre avrebbe potuto donare a un figlio adorato.

«George mi ha consigliato di peccare con discrezione» mormorò Daniel. «Vostro fratello ha detto che non è difficile riconoscere due persone innamorate perse.»

Ucciderò mio fratello. «George è di indole tollerante e ha tutte le buone intenzioni. Anche con me si è raccomandato di peccare con discrezione.»

Un'altra carezza delicata ai capelli della ragazza. Come amante, doveva essere la personificazione della tenerezza.

«Mia signora, tentiamo il destino con una vicinanza continua, eppure so che vi spaventa l'idea di un'altra stagione londinese.»

Con che dolcezza la toccava mentre chiudeva più porte tra loro.

«Non chiedetemi di farlo» disse Kirsten, anche se nel caso in cui Daniel le avesse chiesto di andare, lei se ne sarebbe andata. Non certo a Londra, ma poteva sempre imporre la sua presenza a uno dei suoi fratelli. Ethan aveva due bambini piccoli e una notevole tolleranza per le sorelle di indole acida.

«Mi sono detto che l'amicizia con voi non è tanto una consolazione,» disse Daniel «quanto un vero e proprio miracolo, e noi *siamo* amici. Ciononostante, siete anche una ragazza adorabile e tanto cara, e non vorrei causarvi ulteriore tristezza, per nessuna ragione al mondo.»

Kirsten si raddrizzò per non mettersi a singhiozzare sul suo ginocchio. «Un altro dei vostri rifiuti ben intenzionati, signor Banks» Non voleva essere rispedita nella stalla, come la giumenta disobbediente di Matthias, perché non aveva fatto nulla di male *e neppure Daniel.*

Daniel aveva bisogno di alleati. In un certo senso, anche Kirsten aveva bisogno di lui, dei suoi allievi e di non essere mai più trascinata in quell'inferno di Londra.

«Vostra moglie è fedele ai voti matrimoniali e ai suoi doveri familiari?» domandò lei.

«Non ne ho idea, ma un divorzio basato su uno scandalo – o su un qualsiasi altro pretesto – mi costerebbe la carriera, lasciandomi senza una professione, e travolgerebbe il piccolo Danny di pettegolezzi.»

Affinché un uomo respinga l'idea del divorzio, deve quantomeno averla presa in considerazione, cosa che, a quanto pareva, Daniel aveva fatto in qualche momento di disperazione.

«L'annullamento?»

«Creerebbe meno scandalo, ma perderei ugualmente il mio mestiere.»

«Vi siete informato bene?»

Daniel osservò le loro mani unite: la sua fasciata con una garza bianca e le dita di Kirsten intrecciate lievemente intorno alle sue in segno di rispetto nei confronti della sua ferita.

«Gli annullamenti devono essere risolti dai vescovi. Se esco dalla Chiesa, sarà difficile trovare lavoro di qualsiasi tipo, e non posso rispedire Danny alla mercé del visconte: è già stato sballottato fin troppo quel bambino.»

Daniel aveva riflettuto a fondo, e anche Kirsten. Ritirò la mano e anche Daniel, seguendo il suo esempio, tolse la sua dalle ginocchia della ragazza.

Come lui, anche Kirsten aveva perso il cuore, ma in compenso il suo buon senso era rimasto intatto. E voleva che anche la loro amicizia rimanesse intatta, perché non avrebbe mai chiesto a Daniel di scegliere tra lei e il bambino.

«Anziché far rimanere George ed Elsie qui,» disse lei «li visiterò quando le mie sorelle andranno a Londra. Verrò spesso a Belle Maison per sincerarmi che non ci sia nessun problema con le faccende domestiche. Non rinuncerò al mio tè del giovedì con i bambini e continuerò a prepararvi dei manicaretti.»

Daniel si alzò. «Vi ringrazio, lady Kirsten. Confido che viaggeremo ancora in carrozza insieme per andare a messa e che ci incontreremo a qualche partita di cricket?»

La sua gentilezza la commosse con una prepotente intensità.

«Naturalmente.»

Avrebbero avuto dei momenti di incontro anche nelle biblioteche con le porte spalancate o in Chiesa mentre l'intera contea si godeva la scena. Incontri di quel tipo gli avrebbero scaldato il cuore.

Kirsten piegò la garza sporca e rimise la scatola sull'apposito ripiano.

«Troverete una scatola simile nella biblioteca della vostra abitazione,» disse lei «e faremo in modo di procurarvene una anche per la canonica. Dovreste ricordare di applicare il contenuto della bottiglietta marrone con una R impressa sul tappo di sughero tutti i giorni quando vi cambiate la fasciatura. Ralph vi può dare una mano, ma fategli lavare le mani con il sapone alla soda caustica prima.»

«Avete già avviato i lavori alla canonica, quindi?» Daniel ebbe la grazia di sembrare semplicemente curioso e di non lasciare trapelare la sua speranza.

«Nicholas darà avvio ai lavori prima di partire per Londra.»

La notizia era un'altra cortesia del servizio di spionaggio domestico di lady Della Haddonfield.

«Se vi azzardate a dire *meno male*, vi mando a quel paese, Daniel.»

O avrebbe pianto. Forse avrebbe fatto entrambe le cose.

Daniel si alzò, un uomo molto elegante, in tenuta logora da equitazione, e risplendente della propria virtù. Kirsten lo voleva senza quella tenuta indosso, ma non lo avrebbe certo privato della sua virtù.

«Vi chiedo solo un favore, Daniel.»

«Qualsiasi cosa.»

«Verificate se avete le basi per l'annullamento del matrimonio. Se dovrete negoziare i termini di una separazione informale da vostra moglie, un'informazione del genere potrebbe rivelarsi pertinente. Le dareste un vantaggio qualora trascuriate di investigare la vostra situazione da un punto di vista legale.»

«Sono quasi sicuro della risposta, ma ho già inviato una missiva al mio vescovo, mia signora.»

Kirsten aveva assistito a molteplici negoziati per i suoi due accordi matrimoniali, e suo padre si era assicurato che la ragazza avesse compreso esattamente a cosa avessero acconsentito le parti in causa e perché.

Benedetto papà. «Daniel, sareste tentato di perseguire l'annullamento se sussistessero le basi?» Era forse quello il problema più grave?

Si allontanò dalla scrivania, spostandosi di nuovo verso le porte francesi. «Non perseguirò la strada dell'annullamento, non se dovesse avere un ulteriore impatto su Danny. Quella povera creatura ha già sofferto abbastanza. Non lo farei mai, neanche se sussistessero le basi, se avessi i soldi necessari, le giuste conoscenze ecclesiastiche, e un lavoro dignitoso fuori dalla Chiesa.»

Una lista. Una lista scoraggiante. In fondo alla quale c'era l'unico vero imperativo categorico: Daniel non doveva perdere la sua reputazione all'interno della Chiesa.

La disperazione, vecchio nemico di famiglia, conficcò di nuovo i suoi artigli nel cuore di Kirsten.

«Quando avrò la certezza che qui fili tutto liscio, forse farò una visita a Ethan e Alexandra nel Surrey. Beckman sostiene che Three Springs è al suo meglio d'estate, e io ho un nuovo nipote da viziare anche lì, e poi i figli di Ethan sono assolutamente incantevoli.»

Daniel appoggiò una spalla contro lo stipite della porta francese, pareva più abbattuto che disinvolto.

«Siete maggiorenne, mia signora, come ho avuto occasione di ricordare al conte. Dovete fare come meglio credete.»

Un'altra dose letale di gentilezza. Daniel non le avrebbe chiesto di rimanere.

«Vada per il Surrey, allora.» Perché Ethan non avrebbe di certo messo in discussione la decisione di Kirsten di andare in esilio.

Era già alla porta, con il fazzoletto in mano, quando Daniel le impose un'ultima, terribile gentilezza.

«Buon viaggio, mia signora. *Mi mancherete* e vi terrò sempre, sempre nelle mie preghiere.»

12

Negli anni Daniel aveva appreso che il dolore variava con l'età e di intensità, un po' come gli spiriti.

Il dolore del tradimento di Olivia era vecchio ed enorme, come un tasso vetusto e, proprio come quell'albero, i suoi rami si erano fatti esili e filiformi, con poche foglie, nonostante le radici fossero complesse e di vasta portata.

A tempo debito e con la giusta determinazione, Daniel avrebbe potuto abbattere quel dolore e ridurlo a un tronco di rimpianto e indifferenza.

Avrebbe dovuto pensarci prima.

Avrebbe dovuto vederci con più chiarezza.

Avrebbe dovuto dare retta a suo padre.

Avrebbe dovuto sviluppare delle abilità che gli permettessero di lavorare fuori dalla Chiesa, giacché un uomo facoltoso avrebbe avuto sicuramente più alternative rispetto a un uomo di chiesa.

Le orme di lady Kirsten svanirono, sebbene il ricordo del suo fazzoletto bianco stretto in un pugno di dolore avrebbe accompagnato Daniel per sempre: una bandiera in segno di resa, bianca come la fasciatura che avvolgeva la mano destra di Daniel. Non era riuscito a proteggere una donna gentile e cortese dal dolore, proprio come in passato non era riuscito a proteggere sua sorella dagli intrighi e dalle manipolazioni di Olivia.

George Haddonfield attraversò il giardino a grandi passi, gli stivali impolverati e la giacca da equitazione in spalla. Non poteva, naturalmente, fermarsi sulla terrazza per godersi il tepore primaverile; doveva entrare direttamente in biblioteca, probabilmente per dispensare altri consigli su come peccare con discrezione.

«Come va la ferita?» George era un veterano delle sale da ballo londinesi e, come il conte, era anche un bravo fratello. Daniel lo odiava quasi per questo.

«La *mano* guarirà. Voglio sperare che i pony siano tornati nelle stalle a mangiucchiare fieno.»

«È quello che sanno fare meglio» disse George, passando accanto a Daniel e proseguendo per la biblioteca. «Qualcosa da bere?»

«Magari.»

«È stata Kirsten a curarvi la ferita?»

«Sua signoria sta prendendo in considerazione l'ipotesi di fare una visita alla tenuta di vostro fratello Ethan nel Surrey.»

George passò a Daniel due dita di brandy fragrante. Daniel ingollò il liquore in un unico sorso e restituì il bicchiere. Subito dopo sentì un calore ardente diffondersi verso i suoi organi vitali, un dolore legittimo e lenitivo.

George si versò un goccio di liquore e rabboccò il bicchiere di Daniel.

«Volete prendervi una sbornia, Banks?»

«È un'ipotesi allettante, devo ammetterlo» rispose Daniel, ritagliando del tempo per degustare olfattivamente questo secondo bicchierino di brandy. Il bouquet del liquore conteneva un accenno di mele e di rose, accentuato dall'olezzo del fumo di legna.

Maledetto fumo di legna. Era il primo odore che Daniel aveva associato a lady Kirsten.

«Resistete alla tentazione?» domandò George. «Che sant'uomo che siete! Ma che noia! Domattina indosserete ancora quel collarino, la signora Banks sarà in cammino verso Nord, e Kirsten farà i bagagli per il primo di molti viaggi di lunga durata.»

Tutto vero. «Non ho intenzione di prendermi una sbornia. Non voglio mica farmi venire un mal di testa come se qualcuno mi avesse colpito con un piccone.»

George rimise il tappo alla bottiglia. «Ah, quindi sapete come ci si sente dopo! Non siete uno stinco di santo, allora. Di tanto in tanto avete esagerato anche voi!»

«Sono andato all'università, signor Haddonfield» disse Daniel, cercando di tagliare corto. «Personalmente, ritengo che l'affetto non corrisposto non sia altro che un'altra croce da sopportare. Nessuno in questa vita ha tutto ciò che desidera. Ci struggiamo, languiamo di desiderio e poi voltiamo pagina. Tuttavia, non posso tollerare che una donna che non ha fatto nulla per meritare una simile delusione debba ora sopportare il dolore di un cuore spezzato per colpa mia.»

George si mise a braccia conserte come un maestro paziente.

«Siete davvero una persona speciale, Banks. La maggior parte degli uomini che conosco non riescono a essere così onesti a meno che non siano ubriachi, a tarda serata e circondati da gente altrettanto brilla. Vogliamo spostarci sulla terrazza a sorseggiare il nostro brandy? Mi faranno storie infinite se inzacchero i tappeti di fango.»

Daniel avrebbe avuto la coscienza sporca se avesse permesso a George di farlo ubriacare. George lo seguì sulla terrazza, anche se lo splendore bucolico di un pomeriggio primaverile nel Kent non era sufficiente a edulcorare i sentimenti contrastanti che provava Daniel.

George, mezzo seduto e mezzo appoggiato alla balaustra di pietra, era bello ed elegante perfino nella sua tenuta da equitazione tutta stropicciata. Riusciva a tenere il bicchiere in mano in modo raffinato, e la brezza faceva ondeggiare i suoi capelli con altrettanta eleganza.

«Vi siete mai innamorato, Banks?»

«Della mia carriera, sì.» O meglio, questo era quanto Daniel aveva voluto disperatamente credere.

Il brandy riuscì a consolarlo, non perché offuscasse il senso di rabbia e frustrazione che provava Daniel, ma semplicemente per il fatto che qualsiasi uomo mortale ci avrebbe bevuto su. La commiserazione di George probabilmente era un'altra consolazione che una persona normale si sarebbe concessa.

«Vi meritate di essere compatito, allora» disse George, facendo roteare il suo drink. «Il vostro lavoro non può ricambiare il vostro amore. Non si può fiondare giù tra le vostre gambe quando state cercando di sviluppare un bilancio preventivo per la vostra impresa di allevamento ovino e farvi dimenticare cosa sia una pecora. Il vostro lavoro non può fare affidamento su di voi e chiedervi aiuto per trovare un nome per il pony. Insomma, la carriera non può essere una compagna di vita, signor Banks.»

«Amatevi l'un l'altro» mormorò Daniel. Presumibilmente, la risposta ad ogni enigma posto dai vescovi e dai precettori sulla strada verso l'ordinazione.

Peccato che... Daniel amava Kirsten Haddonfield e sospettava che anche lei ricambiasse il suo amore, il che era un po' come un serpente che si mordeva la coda.

Olivia si ergeva tra Daniel e Kirsten in senso legale, ma la Chiesa si frapponeva tra loro in un modo più pratico, dal momento che nessuno avrebbe impiegato un parroco implicato in uno scandalo.»

«Alfrydd pare esagitato» disse George, posando il suo drink mentre il suo stalliere capo si precipitava attraverso il giardino.

A Daniel non importava nulla di Alfrydd. Un pony ingordo aveva preso a calci un altro pony, i bambini avevano messo dei rospi nel refettorio. Non aveva alcuna importanza. Daniel cercò di concentrarsi invece sul barlume di intuizione che si insinuava nel suo cervello tra nebbie di rimpianto. Qualcosa sul fatto di amarsi l'un l'altro e sull'idea che Olivia non fosse il vero problema.

«Signor George, signor Banks!» ansimò Alfrydd. «Un fantino è sceso da Londra con questa missiva per voi!»

Alfrydd consegnò al parroco una lettera sigillata, la cera una macchia scura contro la pergamena.

«Non riconosco il sigillo» disse Daniel, sebbene la cera nera fosse riservata per comunicare notizie di morte o di malattie gravi.

«Grazie, Alfrydd. Ti faremo sapere se abbiamo bisogno di aiuto» mormorò George, prendendo Daniel per un braccio e riportandolo in biblioteca.

«Aprite pure la lettera» disse George, sottraendo con delicatezza il bicchierino dalle mani di Daniel. «A meno che non vogliate che la legga io?»

Daniel avrebbe voluto che ci fosse Kirsten al suo fianco. Quel pizzico di lucidità, ce l'aveva ancora.

«Siate così gentile, non ho gli occhiali.» Oltre a non avere la prontezza mentale e la comprensione di quale fosse il senso del suo mestiere. Quella perdita, per quanto temporanea, era pericolosamente sopportabile.

George ruppe il sigillo. Trascorse un momento di silenzio mentre Daniel cercò di carpire qualche segnale per indovinarne il contenuto. Forse qualcuno era deceduto a Little Weldon, o forse il vescovo si era ammalato gravemente. Se così fosse, gli sarebbe dispiaciuto: il vescovo Reimer era una cara vecchia anima piena di allegria, tolleranza e ogni tanto qualche parolaccia un po' colorita.

«Banks, mi dispiace tanto» disse George, passandogli la missiva. «Vi faccio le mie condoglianze più sentite per la perdita di vostra moglie.»

Il silenzio che ne seguì fu al contempo assenza di suoni e frastuono di emozioni contrastanti.

Daniel lesse le parole, poi le lesse di nuovo.

La signora Olivia Banks, un tempo residente a Little Weldon, è deceduta nella casa del suo cugino di secondo grado, Bertrand Carmichael, mentre viaggiava a sud di West Riding. Prima di morire non ha sofferto a lungo e ha voluto rivolgere un ultimo saluto al marito.

***

La luce del sole scintillava sul bicchierino che fino a qualche attimo prima Daniel aveva cercato con determinazione di prosciugare.

George Haddonfield, preoccupato, era rimasto nello stesso punto in cui si trovava quando aveva passato l'epistola a Daniel. All'apparenza la scena sembrava identica, ma in realtà era cambiato tutto.

«Le mie più sentite condoglianze» mugugnò George.

Non una parola per il bambino. Non una richiesta di perdono o di benedizione, ma soprattutto neanche un saluto per il piccolo Danny che Olivia aveva conosciuto sin dalla nascita e aveva cresciuto come se fosse suo figlio.

Daniel avrebbe dovuto provare un odio infinito nei confronti della sua ormai dipartita sposa per quella sua dimenticanza, sebbene il fatto che avesse ignorato il bambino era semplicemente in linea col suo infinito egoismo.

«Banks, vi volete sedere?»

Daniel fissò la lettera mentre frugava tra le sue emozioni, sperando di trovare dolore, perdita, afflizione, lutto o qualsiasi altra emozione adatta alle circostanze.

E invece l'unica sensazione che riuscì a provare fu quella di sollievo.

«Ho lasciato il reverendo in biblioteca» disse George. «Se Nicholas fosse nei paraggi, lo andrei a chiamare, ma è fuori ad acquistare un cavallo per Leah. Non voglio lasciare Banks da solo. È proprio vero, quando viene a mancare un coniuge, non si sa mai cosa dire.»

Kirsten aveva in programma di trasferirsi da Ethan a tempo indeterminato. Se George non fosse stato così agitato, avrebbe potuto notare il disordine nella sua stanza di solito precisa e ordinata. La ragazza gettò un'amazzone blu pallido in un baule già mezzo pieno. Poi si rese conto che avrebbe dovuto riappendere quella maledetta cosa al suo posto.

«Il signor Banks dovrà parlare con suo figlio» disse Kirsten. Daniel avrebbe dovuto abbracciare il piccolo e dargli questa tragica notizia in un modo che avesse senso. «Per il momento non dire niente agli altri bambini, George, ma informa pure Ralph, Susannah e Della.»

Il guardaroba di Daniel avrebbe avuto bisogno di fasce nere da portare al braccio in segno di lutto.

«È un completo molto seducente» osservò George, passando le dita sull'orlo dell'abito scartato. «Il blu si abbina perfettamente ai tuoi occhi. Non credo di averti mai visto indossare questo capo.»

«E mai mi vedrai. Susannah se ne è fatta fare uno molto simile, non l'ho mai messo per non sembrare che volessi copiare il buon gusto di mia sorella. Vai pure a chiamare Danny, ma prima concedimi qualche minuto con suo padre.»

Che era seduto da solo nella biblioteca.

«Hai scartato questo capo solo perché non volevi eclissare Suze» chiosò George, appendendo l'amazzone sullo sportello aperto dell'armadio della sorella.

«Sei proprio un'imbrogliona Kirsten Haddonfield. Vai ad accudire e coccolare il parroco e, per l'amor di Dio, apprezza quello che è successo. Per una volta, la divina provvidenza si è rivelata utile.»

Kirsten non era per niente compiaciuta. Era preoccupata per un uomo al quale d'un tratto era stata sottratta una moglie indifferente e una prolungata penitenza.

«George, non essere così insensibile. È morta una donna e, per quanto malvagia possa essere stata, non dovresti essere così cinico.»

E comunque, apprezzare non era la parola giusta. Kirsten era sollevata che per Daniel fosse finito il calvario del matrimonio, quello sì, ma al di là di ciò, era solo triste e preoccupata.

«Non devi fare l'ipocrita» disse George, stirandosi l'abito con le mani. «La disonestà non è nella tua indole, e ti meriti un uomo che ti valorizzi per il tesoro che sei. Adesso vado. Porterò Danny in cucina con il pretesto di una tazza di latte e qualche biscotto al cioccolato.»

Una delle merende preferite di George.

«Grazie» disse Kirsten, abbracciando suo fratello. «Il tuo cuore gentile è adorabile, così come lo è tutto di te d'altronde.»

«Elsie dice la stessa cosa, anche se in realtà impazzisce per il mio...»

«Vattene adesso!» Kirsten lo spinse verso la porta. «E grazie, George.»

Kirsten doveva chiamare la cameriera per appendere i vestiti, doveva pensare a cosa dire a Daniel, doveva inspirare profondamente per trovare un po' di compostezza e assumere un'espressione di compassione, dal momento che Olivia Banks, che chiaramente era stata un'anima tormentata, era ormai passata a miglior vita.

Daniel era rimasto vedovo, cosa che non si sarebbe mai augurato, neanche nelle sue peggiori fantasie o nei suoi sogni più belli.

Perché questo era Daniel: un uomo dal cuore d'oro.

Kirsten era alquanto confusa. La morte di qualcuno era pur sempre un evento spiacevole. Una luce spenta, una vita finita.

Ciononostante, quasi volò giù per i gradini verso la biblioteca, entrando senza nemmeno bussare e, quando trovò Daniel seduto sulla poltrona da lettura preferita di Nicholas, si fermò sul tappeto a metà strada.

Il parroco aveva un'espressione calma e un atteggiamento rilassato. Sembrava quasi che aspettasse la carrozza per andare a messa. Fu proprio questa sua solitudine, questo isolamento riservato e stoico a lacerarle il cuore.

«Mi dispiace, Daniel. Davvero, mi dispiace tanto.»

Si alzò. Dopotutto una signora era entrata nella stanza e le buone maniere andavano pur sempre rispettate.

«Grazie, Kirsten. Una notizia giunta come un fulmine a ciel sereno. Qualcuno dovrà dirlo a Danny e alla... alla famiglia di lei.»

«George vi porterà qui il bambino.» Daniel piegò una singola pagina di pergamena e, nonostante le sue mani apparissero ferme, il foglio tradiva un leggero tremore.

«Carmichael non sapeva dove trovarmi. Olivia è stata sepolta nel lotto di proprietà della famiglia di lui nell'Oxfordshire. Avevo lasciato le indicazioni su dove trovarmi al vescovo Reimer, ma nessuno a Little Weldon ha pensato di inoltrare...»

Kirsten si lanciò contro di lui e lo cinse con le sue braccia. «Basta. Smettetela. Non cercate di essere così nobile e sempre razionale. Basta pensare. Non servirà a niente, Daniel. Ci sarà tempo in un secondo momento per pensare. È orribile che Olivia sia deceduta adesso, con questioni irrisolte e tanto da perdonare. Nutro quasi dei sentimenti di odio nei suoi confronti per aver abbandonato la battaglia in questo modo e non provate neanche a dirmi che il mio non è un comportamento da buona cristiana. Pur essendosi comportata in maniera disdicevole, si merita ugualmente la nostra compassione, questo sì, però anche voi avete il sacrosanto diritto di essere infuriato con lei.»

Daniel abbracciò la ragazza con molta cautela, come se stesse abbracciando un cespuglio pieno di spine.

«Siete turbata» osservò il reverendo.

Il cordoglio inebetiva le persone. Kirsten era stata addolorata per il futuro che non avrebbe mai avuto, per i bambini che non avrebbe mai amato e per il marito al fianco del quale non avrebbe mai giaciuto.

«Sì, Daniel. Sono turbata.»

«Anch'io lo sono. Di tutte le possibilità, le eventualità e gli eventi futuri ai quali mi ero preparato, questo non era uno di quelli. Tutto ciò a cui riesco a pensare è al piccolo Danny, che per mesi ha vissuto ogni singolo istante di veglia con il terrore che Olivia andasse a prenderlo.»

Kirsten avrebbe voluto scuotere l'uomo tra le sue braccia, ma concentrarsi su Danny era semplicemente il gesto di una persona che stava annegando nello smarrimento.

«Danny sa di essere al sicuro qui» come lo era anche Daniel.

«Immagino che Olivia avesse problemi di salute?»

La mano di Daniel accarezzò la spalla di Kirsten. Sotto l'orecchio, il battito del cuore di Daniel era rassicurante, costante e forte, sebbene Kirsten non riuscisse proprio a capire perché avesse bisogno di rassicurazione.

«Un'influenza virulenta. Carmichael ha convocato i medici, ma alcune malattie non ammettono nessun trattamento. Almeno non ha sofferto a lungo.» Probabilmente Olivia avrebbe sofferto per l'eternità, invece, povera anima tormentata.

«Dovreste dirlo a Danny» fece Kirsten, indietreggiando.

Daniel era ancora troppo magro, tutto muscoli e ossa, nessuna riserva di grasso propria anche degli uomini più tonici.

«E dovrete scrivere anche delle lettere. Domani ai bambini ci penseremo io e Ralph, mentre voi ve ne andrete a fare una bella cavalcata. Se volete, manderò George con voi.»

Poco prima Kirsten aveva fatto una scenata, gettando alla rinfusa abiti nel baule, imprecando, piangendo e inveendo contro l'Onnipotente. Probabilmente adesso somigliava alla strega della palude. Sfiorandola con le dita, Daniel le accarezzò la guancia che, in qualche modo, era diventata umida.

«Non state in pena, mia signora. Andrà tutto bene. Porterò fuori Belzebù e domani andrò da mia sorella.»

«Dovreste portare Danny a far visita al suo pony dopo cena.»

Daniel le passò il suo fazzoletto, un quadrato bianco, semplice e logoro, morbido sulla sua pelle quando si asciugò gli occhi.

«Una visita alla stalla è un'ottima idea!» Lo sguardo di Daniel mancava della qualità lontana e distratta di qualche attimo prima, e non sembrava affatto turbato.

«Non vi crucciate, mia signora. È vero, non amavo mia moglie come avrebbe dovuto amarla un marito. Ma se è per questo non la odiavo neanche. La sua scomparsa è una benedizione per me e per il piccolo Danny, ma soprattutto, forse, per lei. Era profondamente infelice e lo era stata per la maggior parte della sua vita.»

Kirsten aggiustò il nodo della cravatta di Daniel spostandolo al centro mentre il suo cuore fu pervaso da una sensazione di sollievo.

«Siete riuscito a tirarlo fuori. Quello che provate, intendo dire.» E Daniel non provava alcun rimorso.

«Per adesso, sono riuscito a elaborare come mi sento. Mi dispiace che Olivia si sia ammalata, per lei. Mi dispiace anche che le cose fra di noi non siano andate per il verso giusto, ma era quasi un anno che non ci vedevamo e che non ci mandavamo lettere che non fossero un puro scambio di formalità. Sono contento di essere vivo e sono altrettanto lieto che anche voi siate viva.»

Gioire di essere vivi non era certo un vanto. Kirsten stava cercando un modo di applaudire ai sentimenti di Daniel quando George fece entrare il piccolo Danny nella biblioteca.

«Abbiamo fatto sparire tutti i biscotti al cioccolato» annunciò George. «Danny ha un appetito da leoni.»

«In questo ha preso da me» disse Daniel. «Danny, dobbiamo fare due chiacchiere io e te. Vuoi venire con me da Belzebù?»

«Certo, papà. Il signor Haddonfield mi ha dato delle zollette per Loki, ma posso darne un po' anche a Belzebù.»

«Bravo campione.» Daniel allungò una mano verso il bambino e quando il piccolo strinse le mani lo sollevò e se lo mise sulle spalle a cavalluccio. «Signor Haddonfield, lady Kirsten, grazie di tutto.»

Un momento dopo il reverendo e il bambino avevano oltrepassato le porte francesi e stavano attraversando il giardino.

«Se la caveranno» disse George, passando un drink a Kirsten. Dall'odore pareva brandy – il suo liquore preferito. «Sembra che io sia avvezzo a versare dosi di medicinali ultimamente.»

«Ti vuoi unire a me?» domandò Kirsten, accomodandosi sulla poltrona da lettura di Nicholas.

«Non mi dispiacerebbe affatto.» George ingollò il liquore in un unico sorso.

«Banks ha il dono della lucidità morale, più di ogni altro uomo che conosca, ma deve essere stata ugualmente una bella batosta.»

«Non si sta vantando, George, né tantomeno crogiolando nei rimorsi. Direi che è la rotta più ragionevole che potesse tracciare.» Altroché, Daniel aveva varcato la soglia della santità, riconoscendo che Olivia era stata una creatura sofferente.

Kirsten bevve un altro sorso di brandy. *Lei* era stata infelice? E per cosa?

L'incapacità di generare eredi per qualche nobile sciocco e baldanzoso? Strano, come il senno di poi riusciva a trasformare dei disastri apparenti in incidenti sfiorati.

George si appropriò del drink di Kirsten e ne bevve un sorso. «La cosa più giusta sarebbe che Banks ti facesse una proposta di matrimonio entro la fine del mese. Accade sovente che i vedovi si risposino subito dopo aver perso un coniuge, soprattutto se ci sono di mezzo dei bambini piccoli.»

Mentre le vedove dovevano attendere almeno un anno, onde evitare che i figli del loro defunto marito nascessero col cognome di un altro uomo.

«Non auspico che Dan... che il signor Banks mi sposi solo perché è in lutto.» Per una moglie che non amava più?

«Non voglio diventare la moglie di qualcuno solo perché sono la figlia di un conte, perché ho una buona dote, o magari perché un matrimonio del genere sarebbe un buon tornaconto.»

Kirsten voleva sposare un uomo che amava e dal quale era corrisposta, con cui avrebbe potuto costruire qualcosa di significativo.

George si gettò sul divano blu. «Tu vuoi sposare Banks.»

Non era una domanda.

«Sì. Voglio sposare il signor Banks. Penso che potremmo essere felici insieme.» Avere un bambino piccolo da amare e coccolare rendeva la prospettiva ancora più allettante.

«Sarebbe un duro colpo per quei cialtroni a Londra» sussurrò George. «Pensa! Tu, figlia di un conte, che rifiuti l'erede di un conte e un visconte per andare a vivere in una canonica. Santo Cielo! Non oso immaginare!»

Sedgewick e Morton sapevano qual era la verità che si celava dietro il 'rifiuto' di Kirsten, tuttavia non avrebbero pronunciato una parola riguardo a quella presunta verità dal momento che una rivelazione del genere li avrebbe messi entrambi in cattiva luce.

«Non mi importa di Sedgewick e Morton, George. Se li avessi sposati, li avrei strangolati nel giro di una settimana. Almeno la vita in canonica ha un senso.»

Una vita piena d'amore, purché Danny e il piccolo Daniel avessero dimorato nella canonica. E forse anche gli allievi di Daniel potevano vivere con loro. In futuro, forse, ci sarebbero stati anche altri bambini, dato che spesso i pastori venivano chiamati a crescere dei trovatelli. Kirsten stava quasi per brindare a quell'idea con il suo bicchiere mezzo pieno.

«È tanto tempo che non ti vedo così serena» disse George. «E su questa positiva evoluzione, mi congedo. Se Banks ha bisogno di qualcuno che gli faccia compagnia, sono disponibile.»

«Sciò! Cupido!» disse Kirsten in tono scherzoso. «Dai un bacio a Elsie e ricordati di tornare di nuovo martedì prossimo, se non prima.»

George le diede un bacio sulla guancia e la lasciò con il suo brandy. Ma anche – dopo aver fatto una piccola preghiera per l'anima della defunta – a trasognare una canonica piena d'amore e di bambini felici.

Le condoglianze da Little Weldon arrivarono per corriere nell'arco delle settimane successive. Sopraggiunse intanto la primavera, il mondo sereno e intento a far crescere nuova vita, nuove colture e nuove speranze. Anche le speranze di Daniel crebbero: uno spiegamento del suo spirito che lo riempì di urgenza e meraviglia ogni volta che il suo cammino incrociava quello di lady Kirsten. La sua posizione di parroco si fece più concreta quando battezzò tre anime indifese che gridavano a squarciagola, ognuna delle quali probabilmente era stata concepita nel corso di rituali pagani celebrati l'estate precedente.

Daniel presiedette alle esequie finali della zia del signor Clackengeld, che era talmente anziana che nessuno sapeva quanti anni avesse di preciso. L'unica cosa certa era che aveva lasciato il suo nipotino affetto da gotta incredibilmente ben sistemato.

Gli allievi di Daniel col tempo si abituarono alla routine. Fecero tutti progressi, tranne Matthias che rimase riservato, scontroso e in conflitto con la sua giumenta.

«Vieni, Matthias» disse Daniel un venerdì pomeriggio dopo un altro ciclo di esami in cui il bambino non era andato molto bene. «Hai fatto notevoli progressi a cavallo e si dà il caso che Belzebù abbia bisogno di sgranchirsi un po' le gambe.»

«Sì, signore. Vado a prendere i miei stivali.» Matthias non fu mai apertamente irrispettoso, ma non era nemmeno un bambino che sprizzava gioia. Nei fine settimana, Daniel e Danny uscivano insieme a cavallo, mentre gli altri bambini non andavano mai da nessuna parte senza George Haddonfield o uno degli stallieri con più esperienza. Nel caso di Matthias, Daniel aveva programmato quell'uscita per poter scambiare due parole con il bambino e non sarebbero stati seguiti da nessuno stalliere.

«Dov'è Freya?» domandò Matthias quando arrivarono nel cortile della scuderia.

«Freya non si unirà a noi. Io monterò su Belzebù e tu su Buttercup. Il conte non ha avuto molto tempo di portarla fuori ultimamente e gli ho detto che i miei allievi sarebbero stati lieti di aiutare.»

Matthias imbrattò col pollice la lente davanti al suo occhio destro.

«Buttercup è la giumenta del conte!» Oltreché il più grande cavallo da corsa della contea.

«Bisogna farle fare un po' di esercizio,» disse Daniel «perché deve essere forte per riuscire a portare uno della stazza del conte. Su, monta, salta su!»

Gli stallieri avevano impiegato metà mattina per trovare la giusta combinazione di attrezzatura idonea al cavallo enorme e al bambino piccolo, ma quando Daniel e Matthias uscirono dal cortile della scuderia, i piedini di Matthias erano posizionati in staffe perfettamente regolate e il suo sedere in una sella le cui dimensioni erano state adattate a quelle di un bambino.

«Dammi gli occhiali» disse Daniel. «Se dovessero scivolarti dal naso, Buttercup potrebbe inavvertitamente calpestarli.»

«In realtà dovrei sempre portarli, signore.»

Matthias era a un livello di ribellione come non gli era mai successo prima.

«Ne hai un altro paio, Matthias?»

«No, signore. Sono gli occhiali di riserva di papà. Non li devo assolutamente rompere.»

Bene, allora. «Riesci a vedere la strada senza occhiali?»

«Sì, signore.»

«Perfetto, allora passami pure gli occhiali. A condurti penserà Buttercup.»

Matthias passò gli occhiali a Daniel. Se si fosse trovato sul pony, avrebbe dovuto alzarsi allungandosi sulle staffe per arrivare a dare gli occhiali al parroco.

«Buttercup è molto più grande di Freya» osservò Matthias. «In groppa a Buttercup sono perfino più alto di voi, signor Banks.»

«Lo puoi dire forte. Ti dispiacerà quando arriverà la pausa estiva, Matthias?»

Un silenzio infelice si formò mentre i cavalli procedevano al passo su solchi paralleli in uno dei sentieri rurali del maniero. Presto sarebbero spuntati in mezzo al frutteto in fiore, dove ogni ragazzo normale si sarebbe alzato in piedi, avrebbe afferrato un ramo e avrebbe fatto la doccia a sé stesso e al suo cavallo con i fiori di melo.

«Sono stolto, signore. Papà me lo ripete ogni settimana. Forse mi farà venire a ripetizione anche d'estate.»

«Ti punisce per i brutti voti, Matthias?»

Il bambino si sporse in avanti all'ultimo momento per abbassare la testa e passare sotto un ramo basso.

«Minaccia di fustigarmi, ma il più delle volte si limita a non farmi mangiare il budino e a farmi ricopiare le addizioni. Dice che la mia mano è atroce.»

A malapena leggibile, in effetti, anche se Matthias era brillante in senso scientifico, aveva una buona dialettica, era portato per le lingue e sapeva cantare bene. I suoi problemi sopraggiungevano quando c'erano di mezzo carta e matita, oppure quando doveva stare seduto per tanto tempo.

«Matthias, che voto mi daresti come insegnante?» Il ragazzo lanciò un'occhiata a Daniel.

«Voi non ci fustigate. Papà invece dice che dovreste farlo. Dice che dovreste usare la verga per vedere se mi viene un po' di cervello.»

«Secondo te, Matthias, quando Freya sta cercando di capire cosa vuoi e non ci riesce, servirebbe a qualcosa prenderla a botte?»

«Mi farebbe cadere dalla sella in segno di protesta. Magari potessi far cadere mio padre dalla sella...»

«Hai mai pensato di scappare?» Daniel ci aveva pensato quando Olivia era in vita. Erano trascorse solo poche settimane dalla morte di Oliva, ormai quel matrimonio aveva il sapore di una storia triste raccontata tanto tempo addietro in una terra lontana. Ogni volta che Daniel portava i bambini da lady Kirsten per il loro appuntamento settimanale a bere il tè, quella terra fredda e oscura scivolava sempre più distante oltre l'orizzonte.

«Sono quasi grande abbastanza per arruolarmi in Marina, signore.»

A quanto pareva, non solo aveva pensato di scappare, il piccolo Matthias, ma aveva anche un piano. Il signor Webber avrebbe probabilmente consegnato Matthias ai ranghi del guardiamarina, senza avere idea di cosa avrebbe dovuto sopportare o di quanto materiale avrebbe dovuto imparare per diplomarsi.

Belle Maison e la stalla non erano più nella loro visuale, ormai erano circondati dalla campagna profumata e verdeggiante. Sulla destra una precoce siepe di caprifoglio aveva già qualche fioritura e sulla sinistra cavalle da monta e puledri appena nati pascolavano e sonnecchiavano sull'erba fresca. Era un vero idillio. Una giornata così bella e un ragazzino così infelice. Il colmo.

«Hai mai pensato, Matthias, che magari sono io a deludere te?»

Un'altra occhiata, un'ulteriore valutazione. «Per il fatto che non mi fustigate?»

«Per il fatto che non ti sto *istruendo*. In un certo senso sei il più intelligente. Rifletti abbastanza e sai ascoltare attentamente. Per la logica pura e la capacità di risolvere problemi, sei una forza da non sottovalutare. Sei meno portato se devi stare seduto fermo e impugnare una matita.»

Il piccolo Matthias schivò un altro ramo basso all'ultimo momento.

«A volte, i miei compagni mi sembrano stupidi, ma poi ottengono sempre voti più alti dei miei. Perfino Thomas!»

Doveva proprio infastidirlo che Thomas fosse più grande, più forte oltreché quello con i voti più alti.

«Tu hai dei buoni voti in recitazione.»

Non ottimi come quelli di Danny, il quale era avvantaggiato rispetto agli altri perché era stato al fianco di Daniel per anni, tuttavia Matthias aveva una buona memoria.

«Non vado bene agli esami. Pensate che il conte mi lascerebbe andare al trotto con la sua giumenta?»

«Proviamo, ma solo fino al frutteto.» Un centinaio di metri di sentiero senza alcun ostacolo, ma un sacco di opportunità per cadere, proprio come nella vita.

«Ricordi che devi liberarti dalle staffe se sei in caduta?»

«Sì, signore.»

«Bene. Allora prego, signorino Webber.»

Finalmente, un abbozzo di sorriso. Matthias non spinse i talloni nei fianchi della giumenta, come avrebbero fatto molti bambini. Si fece avanti col sedere e diede un colpetto con i polpacci, e Buttercup andò avanti in un trotto tranquillo, rilassata.

Daniel trattenne Belzebù, sebbene il suo castrone avesse un certo istinto per i ragazzini, e lasciò che la giumenta li precedesse al trotto. Quando giunsero al frutteto, Matthias era raggiante.

«Brava, Buttercup!» disse lui, dando una pacca sul collo alla giumenta. Il signor Haddonfield gli aveva insegnato che un cavaliere avrebbe dovuto fare questo piccolo gesto nel caso in cui un cavallo si fosse comportato bene.

«Sei stata proprio brava, vecchia mia! Possiamo andare al trotto anche al ritorno, signore?»

«L'ultimo miglio va sempre percorso al passo» disse Daniel, un altro dei comandamenti equestri del signor Haddonfield. «Se vuoi andare al trotto, possiamo fare un altro piccolo tratto non appena i cavalli hanno ripreso un po' di fiato.»

Belzebù gliel'avrebbe fatta pagare al padrone.

Proprio in quel momento, Daniel notò una persona che stava andando al piccolo galoppo nel frutteto accompagnata dal proprio stalliere. La situazione necessitava di un gesto più plateale che togliersi il cappello in gesto di saluto – se solo Daniel ne avesse Daniel indossato uno.

«Arriva lady Kirsten!» esclamò Matthias, quasi in piedi sulla sua sella. «Le direte che ho il permesso di cavalcare Buttercup, non è vero?»

«Certo, ci mancherebbe altro. Vieni, andiamo a salutare lady Kirsten.»

Non fosse che lady Kirsten tirò le redini tra i fiori bianchi, aggiungendo col suo sorriso un'ulteriore nota di idillio a quello splendido pomeriggio.

«Signori, buongiorno. Matthias, la povera Freya avrà il cuore spezzato quando saprà che sei uscito con Buttercup, ma devo riconoscere che sei davvero un bel figurino sulla giumenta di Sua signoria. Sei molto elegante.»

«Sto facendo fare a Buttercup un po' di esercizio per il conte» disse Matthias. «Siamo andati al trotto.»

«Sono certa che Bellefonte ti sarà immensamente grato» replicò lady Kirsten. «Signor Banks, Belzebù, buongiorno. Anche voi siete andati al trotto?»

«Siamo riusciti a malapena a stargli dietro» disse Daniel, perché adesso poteva finalmente concedersi il lusso di scherzare con lady Kirsten.

Le settimane passate erano state un piacere, una gioia dietro l'altra. Poteva cercare di sedurla, sognarla, sedersi vicino a lei mentre programmavano i menu, e crogiolarsi nel melenso senso di benessere che accompagnava un'attrazione sempre crescente.

Gioie normali per un uomo altrettanto normale, non sposato. «Il reverendo ha detto che posso anche tornare indietro al trotto,» disse Matthias «per un bel tratto, almeno.»

«Al piccolo trotto» ammonì Daniel. «Non bisogna mai andare di corsa con un cavallo nuovo. Ricordati che prima di cena dovrai tornare a casa con Freya.»

L'espressione del ragazzo si offuscò sentendo la parola 'casa'.

«Puoi dire ai tuoi che sei andato al trotto su Buttercup» disse lady Kirsten. «A me non è mai stato concesso di cavalcare la giumenta del conte, sai? E credo che lo stesso valga per mio fratello George.»

«No! Davvero? Il signor Haddonfield non è mai stato su questa giumenta?»

Lady Kirsten si avvicinò al piccolo Matthias. «Ho un'idea. Ti faccio accompagnare dal mio stalliere e tornate verso la stalla passando dalla fattoria di famiglia. C'è molto spazio per andare al trotto in quella direzione.»

Matthias, euforico, si rivolse a Daniel Banks.

«Signore, posso? Per favore!» Buttercup stava quasi per addormentarsi, mentre per la prima volta dall'inizio degli studi, il bambino in groppa alla giumenta era raggiante di speranza.

«Vai pure,» rispose Daniel «ma ricordati di farla riposare di tanto in tanto e falle qualche complimento quando si comporta bene.» Perché premiare i comportamenti corretti era molto più efficace che punire qualche errore sporadico.

«Alfrydd,» disse lady Kirsten «mi raccomando, nessuna corsa sfrenata, anche se il signorino Webber è tentato visto che è stato rinchiuso in un'aula tutta la settimana. Il conte attribuisce grande importanza a quella giumenta. Non andate al galoppo, né al piccolo galoppo, non vi mettete a fare salti agli ostacoli e niente giochi d'acqua nei fiumi. Intesi? Ve lo proibisco.»

Alfrydd ebbe la grazia di assumere un'aria costernata. «Non possiamo saltare nemmeno un piccolo tronco, mia signora?»

«Solo se è piccolo e se non correte rischi.»

Alfrydd ammiccò mentre il suo cavallino procedette a passo lento superando la giumenta di Sua signoria.

«Vada per un legnetto, allora. Non salteremo nessuna staccionata e non andremo al galoppo. Ci atterremo ai percorsi, mia signora. Vi do la mia parola.» Avendo quindi assicurato di imbattersi solo in sfide alla sua portata, Matthias, al settimo cielo, partì al trotto accompagnato da un Alfrydd sorridente.

«La più grande corsa ippica a ostacoli che la contea abbia mai conosciuto sta per avere luogo,» disse Daniel con ironia «e, a quanto pare, ce la perderemo.» Soltanto l'aver guardato Lady Kirsten provocò in lui un sobbalzo al cuore.

«Siete preoccupato per Matthias» osservò lady Kirsten. «Vogliamo fare due passi, Daniel? È una bella giornata e ultimamente non ho avuto il piacere di stare in vostra compagnia.»

Era stata indaffarata con le faccende domestiche mentre la sua famiglia organizzava i preparativi per recarsi a Londra. Dopodiché si era trasferita nella residenza di George Haddonfield e la sua presenza nella casa della contessa madre era diventata imprevedibile e sempre incentrata su un qualche compito precipuo: portare i menu, prendere il tè con i bambini, cambiare le tende nell'aula studio mentre il tempo cominciava ad essere più clemente...

«Mi piacerebbe fare una passeggiata,» disse Daniel «e sono sicuro che Belzebù sarebbe felice di poter mangiucchiare un po' d'erba.»

Daniel aiutò Kirsten a scendere, legò le redini, tirò su le staffe e allentò le cinghie, e poi indicò in direzione del muro di pietra che circondava il frutteto.

«Come state, mia signora?»

Daniel pensò che Kirsten si fosse fermata per sistemare l'ammasso complicato di vesti sotto la sua tenuta da equitazione e fu quindi colto di sorpresa quando la ragazza gli posò le mani sulle spalle e lo baciò.

Dapprima lo baciò teneramente, un lento saluto bocca su bocca. Daniel l'attirò tra le sue braccia, senza esitazioni o ripensamenti; non ci fu un istante di confusione nel suo corpo o nel suo cuore. Abbracciare Kirsten era una libertà mondana tra adulti non impegnati, ma anche un vero e proprio miracolo.

«Volevo farlo da parecchio tempo» disse lei, sprofondando tra le sue braccia.

Daniel era alto, un energumeno come lo avrebbe definito la sua defunta moglie, ma Kirsten Haddonfield era adatta a lui. Adesso poteva ammetterlo anche lui. Daniel appoggiò la guancia sui capelli di Kirsten e silenziosamente rese grazie per quel momento così perfetto che aveva atteso così a lungo.

«Ciò che voglio fare io da parecchio tempo, invece, richiede qualche ora di isolamento, mia signora.» L'aveva fatta ridere, anche se lui stesso rimase sorpreso delle sue stesse parole. «Non è stato signorile da parte mia. Vi chiedo scusa per essere stato così poco galante.»

Kirsten gli diede una pacca sul torace.

«Sei stato onesto. Adesso possiamo essere onesti, Daniel, non credi?»

Quella risposta lo irradiò come il sole in primavera, come l'acqua che scorre in un ruscello smagliante perché sa di arrivare al mare, e come il caprifoglio che offre la sua fragranza alle api.

«Sì, possiamo essere onesti adesso.» Circondati dai fiori bianchi che ondeggiavano sospinti dalla brezza, Daniel baciò Kirsten con trasporto come se la sua felicità dipendesse dalla sua risposta passionale.

Per fortuna lo baciò con lo stesso fervore finché Daniel non dovette smettere, altrimenti si sarebbe messo a cercare un tronco d'albero sul quale poggiare la ragazza per unirsi a lei in un amplesso amoroso.

«Mi vuoi» disse lei, passandogli una mano sulle parti intime. «Spirerei di frustrazione se tu non mi desiderassi.»

«Io spirerò di frustrazione proprio perché ti desidero, invece. Mi sei mancata da morire.» Era magnifico poterle comunicare un sentimento così semplice e sincero. Nessun senso di colpa, nessun vincolo ecclesiastico dovuto a una moglie che aveva da tempo tradito i suoi voti.

Perché Daniel non era stato in grado di ammettere quel tradimento quando Olivia era in vita?

«Ti ho voluto dare un po' di tempo per schiarirti le idee. Daniel, è passato poco più di un mese.»

Il reverendo le baciò l'orecchio, nonostante le sue parti basse fossero in rivolta. Un tumulto felice, la certezza che anni di celibato potevano essere superati in un attimo con la donna giusta.

«Le ultime settimane sono state un'eternità» disse Daniel. «Manchi tanto anche ai bambini.»

Poveri diavoletti. Il tè e i biscotti del giovedì sembravano non arrivare mai anche... anche per loro.

«Baciami ancora un po'.»

Daniel doveva rimediare ad anni di baci mancati, anni di coccole e di carezze non date, anni di affettuosità e di sospiri. Le mele sarebbero maturate e cadute dall'albero prima che lui potesse rendersi conto dei problemi del suo matrimonio.

«Daniel, se non ci fossero i vestiti a separare i nostri corpi, perderei il senso del pudore e dell'onore in un attimo soltanto.»

In qualche modo, giunsero nei pressi di un grande albero. Daniel allungò la mano e scosse il ramo più vicino, facendo piovere una cascata di fiori tutt'intorno.

«Ho un'idea migliore» disse Daniel mentre un morbido petalo bianco si andò posando sui capelli di Sua signoria. «Sposiamoci, così non peccheremo di dissolutezza.»

Da giovane aveva fatto la sua prima proposta di matrimonio in ginocchio, una recita imbarazzante e doverosa il cui ricordo lo fece trasalire. Con lady Kirsten che gli sorrideva raggiante, Daniel riuscì a perdonarsi per aver commesso quello stupido errore a vent'anni. Il dovere era stato il perno di tutta la sua educazione, una virtù esaltata più della compassione che dall'onestà e dalla gioia.

Eppure il dovere non gli avrebbe scaldato le lenzuola. Adesso l'aveva capito.

La donna che amava gli tolse i fiori dai capelli con un gesto della mano. «Per non perdere tempo a discutere, suggerisco un compromesso, Daniel: sposiamoci, certo, ma anticipiamo i nostri voti. Anticipiamoli fin da subito.»

13

«Smettila!» ordinò Olivia a Bertrand, dandogli una spallata.

Egli smise di strofinare il naso contro l'orecchio della donna, rotolò sulla schiena e si mise a fissare il soffitto. L'angolo più vicino della stanza esibiva un paio di ragnatele che oscillavano in alto per la corrente che usciva dalla finestra rotta.

«Un po' scontrosetta per essere una donna defunta, mia cara Livvie.»

Con irruenza prese un fazzoletto dal comodino e si strofinò il ventre.

«Non mi chiamare Livvie.»

Buttò il fazzoletto sul torace di Bertrand. «Pulisciti. Almeno Daniel era pulito e limitava i suoi comportamenti animaleschi a quando faceva buio.»

Bertrand avrebbe dovuto alzarsi dal letto ora, grato che gli fosse stato concesso di venire sulla pancia di Olivia dopo alcuni minuti di un incontro più intimo. La domestica glielo lasciava sempre fare ed era sicuramente più entusiasta di Olivia. Gettò via il fazzoletto sporco, scese dal letto e andò a prenderne uno pulito nella tasca del cappotto.

«Olivia, sono passate solo poche settimane da quando ho scritto a Banks della tua presunta morte. Ti avevo avvertito che il tuo piano potrebbe richiedere anni.»

«Tu non conosci Daniel» disse lei, tirando su le lenzuola e lasciandosi sprofondare sui cuscini. «È oltremodo bello, fine ed elegante, ma è pur sempre un parroco. È risaputo che i pastori hanno bisogno di una moglie al loro fianco. Daniel non ha mai dominato abbastanza i suoi istinti animaleschi, non che io abbia dato spago ad alcuna sua assurdità una volta che mi ha rifilato quel bambino, intendiamoci.»

Bertrand salì di nuovo sul letto, tanto per dar fastidio alla sua dolce amata. «Anche se Banks dovesse risposarsi in gran fretta, chi ti garantisce che la sua nuova relazione facoltosa gli darà i soldi che vuoi?»

«I bambini!» ribatté Olivia, girandosi di fianco. «Quel disgraziato di Danny, tanto per cominciare, e qualsiasi bambino il visconte e la sua signora genereranno per assicurare la successione del titolo di Fairly. La bigamia è un reato che viene punito con l'incarcerazione, mio caro Bertrand. Nessuno vorrebbe una relazione giudicata colpevole di bigamia, men che meno una famiglia che ha già dimestichezza con gli scandali.»

Bertrand osservò le ragnatele svolazzare e con aria assorta si accarezzò il membro flaccido. Olivia aveva riposto grande fiducia in questo suo piano: avrebbe atteso che Banks fosse sul punto di risposarsi per poi estorcergli un'ingente somma di denaro in cambio della disponibilità da parte di Oliva di rimanere 'defunta'. A quel punto tutti sarebbero potuti andare avanti con la loro vita, esenti dallo scandalo e finalmente liberi da ogni coinvolgimento passato.

Banks sarebbe stato un pazzo a fidarsi della parola di Olivia. Sarebbe rimasta in silenzio fino a quando i suoi nuovi vestiti non le fossero più andati a genio, se non prima, e a quel punto si sarebbe di nuovo fatta viva, allungando le sue mani nelle tasche del povero parroco. Quantunque Daniel avesse acquisito relazioni facoltose – scelta non saggia da parte sua.

«Dovrei essere preoccupato di condividere un letto con una donna che ha intenzione di sfruttare dei bambini innocenti?» domandò Bertrand, accarezzandole il didietro che stava diventando sempre più tondo.

Olivia gli diede un colpo secco sulla mano abbastanza forte da fare male. «Mio padre non ha esitato a sfruttarmi, o sbaglio? Mi ha fatto svolgere lavori inutili per anni, dovevo arrangiarmi con due spicci e non mi potevo permettere nemmeno uno straccio di vestito. Col gioco d'azzardo si è bruciato quei pochi soldi che mia madre mi aveva lasciato e, naturalmente, senza una dote nessuno si è mai offerto di prendermi in sposa. Lo sanno tutti che lord Fairly è ricco sfondato e Daniel è in debito con me per aver cresciuto un bambino concepito nel peccato.»

Ogni qualvolta Olivia affrontava argomenti quali il peccato e la sua dote sottratta, aveva la verve oratoria di un predicatore metodista; mentre, a intervalli regolari, Bertrand sussurrava: «Sì, tesoro, certo, amore mio».

Il piacere di possedere la moglie schernita di un giovane rivale era già svanito, tuttavia Bertrand era ancora affascinato da Olivia Banks e dalla sua determinazione a organizzare il mondo a proprio gusto e piacimento. Gli anni trascorsi nella canonica insieme a Daniel non erano stati segnati da una vera mancanza, ma chiaramente Olivia era risentita nei confronti di Banks solo per il fatto che l'aveva chiesta in sposa.

Nella sua immaginazione, gli anni al fianco di Banks stavano diventando un periodo di stenti, di avversità e di longanimità. Banks era tutto concentrato sulla sua splendida e santa vita. Bertrand dal canto suo provava pena per il parroco, finché un pensiero decisamente spiacevole si diffuse assieme ai raggi del sole pomeridiano: in teoria la bigamia era ancora un crimine molto grave, ma qual era la pena per una donna che mentiva sulla propria morte? E il suo complice sarebbe stato altrettanto perseguibile?

Kirsten voleva che Daniel la prendesse e che facessero l'amore tra i fiori di melo, ma nelle ultime settimane aveva appreso alcune cose, una delle quali era il piacere dell'attesa. Il piacere di attendere con trepidazione qualcosa di meraviglioso, caro e incantevole.

«Mi stai tentando» disse Daniel, baciandole le nocche quando lei avrebbe voluto esplorare ulteriormente il contorno delle sue parti intime. «Mi stai tentando alla follia, perché non appena riuscirò a farmi strada tra questi dannati abiti femminili ti assicuro che ti asseconderò nei piaceri che ti sono più che dovuti, peccato che a quel punto Matthias a Alfrydd saranno di ritorno. Gli occhiali del piccolo Matthias sono nella mia tasca, capisci.»

«Il mio piacere è sventato dagli occhiali di un ragazzino?» domandò Kirsten.

Mano nella mano i due si incamminarono verso il muro di pietra. «Tesoro, ti meriti un posto più comodo di un muro di pietra quando finalmente potrai appagare le tue passioni.»

Kirsten andò a sedersi sul muretto. «Quando faremo l'amore, signor Banks, il mio obiettivo sarà quello di farti dimenticare cosa siano le buone maniere, la gentilezza e la galanteria, perché non ho alcuna intenzione di comportarmi da signora.»

Daniel prese posto accanto a lei, mentre a pochi metri di distanza i cavalli mangiucchiavano l'erba e le api sorseggiavano lentamente i tenui boccioli. In futuro Kirsten si sarebbe ricordata di tenere sempre una coperta a portata di mano, arrotolata dietro la sella.

«Quando faremo l'amore,» disse Daniel «mi comporterò come

un marito ammaliato dalla sua futura moglie. Devo procurarmi una licenza speciale?»

Invasato. «I parroci non si sposano con un permesso speciale, Daniel. Si sposano con un adeguato decoro. Inoltre, se esponiamo le pubblicazioni di matrimonio sin da domani, potremo sposarci entro la fine del mese.» Il muretto era freddo, cosa che si percepiva anche attraverso gli abiti della ragazza, e duro. L'altezza invece... sembrava proprio essere quella giusta.

«Farò venire il vescovo Reimer per sposarci» disse Daniel «a meno che tu non abbia un'altra preferenza?»

Daniel diede per scontato che avrebbero organizzato un matrimonio nel villaggio, senza grandi sfarzi, il che andava benissimo anche a Kirsten. Niente St George a Hanover Square, nessun banchetto di nozze sfarzoso, e nessuno avrebbe costretto le sorelle della ragazza a sopportare tutti i commenti che Kirsten aveva sopportato al matrimonio di Nita.

Una piccola cerimonia, un buffet nella sala da ballo presso la Queen's Harebell, e... Daniel. Tutto suo per il resto dei suoi giorni – e delle notti. «Basta che ci sposiamo,» disse Kirsten «prima è meglio è; per il resto non mi interessa chi svolgerà la funzione. Che pensi di fare con Matthias?»

Daniel le lanciò uno sguardo malizioso, a conferma del fatto che quando voleva sapeva essere anche malizioso – dettaglio non trascurabile per una futura moglie –, perché sapeva che Kirsten stava cambiando argomento in difesa della sua sanità mentale.

Desiderava toccarlo, voleva sdraiarsi con lui nell'erba soffice all'interno del muro di protezione del frutteto in fiore e saziarsi del suo fascino.

Kirsten a sua volta gli lanciò uno sguardo di intesa.

Essere innamorati era così bello.

«Matthias è un enigma» rispose Daniel. «È un bambino intelligente e sta dando il massimo, ma non so per quanto ancora. Il latino è una lingua di dettagli: la flessione verbale o nominale sono aspetti cruciali. Matthias non sembra riuscire a stare al passo. Anche in matematica lascia un po' a desiderare, sebbene mi sembri il tipo di bambino a cui può piacere la matematica.»

«È un bambino serio,» disse Kirsten «come un certo parroco di mia conoscenza, il più delle volte almeno. Con il francese come va? È migliorato un po'?»

«A leggere se la cava abbastanza bene, anche se siamo sempre a *merci beaucoup, monsieur, un, deux, trois...*»

Daniel aveva un accento francese perfetto, lo parlava con disinvoltura.

«Mi parli in francese quando facciamo l'amore, Daniel?»

Oh, Kirsten non avrebbe voluto fargli una domanda del genere.

Daniel scese dal muretto. «*Oui, mam'selle*. Posso anche deliziarti con dei versi passionali in latino, se ti fa piacere. Il greco non è il mio forte, ma per te imparerò anche a fare l'amore in greco.»

Kirsten adorava essere stuzzicata da Daniel, senza perbenismo e senza nessuna remora. Stavano per sposarsi ed erano già amici.

Ella si sentì sopraffatta da una sensazione di gratitudine, perché aveva trovato un uomo che la capiva, che le sarebbe rimasto vicino, e le avrebbe concesso lo stesso privilegio con la sua vita.

«Dovremmo controllare la canonica» disse lei, scendendo giù dal muretto.

Il braccio di Daniel la cinse e Kirsten provò una sensazione piacevole come fosse coperta dalla sua trapunta preferita.

«George dice che i lavori stanno procedendo a ritmo sostenuto.»

«Ci sono passato un paio di volte, ma non ho voluto fermarmi. Di solito non ho mai tempo: gli allievi mi tengono tanto occupato.»

I bambini lo rendevano felice. Daniel aveva una predisposizione naturale all'insegnamento, e nelle sue mani stavano sbocciando tutti, tranne Matthias.

Kirsten percorse i confini del frutteto con Daniel, parlando dei bambini, l'allestimento della canonica, il nuovo neonato degli Harris, che si diceva fosse nato con un piede equino.

«Vorrei tanto che Nita fosse tornata dal viaggio di nozze con il signor St Michael» disse Kirsten, dopo aver completato un giro intero del frutteto. «Di sicuro saprebbe come aiutare a sistemargli il piedino.»

«Ti preoccupi sempre per i più piccoli» disse Daniel, baciandole la tempia. «Nella maggior parte dei casi tutto ciò di cui hanno bisogno è un po' d'amore e una nutrizione decente. Quanto vorrei poterti dare dei figli, Kirsten.»

Kirsten si lasciò sprofondare tra le braccia di lui, sopraffatta da un amore così vasto, così caldo, sicuro e potente che c'era bisogno di un nome diverso rispetto al semplice 'amore'.

«Tu ti concedi a me, Daniel e mi accetti per quella che sono. Questo mi riempie il cuore di gioia. Anch'io vorrei tanto poterti dare dei figli.»

Per un momento malinconico, dolce e sublime, si strinsero l'un l'altro mentre i cavalli pascolavano e di tanto in tanto un petalo bianco cadeva ondeggiando dall'alto.

«Daniel, voglio fare l'amore con te. Adesso» disse Kirsten, appoggiando la fronte contro il suo petto. «Voglio strapparmi i vestiti e scandalizzare i meli.»

«Lo vorrei più di ogni altra cosa, mia signora, ma sta facendo sera e devo riaccompagnarti da tuo fratello. Daremo a George la notizia del nostro matrimonio e scriverò al conte prima di sognarti stasera stessa.»

I fratelli. Avrebbe dovuto affrontarli prima o poi.

«Oh, molto bene, ma domattina ho intenzione di portarti a controllare la canonica e poi andiamo a farci un bel picnic, signor Banks.»

Con un fischio Daniel chiamò il cavallo, che si avvicinò a passo spedito. La giumenta di Kirsten lo seguiva più lentamente.

«Non domani mattina» disse lui, dandosi da fare con la giumenta. Strinse le cinghie, districò le redini e sistemò le staffe, mentre Kirsten cercava di adeguarsi alla tabella di marcia di un parroco.

«Devi andare a trovare qualche parrocchiano domattina?» chiese la ragazza, accarezzando il muso scuro di Belzebù. Una volta sposata con Daniel, avrebbe dovuto abituarsi ad ospitare persone malate a tutte le ore, battibecchi fra marito e moglie, infortuni di varia natura, visite da parte del vescovo e di sacerdoti in viaggio.

Daniel sarebbe diventato suo marito, ma in quanto membro del clero, il tempo che aveva a disposizione non era esclusivamente suo. Sembrerà strano, ma Nicholas, che era un conte con un notevole patrimonio, si lamentava esattamente dello stesso problema.

«Non ho nessuna visita in programma per domani» disse Daniel. «Dovrò preparare le lezioni per la settimana prossima, fare gli ultimi ritocchi al sermone di questa settimana, scrivere al vescovo Reimer riguardo al mio discreto patrimonio coniugale, e dedicherò un po' di tempo anche a Ralph, che sta studiando Latino insieme ai bambini.»

Poi Daniel si rivolse a Belzebù, che pazientava mentre gli sistemavano addosso briglie, redini e staffe.

«Una giornata abbastanza impegnativa» disse Kirsten. «Non importa, andremo a dare un'occhiata alla canonica un'altra volta.»

Avrebbe avuto anni per godere della compagnia di Daniel. Cos'era un'ora in una canonica vuota?

Daniel la issò in sella, poi le sistemò le sottane sullo stivale.

«Visiteremo la canonica domani pomeriggio, quando gli operai se ne saranno andati dopo aver terminato la loro mezza giornata lavorativa.» Daniel posò la fronte sulla sua coscia. «Passerò una notte inquieta, amore mio, perché perseguiterai i miei sogni, ti assicuro.»

«Vuoi andare in canonica dopo che i lavoratori se ne sono...? *Oh!*»
Daniel alzò lo sguardo, lasciando la mano poggiata sulla coscia. «Se per te va bene.»

La sensazione di quella mano virile sul suo corpo la mandava in visibilio. L'indomani a quell'ora, Daniel avrebbe toccato la sua pelle nuda con quelle sue mani da uomo.

«Domani pomeriggio andrà benissimo. Possiamo portare il pranzo al sacco e fare la nostra visita una volta che gli operai se ne saranno andati. Faresti meglio a montare in sella ora, Daniel.»

Per timore che Kirsten gli saltasse addosso scandalizzando sia meli che cavalli.

Daniel le baciò il ginocchio, mascalzone, e poi con un balzo montò sul suo grande destriero nero. «Non vedo l'ora che arrivi domani, mia signora. Adesso vado. Sono impaziente di condividere le nostre buone notizie con la tua famiglia.»

Kirsten lo condusse tra i campi fino alla tenuta di George perché anche lei era impaziente di... Be', certamente non solo di condividere le loro buone nuove.

«Questo non ha senso» borbottò Fairly.

Letty alzò lo sguardo da una missiva inviata dalla sorella di Fairly, la marchesa di Heathgate.

«Stai borbottando» disse Letty, dando un'occhiata all'orologio sulla mensola del camino. Danny sarebbe presto comparso sul viottolo in sella al suo pony, impolverato, felice e pronto a essere straviziato.

«Ricorderai che abbiamo mandato una persona al Nord» disse Fairly, togliendosi gli occhiali dorati dal naso. «Il suo compito era quello di accertare dove si trovasse la moglie di Daniel.»

Noi non avevamo fatto nulla del genere. Letty gli aveva chiesto un semplice favore e Fairly aveva probabilmente inviato un reggimento.

«Immaginavo che avessi richiamato il tuo investigatore quando è morta Olivia» disse Letty.

Fairly occupava lo scrittoio che era stato posizionato vicino alla finestra per sfruttare la luce naturale: i suoi capelli erano di un oro brillante sotto il sole, così brillante che Letty fremeva dalla voglia di accarezzarne la morbidezza.

«Tra varie commissioni, le strade fangose, i cavalli zoppi, e – sospetto – la figlia affascinante di un qualche maniscalco, il signor Darrow è rimasto al Nord.»

«Ha scoperto qualcosa a proposito di Olivia, questo signor Darrow?» domandò Letty.

«È proprio questo ciò che non ha senso. Ha scoperto che Olivia ha lasciato il Nord prima dell'anno nuovo e, contrariamente a quanto crede Daniel, pare che abbia approfittato dell'ospitalità di suo cugino a Londra per un bel po' prima di morire.»

In più occasioni, Olivia aveva usato Danny per estorcere a Letty somme di denaro che altrimenti non avrebbe potuto guadagnare con un impiego dignitoso. Peggio ancora, Olivia aveva mentito a Daniel e aveva tradito la sua fiducia. A quanto pareva, anche da morta Olivia riusciva ancora a creare problemi.

«Olivia ha sempre detestato l'indigenza» disse Letty. «Attribuiva grande importanza al denaro.»

Fairly si appoggiò allo schienale della sedia, facendola scricchiolare. «Per quale motivo una donna che attribuiva così tanta importanza al denaro avrebbe sposato un pastore di campagna?»

Daniel avrebbe dovuto farle una domanda del genere prima di pronunciare i voti. «Perché mai un giovane il cui aspetto e la cui professione potevano aprire le porte di molti salotti eleganti si sarebbe accontentato di una ragazza di campagna senza dote? C'è qualcosa che non mi quadra.»

Fairly si stuzzicò il naso con fare pensieroso. «Le solite ragioni?»

«Non erano innamorati. Tuttavia, Daniel voleva fare carriera nel mondo ecclesiastico e per questo era necessario che avesse una moglie. Olivia dal canto suo non andava pazza per l'aspetto fisico di Daniel, ma per lui questo non costituiva un problema.»

«Io invece sono pazzo di te, tesoro» disse Fairly, balzando in piedi e raggiungendo il divano. «Ti amo, sono innamorato perso, sono cotto stracotto...»

Si inginocchiò su Letty e cercò di carpirle un bacio. I suoi capelli erano caldi per via del sole, e le sue dita intente ad accarezzarle la guancia odoravano di inchiostro.

«Anch'io sono innamorata di te» disse Letty, lasciandosi coccolare dall'abbraccio del marito. «Non è così che solitamente si usa un divano, marito.»

«Vorrei che arrivasse Danny. Giocherai a bocce con noi in giardino?»

«Sì. Comunque, ho sempre odiato Olivia.»

Fairly si tolse da sopra Letty e la aiutò ad alzarsi in piedi, stringendola tra le braccia.

«La odio tuttora. Ha fatto del male a te, a Banks e al bambino. Ho il sospetto che i suoi parenti al Nord l'abbiano buttata fuori casa e che abbia dovuto pregare il cugino di ospitarla.»

«Almeno non ha provato a ricongiungersi con Daniel. Per questo potresti odiarla un po' meno.»

«La odierò un briciolo meno una volta che Daniel sarà felicemente sposato con lady Kirsten. Danny dice che sono parecchio innamorati.»

Fairly prese Letty sottobraccio e insieme si spostarono verso la finestra, dalla quale si poteva godere di una bella vista sul vialetto privato. «Ecco il primo della classe! È proprio un figurino su quel pony, guardalo!»

Danny stava andando al piccolo galoppo, in piedi sulle staffe, con un'aria distesa e sicuro di sé; molto simile a Daniel.

«Si sta facendo grande» notò Letty. «Mi manca da morire, eppure non mi dispiace la tranquillità quando parte per andare a stare da Daniel. Sono una pessima madre?»

«Sei una madre talmente sciagurata,» disse Fairly con ironia «che nonostante ti abbia spezzato il cuore, hai affidato quel bambino nelle mani di tuo fratello per ben due volte. Sono orgoglioso di te, amore mio, e tuo figlio è un bambino molto felice.»

Che era l'unica cosa davvero importante.

«Comunque non so giocare a bocce» disse Letty, appoggiando la testa sulle spalle di Fairly. «A proposito, dirai a Daniel ciò che ha scoperto il signor Darrow?»

«Probabilmente no, Daniel si sentirebbe in colpa per il fatto che neanche la famiglia di Olivia la sopportava più. Tanto ormai è passata a miglior vita, e Daniel ha davanti a sé un futuro di felicità.»

E Letty era davvero riconoscente di questo. Lady Kirsten Haddonfield sarebbe stata di sicuro una buona madre adottiva per Danny e una buona moglie per Daniel.

Letty diede un bacio sulla guancia di Fairly.

«Marito?»

«Mmm?»

Letty adorava il suo odore, la sua stazza, le sue forme. Tutto. La sua voce, i suoi silenzi, il suo cuore spietato e amorevole.

«Presto comincerò a svezzare la bambina. Vorrei che anche per noi ci fosse un futuro radioso. Abbiamo bisogno di un erede.»

«Non...» Fairly era cauto e possedeva un appetito sessuale incredibilmente sano e altamente creativo. «Letty, sei sicura?»

Avrebbe sempre avuto dei rimorsi nei riguardi di Danny, ma quello era probabilmente il destino di qualsiasi genitore. I rimorsi riguardavano il passato, mentre il suo matrimonio con Fairly riguardava il presente. E il futuro.

«Sì, David, sono sicura. Ti amo. E anche di questo sono sicura.»

Letty adorava baciarlo e infatti, qualche minuto dopo, quando Danny sfrecciò in salotto, li trovò aggrovigliati.

«Eccomi tornato! Sono stato... Vi state baciando. Anche il signor Haddonfield bacia spesso la signora Haddonfield. Digby dice che è per questo motivo che dovremmo bussare alla porta, così se magari c'è qualcuno che si bacia e che non dovrebbe farlo non lo cogliamo di sorpresa.»

Il piccolo Danny aveva messo su qualche centimetro. Un giorno avrebbe capito l'importanza di bussare alla porta.

«Siamo sposati» disse Fairly, lasciando la presa su Letty. «Uno dei vantaggi del matrimonio è che ci si può baciare ogni volta che si vuole. Sua Signoria ha giurato di batterci entrambi a bocce, Danny. Sei pronto a difendere l'onore degli uomini in tutto il regno con il tuo robusto braccio destro?»

Danny andrò dritto a pescare dal piattino di cioccolatini sulla scrivania, senza neanche fermarsi un attimo ad abbracciare la donna che lo amava più di ogni altra cosa al mondo.

«Sì, signore, a patto che non ci sia da baciarsi.»

La parrocchia di Daniel a Little Weldon non era stata né più devota né più peccatrice di altre congregazioni, quindi spesso gli era capitato di battezzare il primogenito di una coppia meno di nove mesi dopo aver celebrato il loro matrimonio.

A rigor di termini, era raccomandabile che una coppia di fidanzati si astenesse dall'avere rapporti intimi, non perché la fornicazione fosse un peccato – dopotutto non era neanche menzionata nei Comandamenti – ma perché potevano esserci mille motivi, quali malattia, infortuni e altre disgrazie, a causa dei quali il promesso sposo non avrebbe potuto consacrare la sua promessa di matrimonio; lasciando un figlio illegittimo a rispondere degli slanci di passione della coppia. Avere rapporti intimi prima del matrimonio era da egoisti solo per questo motivo, e l'egoismo non era certo una virtù.

Ogni volta che un vescovo chiedeva a Daniel di discutere la questione, il reverendo conveniva sul fatto che la fornicazione fosse un peccato, strettamente correlato all'adulterio.

«L'odore del legno nuovo mi rende sempre felice» disse Kirsten mentre sbirciava fuori dalla vetrata della sacrestia della canonica. «Lo associo alle casette per uccelli che costruisce Nicholas, ma anche al ricordo di mio padre, il quale imparò a intagliare il legno quando era soldato in Canada.»

L'intero maniero aveva cambiato i paramenti. Il conte aveva donato la maggior parte dei vecchi mobili alla parrocchia, le tende ammuffite erano state gettate al fuoco e la proprietà era stata pulita da cima a fondo.

«Diamo un'occhiata al piano di sopra?» domandò Daniel.

«Volentieri. Dobbiamo decidere come sistemare i bambini, e vorrai uno studio sul lato ovest della casa.» Così che fosse esposto alla luce pomeridiana, dal momento che Daniel avrebbe insegnato ai bambini la mattina.

«Avrai anche bisogno di un salottino» disse lui. «Un posto per rifugiarti da quei diavoletti, dai parrocchiani esageratamente cordiali e talvolta... anche da tuo marito.»

Kirsten osservava la stanza con una profonda concentrazione, le braccia strette attorno a Daniel. «Non ho alcuna intenzione di rifugiarmi da te, Daniel. Saremo un rifugio l'uno per l'altro, altrimenti dovrai reclutare un'altra moglie.»

Provò un sussulto di desiderio, così come di tenerezza. «Tu sei l'unica moglie per me. Andiamo al piano di sopra adesso, ti va?»

Il tacco dei loro stivali risuonava sui pavimenti spogli in stanze altrettanto vuote, finché non arrivarono alla seconda camera più grande, che occupava un angolo della casa e vantava un piccolo balcone.

«La nostra camera da letto» disse Daniel, aprendo la porta. «A meno che tu non preferisca un'altra stanza.»

La stanza era sprovvista di tende, per cui la luce si riversava copiosa dalle finestre e dalle porte francesi.

Qualche anima premurosa aveva lasciato una finestra socchiusa, così che l'olezzo del terreno falciato di recente si mischiava con quello della segatura e il tenue aroma di lillà.

«Abbiamo un letto» disse Kirsten, camminando a grandi passi verso l'unico pezzo d'arredamento all'interno della stanza.

«Come è possibile che abbiamo annunciato il nostro fidanzamento a George e a Elsie solo ieri e questo pomeriggio c'è già un letto nella canonica?» Un letto grande, con tanto di lenzuola, cuscini e una trapunta color lavanda che si fondeva piacevolmente con la posizione soleggiata e il giorno di primavera.

«Suppongo che George e Elsie si siano dati da fare stamane» disse Daniel. «Ieri sera, quando voi signore vi siete allontanate per andare a prendere una tazza di tè, mi è stato assicurato a più riprese che il conte sarà lieto di ricevere la mia missiva riguardo al nostro fidanzamento.»

Spedita a Londra tramite corriere, su insistenza di George.

Kirsten spianò una piega inesistente sulla trapunta. «A Nicholas non piacciono molto le cerimonie. Contessa permettendo, credo che farebbe volentieri il locandiere. E invece non avrei mai sospettato che George avesse la stoffa del proprietario terriero, e chissà dove finirà Adolphus.»

Kirsten stava ormai farfugliando. Daniel chiuse la porta e, giacché la sua promessa sposa lo avrebbe desiderato, la chiuse a chiave, sebbene la casa fosse deserta.

«Kirsten, vieni qui, per favore.»

L'imperativo, per quanto gentile, attirò la sua attenzione. Non erano abituati a parlarsi in quel modo, ma oggi era un giorno speciale. Kirsten attraversò la stanza e si fermò davanti a lui.

«Nei tuoi occhi intravedo preoccupazione» disse Daniel, prendendo le mani di Kirsten e trovandole fredde. «Sei perseguitata dai brutti ricordi dei fidanzati che ti hanno abbandonato. Tranquilla, io non ti abbandonerò mai, Kirsten. Sei tutto ciò che il mio cuore ha sempre desiderato, e non vedo l'ora che arrivi il giorno del nostro matrimonio.»

Si avvicinò a lui, la fronte sul torace di Daniel, le braccia attorno alla vita.

«Non ho dormito bene la notte scorsa, Daniel. Non appena mi addormentavo ero perseguitata da incubi. Ho sognato che saresti partito per il Catai, poi ho sognato che ero sposata con Sedgewick e che nessun vestito mi andava bene. Ho anche sognato un enorme maiale che parlava francese si scatenava durante la nostra cerimonia di matrimonio. Penserai che sono folle.»

Nell'ultimo mese Daniel aveva avuto un incubo ricorrente che lo aveva svegliato più volte: aveva sognato che Olivia era ancora viva, che vivevano insieme a Little Weldon, e che la sua esperienza a Haddondale non fosse mai accaduta.

«Kirsten, tesoro mio, sono tuo. Ti offrirei più di semplici parole come rassicurazione della mia devozione.» Daniel le avrebbe offerto il cuore, l'anima, i soldi – e se mai avesse ricevuto questa benedizione – il suo primogenito. I suoi affetti intimi erano il più piccolo dei doni che poteva condividere con Kirsten.

«Penserai che sono una monella?» sussurrò la ragazza.

Daniel poggiò il mento sul capo di Kirsten, per celare meglio il suo sorriso. «Ieri eri così audace e sicura. Il mio fascino ha fatto così presto a scemare?»

«Non voglio indurti a peccare.»

«Non indurmi a peccare, tesoro. Inducimi ad amare.»

Daniel la baciò, dal momento che la mente pratica ed efficiente di Kirsten stava cercando di scalare le vette della teologia morale anziché accettare le promesse del suo amato.

Dopo un attimo di esitazione, Kirsten avvolse le braccia attorno al collo di Daniel e lo baciò con passione. Era un bacio diverso da quelli che si erano dati prima, più morbido, più dolce.

Più rapito.

«Mi fido di te» disse lei. «Non mi ero resa conto che avevo perso la fiducia, ma tu me l'hai fatta ritrovare, Daniel. Mi fido di te.»

In realtà, non si fidava. Non del tutto. Ma voleva farlo, per cui Daniel procedette lentamente, assaporando ogni istante anziché depredarla, indugiando nonostante ogni sua parte maschile gridasse di impazienza.

Prima che lui e Kirsten lasciassero la camera da letto, si sarebbe fidata di lui in modi che ora poteva solo lontanamente immaginare.

E anche Daniel si sarebbe fidato di lei.

Kirsten andò a cercare con la mano il nodo della cravatta. «Ho dei fratelli, Daniel. Non ti preoccupare di urtare la mia sensibilità. Ho sempre desiderato vederti nudo.»

«Mi concederai lo stesso piacere?»

A un certo punto, forse dopo dieci o venti anni, la mente di Daniel avrebbe smesso automaticamente di fare paragoni tra Kirsten e la sua prima moglie. Olivia non gli aveva mai permesso di vederla svestita, non aveva mai preso l'iniziativa, e non aveva mai cercato il suo abbraccio nemmeno per una questione di semplice conforto coniugale.

Doveva essere stata proprio infelice per aver accettato la proposta di matrimonio di Daniel. E lui disperato per averla chiesta in sposa. Il padre di Daniel aveva visto il problema incombente, ma era riuscito a trasmettergli solo un parere anziché fargli capire quanto fosse davvero preoccupato.

Kirsten lasciò cadere le mani. «Dovrai slacciarmi il vestito se vogliamo unirci come Dio ci ha fatti.»

«Non ho mai slacciato il vestito di una donna prima d'ora» disse Daniel, togliendosi la cravatta e il cappotto. «Devi essere paziente con me se sono lento ad imparare. Comunque credo di saperci fare con i ganci e i merletti.»

Kirsten si voltò e, con un rapido movimento della mano, si tolse i capelli dalla nuca. «Forse dovresti recitarmi qualche poesia latina, una di quelle di cui ti vantavi ieri. O forse un po' di francese sarebbe un bell'inizio.»

Daniel invece diede un bell'inizio baciando la nuca di Kirsten, il che le provocò un gemito di piacere, mentre le slacciava il vestito.

«Hai un buon profumo, mia signora, di rose e di prati.»

«Le tue mani sono calde» ribatté lei. «E le tue labbra...»

Le labbra di Daniel stavano studiando la curva del collo e della spalla di Kirsten, mentre le sue dita slacciavano il nastro che teneva insieme i merletti.

«Adoro che mi lasci spogliarti» sussurrò lui. «Adoro sfiorarti la pelle con la bocca.»

La sua bocca, le sue mani, il suo respiro. Daniel stava impazzendo in silenzio, assecondando ogni suo appetito mentre gli abiti di Kirsten si unirono ai suoi in un mucchio sul pavimento.

Kirsten era rimasta in calze e sottoveste quando Daniel cominciò a sbottonarsi i pantaloni.

Kirsten lo fermò e si sedette sul letto davanti a lui. «Tu hai tolto i vestiti a me. Lascia che ci pensi io adesso.»

Daniel si fermò, con i pantaloni mezzi sbottonati e completamente innamorato. «Che fai, tieni il punteggio?»

«Sì, proprio così.» Cominciò a sbottonarlo. «E per adesso sei in testa tu. Mi hai baciata quasi dappertutto...» Rimanevano altri quattro bottoni a dividerli...

«Non proprio dappertutto.»

«...e mi hai anche tolto ogni spilla dai capelli...» Gli ultimi due bottoni si arresero alle sue abili dita.

«...che non hai ancora sciolto...»

«E tu non... non indossi biancheria intima. Me lo ero domandata più volte. I pantaloni ti stanno sempre così attillati.»

Che Dio lo aiuti, Kirsten gli aveva guardato i pantaloni con desiderio. «Cos'altro ti sei chiesta, mia signora?»

«Mi chiedevo come fosse... questo.» Estrasse una parte particolare di lui dai suoi vestiti, con le mani fredde e prudenti. «Ho fantasticato tanto su di lui.»

Daniel si era chiesto a più riprese se avesse mai avuto il piacere di riutilizzarlo al di fuori dei momenti di autogratificazione e nei sogni.

«Anch'io mi sono chiesto alcune cose, signora.» Tipo il motivo perché la sua voce fosse diventata roca. «Di che colore sono i tuoi capezzoli, ad esempio? È un mistero sul quale ho riflettuto a lungo.»

«A lungo? Anche questo è bello lungo...» disse Kirsten, accarezzandogli il membro. «Immagino tu voglia vedere i miei... insomma, tutto di me, no?» Stava arrossendo, non perché teneva il suo pene eretto nelle sue mani da signora, ma perché non riusciva a dire la parola 'capezzoli'. Il matrimonio con Kirsten Haddonfield si prospettava molto interessante.

«Lascia che ti mostri prima tutto il mio corpo» suggerì Daniel, facendo un passo indietro e togliendosi i pantaloni. «Lady Kirsten, permettimi di presentarti tuo marito nella sua interezza e crudità. Sei la prima donna a vedermi così da quando mia madre ha avuto il privilegio più di trent'anni fa.»

Daniel aveva cercato di essere un po' spavaldo, dissimulando una disinvoltura che non sentiva. Olivia non lo aveva mai desiderato. Daniel si rabbuiò per un breve istante al pensiero di tutto ciò che non aveva mai fatto.

«Voltati» disse Kirsten, facendosi più in là sul materasso. «Per favore.»

Daniel si voltò, anche se l'aspetto di un uomo non era poi così fondamentale.

«Sei più bello di me» si lamentò lei, strattonando una delle sue giarrettiere e le calze. «Non sono sicura di come la cosa mi faccia sentire.»

La leggera stizza con cui la ragazza stava maltrattando il merletto della giarrettiera lo rassicurò più di ogni altro sentimentalismo affettato.

«Un uomo non può essere bello» disse lui.

«Oh, sì, invece. E tu ne sei un esempio lampante. Ciò che è peggio è che invecchierai meravigliosamente.» La seconda giarrettiera e la calza si unirono alla prima sul pavimento. Lo sguardo di Kirsten indugiò sui suoi vestiti a terra anziché sul suo fidanzato nudo.

«Sono nervosa, Daniel. Ho paura di non essere all'altezza. È pur sempre una componente importante dell'essere sposati.»

L'onestà di Kirsten sarebbe stata la loro salvezza. Una volta sposati, se avessero avuto delle difficoltà o delle divergenze di opinione, la sua onestà avrebbe contribuito alla risoluzione dei problemi. Daniel si allungò sul letto e la tirò a sé.

«Riesci ad alleviare tutte le mie paure, Kirsten. Per anni mi sono detto che quest'intimità, questo piacere reciproco non erano poi così importanti. Un matrimonio poteva sopravvivere sulla base della compagnia e del rispetto reciproco, mi dicevo, ma stavo mentendo. Il matrimonio non può sopravvivere se il marito muore dentro sempre di più anno dopo anno.»

Morire di solitudine, rabbia, disperazione, angoscia e crepacuore. Olivia aveva sopportato lo stesso tormento?

Kirsten scavalcò Daniel e si appoggiò sui suoi genitali. La seta della sua sottoveste sussurrava contro le sue cosce in una carezza così morbida che quasi gli toglieva il fiato.

«Mi dispiace, Daniel. Se non te l'ho mai detto prima, te lo dico adesso. Mi dispiace che Olivia ti abbia tradito. Non te lo meritavi.»

Il dolore lo travolse di nuovo, perché Olivia, per quanto infelice fosse stata, l'aveva tradito, e non solo per aver rubato dei soldi a Letty. Anche prima dell'arrivo di Danny, Olivia era sempre stata fredda e distante in camera da letto. Aveva giurato di amarlo, onorarlo e ubbidirgli, eppure di quei giuramenti non ne aveva mantenuto nemmeno uno.

«Non è così che parlano due amanti» disse Daniel, toccandole il seno attraverso la sottoveste. «Dimmi cosa ti farà piacere.»

«Discorsi onesti» rispose lei, accoccolandosi sul suo torace. «E anche baci onesti.»

Di baci Daniel avrebbe potuto riempirla a profusione. E così fece, mentre il sole splendeva attraverso le finestre scintillanti e i lillà sbocciavano nel giardino sottostante.

14

In men che non si dica Kirsten aveva imparato a baciare Daniel, ad attorcigliare la sua lingua con quella di lui, ad affondare le dita tra i suoi capelli, e a chiedergli un altro bacio esattamente come l'ultimo.

Di quello che venne dopo, tuttavia, era in gran parte ignorante. Arthur Morton le aveva palpeggiato il seno e aveva cercato di accoppiarsi con la ragazza all'interno della biblioteca in una gelida giornata autunnale. Kirsten ricordava di aver contato gli attimi che intercorrevano tra un lampo e il tuono mentre Arthur borbottava delle ridicole tenerezze schiacciando il viso nella sua scollatura.

Quando Daniel le passò la mano sul petto, Kirsten non fece in tempo a contare fino a tre.

«Sì... Mi piace,» disse lei, sospesa su di lui «quando mi tocchi.»

«Così ti piace?» Lo fece di nuovo, più lentamente, le mani sui suoi seni, la seta della sottoveste ne esaltava sia la frustrazione che il piacere.

«Mi sconvolge» disse lei. «Come quando mi baci, ma sento qualcosa anche dentro.»

«Qui?» Il palmo destro di Daniel scivolò più in basso appoggiando le mani sul sesso della ragazza.

Oh, sì. Proprio lì. «Voglio essere nuda insieme a te.»

Kirsten voleva mettersi alle spalle il momento in cui il suo promesso sposo l'avrebbe guardata per la prima volta.

Daniel avrebbe visto il corpo nudo della sua futura moglie, un corpo che Kirsten sapeva non sarebbe stato in grado di procreare.

«Tra poco» disse Daniel. «Lascia che ti tenga stretta.»

Kirsten non era l'unica completamente fusa e senza fiato. Daniel la tirò a sé, ma lei resistette.

«Voglio sbrigarmi, Daniel. Non so come procedere e mi dà fastidio. Ho bisogno di sapere cosa sto facendo.»

A un certo punto Daniel le aveva sciolto la treccia. I capelli le si riversarono sulla schiena nuda, una sensazione nuova e rassicurante.

«Ti vuoi 'sbrigare' con la sottoveste, mia signora, o senza?»

Quale sottov...? «Senza.»

«Piegati in avanti.» Con grande attenzione Daniel liberò Kirsten dall'ultimo capo di abbigliamento che aveva indosso e lo mise da parte, lasciando Kirsten con un bisogno impellente di coprirsi il petto.

Resistette alla tentazione. Dopotutto, si trattava di Daniel, che presto sarebbe diventato suo marito.

«Allora?»

«Non hai idea» disse lui, sfiorandole la parte sotto il seno con il naso. «Non puoi capire quanto sia meravigliosa la tua fiducia nei miei confronti. Il tuo coraggio, il tuo desiderio. Tutto di te è meraviglioso, Kirsten. Sono innamorato di una donna meravigliosa.»

Kirsten non poteva avere figli, ma poteva avere l'amore di Daniel ed essere più che felice con lui.

Un senso di pace rimpiazzò la sua ansia, perché finalmente aveva davvero fatto la scelta giusta.

«Anch'io sono innamorata di un uomo meraviglioso.»

Il sorriso di Daniel – timido, malizioso e compiaciuto – ispirò un altro giro di baci. Poi le sue mani nude si spostarono ancora una volta sul petto di Kirsten, le dita leggermente callose, calde e... fantasiose.

Poi fu la volta della bocca. Daniel riempì Kirsten di estasi sfiorando le labbra sui seni della ragazza, mentre le dita la accarezzavano in luoghi dolci e segreti. Lei contraccambiò esplorando le sue costole, il suo addome e il filetto di peli neri che circondava il suo fallo in erezione. Una parte del quale era dello stesso colore dei suoi capezzoli.

«Vorrei sapere quello che sanno le persone sposate» disse Kirsten, sfiorando con la lingua un capezzolo di Daniel. «Sai di lavanda.»

«Tu invece sai di gioia» disse lui, baciandole il mento. «Sono pronto a *sbrigarmi*, amore mio.»

Santo cielo, quanto era possente.

«Anch'io sono pronta» disse lei, accarezzandogli i capelli. Era questa la cerimonia nuziale che contava davvero, che rendeva i due innamorati uniti nel corpo e nell'anima. Daniel la sovrastava, sorreggendosi sulle braccia.

Non il reverendo dalla voce soave, ma un uomo nel vigore delle forze intento a condividere un momento di piacere con la sua compagna.

«Ti amo» disse lui mentre Kirsten sentiva il primo colpo caldo, brusco, nel suo corpo. «Ti amerò per sempre.» Gli cinse i polsi con le dita per affrontare meglio sensazioni così intime. Si pentì anche di avergli chiesto di sbrigarsi.

«Ti amo, Daniel Banks, e mi piace da impazzire questo nostro connubio.»

Fortunatamente per Kirsten, l'idea che Daniel aveva di affrettarsi era quella di un'avanzata e ritirata deliberata e silenziosa che riempiva di estasi il corpo della ragazza, penetrandola fin dentro l'anima.

Il letto scricchiolò mentre Kirsten sollevò una gamba cingendo i fianchi di Daniel. «Tutto bene?» sussurrò lui.

«Ecco, sì, così... Così, va meglio.»

Aveva sviluppato un ritmo che Kirsten era in grado di assecondare. Regolare, continuo, inarrestabile, dolce e a tratti lancinante.

«Così?»

Kirsten cercò di formulare una risposta – *sì, continua così, dài* – ma le redini della sua concentrazione le stavano sfuggendo di mano: un profluvio di sensazioni stava per sgorgare in un torrente rapido e irrefrenabile.

«Lasciati andare» le sussurrò Daniel, cullando la testa di lei sulla sua spalla. «Godi con me.»

Il corpo di Kirsten intuì, benché la sua mente fosse sconcertata. Dal suo interno, dalla sua anima, un diluvio di sensazioni incalzò e prese il sopravvento su pensieri, parole, sulla sua volontà, su tutto. Si aggrappò a lui, gemette, si strinse a lui e ansimò il nome di Daniel finché non poté sopportare oltre, eppure Daniel non cedette.

«Daniel, non ce la faccio...»

Oh, eccome se ce la faceva, più intensamente che mai, mentre lui la spingeva di nuovo su, questa volta aggrappandosi a lei nella sua stessa resa. Per lunghi momenti, Kirsten continuò ad accarezzare i capelli di Daniel, il suo respiro nel suo orecchio.

La vita matrimoniale si profilava magnifica, un nuovo mondo di gioia e di piacere, un connubio perfetto con l'uomo perfetto.

Kirsten si crogiolò nell'abbraccio di Daniel, nell'intimità del suo respiro in sintonia con quello di Daniel, e del suo seno a contatto col torace di lui in una perfetta unione coniugale.

Daniel si sollevò per far circolare un po' d'aria tra i loro corpi. Aveva i capelli madidi di sudore e i muscoli delle spalle e delle braccia indolenzite. Il piacere che aveva provato era stato qualcosa di meraviglioso, ma il dono più prezioso era la tenerezza nel suo sguardo.

«Siamo amanti adesso» disse Kirsten. «Voglio essere la tua amante per sempre, Daniel Banks.»

Il reverendo abbassò le ciglia, ma non abbastanza rapidamente da celare il sollievo nei suoi occhi. Era preoccupato. Era preoccupato che le sue attenzioni l'avrebbero respinta. Temeva di essere inadeguato.

Molto probabilmente non aveva avuto il coraggio di ammettere quei timori neanche a sé stesso, tuttavia erano un retaggio della sua disonorevole e ormai defunta prima moglie.

«Ho sonno» disse Kirsten. «Rimaniamo a coccolarci ancora un po' prima di rivestirci?»

Si staccò dalla ragazza e le si sdraiò accanto.

«Non vuoi saltare su, vestirti e finire di ispezionare la casa?»

«Sei proprio sciocco. Passami un fazzoletto, signor Banks. Preferirei passare il pomeriggio a ispezionare te.»

Daniel allungò la mano su di lei, gesto che le permise di sentire il suo odore virile.

«Ecco il fazzoletto, mia signora.»

Che Olivia Banks fosse dannata ai peggiori gironi dell'inferno.

«Questo discorso della fiducia dovrebbe andare in entrambe le direzioni, signore. Sono lieta che la passione abbia prevalso sulla tua compostezza signorile. Ti amo.»

Daniel esaminò l'espressione di Kirsten per la durata di due respiri lenti e profondi, poi le tirò indietro i capelli con una carezza e le diede un bacio sulla fronte.

«Sei il mio miracolo, Kirsten Haddonfield; presto diventerai Kirsten Banks e non potrei amarti di più. Dormi pure tra le mie braccia, tesoro, alla luce del giorno e quando ti sveglierai potrai ispezionarmi a tuo piacimento.»

«Ma perché si sposano gli adulti?» domandò Fred. «I miei genitori si parlano a malapena e quando lo fanno non sono il massimo della gentilezza.»

Frank sparse lo sporco con la scarpa, fatto per il quale Digby era certo sarebbe stato redarguito mentre tornava a casa dalla Chiesa.

Questa volta l'incontro degli allievi ebbe luogo nel cimitero di St Jude e quando finì la messa, sul sagrato iniziarono i veri pettegolezzi. Prima della messa, il parroco aveva chiesto di parlare con i suoi alunni – così li aveva chiamati – nell'ufficio della chiesa e aveva spiegato loro che quel giorno sarebbe stato letto l'annuncio del suo matrimonio con lady Kirsten.

Tuttavia *non* aveva spiegato che fine avrebbero fatto loro dopo il matrimonio.

«A volte mamma e papà si stuzzicano» disse Frank. «Poi papà bacia la guancia di mamma.»

«Sì, e poi mamma dice che papà non la deve baciare» rimbeccò Fred. «Mi piace lady Kirsten, ma mi piace anche come stanno le cose adesso.»

«A te quello che piace è il tè con i biscotti che ci prepara» puntualizzò Thomas, arrampicandosi sulla lapide più antica del cimitero. Nessuno sapeva chi vi fosse seppellito, un tipo vichingo probabilmente. I vichinghi erano rinomati per i danni che combinavano, un po' come i romani e i visigoti.

«Anche mia mamma e il mio patrigno si stuzzicano di continuo» disse Digby. «Si baciano un sacco e mamma ridacchia.»

«Di sicuro se la spassano a letto» borbottò Fred.

«Sai un accidenti te!» controbatté Thomas.

Thomas non si era più seduto su nessuno da un bel po', ma se qualcuno si azzardava a sparlare di lady Kirsten poteva facilmente ritrovarsi a faccia in giù nell'erba.

«Non credo che cambierà nulla» disse Danny, strappando il muschio sulla lapide. «Mio padre è già stato sposato in passato e non è certo la prima volta che insegna in una canonica. Ieri sera, quando mi ha detto che si sarebbe sposato con lady Kirsten, non ha accennato all'ipotesi che voi dobbiate lasciare la casa della contessa madre.»

«Ma non ha bisogno di essere sposato per insegnarci» incalzò Thomas. «Andava tutto alla perfezione senza che il parroco si andasse a cercare una 'Signora Parroco'.»

Danny non aveva nulla da aggiungere a tal riguardo, mentre Digby provò una fitta di dolore per Thomas. Era ovvio che Thomas fosse geloso del parroco e in realtà di tanto in tanto lo erano tutti. Il reverendo Banks era buono, intelligente, bello, gentile e talvolta incline alle marachelle, nella misura in cui poteva esserlo un adulto.

«Il reverendo e lady Kirsten sono innamorati» disse Matthias sottovoce, come se al cimitero non si potesse parlare d'amore.

Matthias era cambiato, non era più un birbantello impudente, e a Digby mancava quel suo lato un po' più birichino. Una cosa che invece non gli mancava era di addormentarsi al suono di rospi che gracidavano.

«Cosa c'entra che sono innamorati?» tagliò corto Frank.

«Quando due sono innamorati possono fare i bambini» ribatté Fred. «Date retta a me, quei due si sposano così possono...»

Thomas diede un calcio nel sedere a Fred, lasciandogli il segno degli stivali inzaccherati di fango.

«Sta' zitto, Fred» sbottò Matthias, parlando con un po' della sua vecchia autorità. «Li ho visti nel frutteto. Daniel mi ha messo su Buttercup, perché la giumenta aveva bisogno di sgranchirsi le zampe, ma i miei occhiali scivolavano di continuo, quindi li ho dati a lui.»

«Tu sei stato su Buttercup?» latrarono tre bambini contemporaneamente, e Matthias si fermò a godersi il momento, un raro sorriso gli illuminava il viso scarno.

«Abbiamo saltato parecchi tronchi, ma non dovete dirlo a nessuno.»

Danny, che con i cavalli aveva più esperienza di tutti gli altri messi insieme, lanciò a Digby un sorriso paziente.

«E cos'hai visto?» domandò Digby, perché la faccenda del pastore che prendeva moglie era importante. La madre di Digby si era risposata e nell'arco di un paio di settimane il bambino era stato mandato a vivere con Danny Banks. Che, fino ad allora, era stato più piacere che duro lavoro.

«Volevo semplicemente riprendere gli occhiali perché i miei mi hanno detto di non rimanere mai senza, e invece quando siamo arrivati al frutteto, Alfrydd mi ha detto che avrei ripreso gli occhiali il lunedì successivo. Ci siamo voltati e ci siamo messi in cammino verso la fattoria di casa e proprio in quel momento ho visto il parroco che baciava lady Kirsten.»

Matthias non pareva ripugnato da ciò che aveva visto; ne parlava con rispetto. A Thomas stava antipatico il reverendo per il fatto che avesse baciato lady Kirsten e quindi lo avrebbe voluto picchiare.

«Riesci a malapena a vedere al di là del tuo naso senza occhiali, ma in compenso sei riuscito a vedere loro che si baciavano dall'altra parte del frutteto?» chiese Danny incredulo.

«Ci vedo bene da lontano, è da vicino che non vedo» precisò Matthias.

«Non è detto che le cose debbano necessariamente cambiare una volta sposato con lady Kirsten» osservò Frank.

«Lady Kirsten può andare a stare al di là del giardino e potremo prendere il tè insieme e giocare a cricket, e lei potrà osservare le nostre lezioni di equitazione. Staremo lontani dal frutteto, tutto qua.»

«È ovvio che non andrà a stare dall'altra parte del giardino. Le persone sposate dormono nello stesso letto.» La mamma di Digby glielo aveva spiegato con la gentile implacabilità che aveva usato quando gli aveva riferito che sarebbe andato a vivere con il parroco.

«E perché dormono nello stesso letto?» chiese Thomas.

«Così ci sono meno lenzuola da lavare» rispose Digby, sebbene il patrigno avesse un'altra spiegazione, che in un qualche modo aveva a che fare con i fratellini e le sorelline. Digby non doveva parlare di quell'argomento con la madre.

Thomas detestava palesemente l'idea. Saltò giù dalla lapide, si voltò e la prese a calci. Danny prese del muschio e lo gettò a Fred, che lo afferrò al volo e lo lanciò a sua volta a Frank.

«Mattie, parlaci di Buttercup» chiese Thomas. «Era indomabile?»

«Si è comportata da signora» rispose Matthias. «Daniel ha detto al conte che possiamo farle fare un po' di esercizio mentre Sua signoria è a Londra. La prossima volta toccherà a uno di voi.»

Rimasero tutti talmente estasiati che per un attimo non pensarono al preoccupante fatto dell'imminente matrimonio di Daniel Banks. Forse Buttercup avrebbe perfino ispirato Matthias a condividere i suoi dolcetti con gli altri una volta ricevuto il suo cestino.

«Vi ringrazio» sussurrò Daniel a George Haddonfield mentre i parrocchiani si avviavano a piedi verso casa.

«Per il letto?» domandò George. «È stato merito di Elsie. La canonica in cui andrete a vivere sarà arredata in gran parte dalle mansarde di Belle Maison. Elsie ha detto che quegli obbrobri avevano bisogno di una nuova sistemazione.»

Intanto nel camposanto adiacente Danny e Digby stavano giocando a una versione rumorosa di nascondino, o forse agli invasori nordici, o visigoti, una parte della lezione di Storia che aveva riscosso molto successo.

La cacofonia delle urla di Danny e il fatto che in quel modo mancasse di rispetto ai morti come qualsiasi altro bambino, contribuì a rendere ancora migliore la giornata di Daniel che già era perfetta.

«Non avrei fatto menzione del letto, signor Haddonfield, anche se devo ammettere che è un esemplare veramente delizioso.»

Era una bella giornata soleggiata e quando calava il vento faceva persino caldo. Elsie Haddonfield era all'organo, intenta ad accompagnare il coro. Kirsten le stava vicino, di tanto in tanto girava le pagine dello spartito o stava semplicemente insieme ai membri del coro, graziosa e monella allo stesso tempo.

«Banks, in futuro dovrete adeguarvi» disse George, seduto sui gradini della chiesa. «Quando sposerete Kirsten, in un certo senso sposerete l'intera famiglia Haddonfield.»

«È quanto ha scritto il conte nella sua missiva.» Daniel prese posto accanto a George, sebbene i gradini della chiesa non fossero il massimo della comodità. «Vi ringrazio per avergli inviato il mio messaggio ieri. La sua risposta mi è arrivata al sorgere della luna e mi ha accolto in famiglia.»

Breve e concisa.

> Ben fatto, benvenuto in famiglia. Buona fortuna. Ne avrete bisogno.
> Con amore,
>
> Nicholas

E non Bellefonte. Per la sua famiglia, il conte era semplicemente Nicholas.

«Quindi stamane sarà letto l'annuncio» disse George tra sé e sé. «Metà della popolazione femminile di Haddondale cadrà in depressione adesso che il trofeo è stato sottratto da Kirsten. Ottimo lavoro, Banks.»

«Non scherzate» disse Daniel, visto che lui e George sarebbero diventati parenti. «Non vi permetto di denigrare il valore di vostra sorella neanche di sfuggita. Di tutte le persone, Kirsten si merita un principe, o perlomeno il figlio di un duca. È gentile, intelligente, onesta e degna di rispetto; non potete capire quanto mi affascini la sua integrità morale, signor Haddonfield.»

La sua passione era altrettanto preziosa. Oh, essere fidanzato con una donna che si trasformava in una principessa visigota tra le lenzuola!

George distese la schiena, appoggiando i gomiti sul gradino dietro di lui. Nel sole del mattino, egli abbelliva il sagrato con la sua presenza, un ragazzo privilegiato che adornava ogni luogo in cui sostava.

«A prima vista, non date l'impressione di uno così impetuoso» puntualizzò George. «Sempre che uno non vi veda sul vostro castrone. Immagino che in certo modo sia proprio quel destriero ad avervi mantenuto sano di mente.»

«Gli angeli custodi arrivano sotto molte forme diverse, a quanto pare.» Talvolta venivano anche a portare dei letti.

«Mi permettete di darvi una valutazione spassionata dei vostri nuovi suoceri?» domandò George. «Elsie ha detto che è compito di Kirsten, ma il mio punto di vista e quello di Kirsten non sono del tutto congruenti.»

«Tanto so che me lo direte anche se vi chiedo di non farlo.» Daniel lo sapeva perché sotto certi aspetti George aveva già assunto le caratteristiche di un secondo fratello. Ottima idea. Forse di lì a breve anche loro avrebbero preso a rincorrersi nel camposanto adiacente.

L'amore rendeva gli uomini tanto beati quanto sciocchi.

«Dovrete sorbirvi un sacco di barzellette sui santi,» disse George «da parte di Adolphus, che è un po' strambo. Per certi aspetti è geniale, per altri è un pagliaccio. Kirsten è molto affezionata a lui, che in compenso non ha ancora deciso se temerla o adorarla per le sue manifestazioni d'affetto.»

«Magari ha dei sentimenti contrastanti.» Daniel conosceva gli intellettuali allo stesso modo se non meglio di quanto conoscesse i peccatori.

George incrociò un piede sopra l'altro. Era un mistero come facesse un uomo a sembrare così elegante, oziando su dei gradini di pietra, quando il fondoschiena di Daniel stava per addormentarsi.

«Il mio fratello maggiore si chiama Ethan,» proseguì George «figlio illegittimo. Mi pare di capire fosse un avvenimento ricorrente nella generazione dei miei genitori. Ethan ha dovuto combattere, non è stato facile per lui. Non lo è stato per nessuno di noi.»

George ammutolì mentre i visigoti si precipitavano dietro l'angolo della chiesa.

«Rimangiati subito quello che hai detto!» gridò Danny.

«Non ci penso nemmeno perché è la verità» urlò Digby, le mani sui fianchi.

Le piccole mani di Danny erano serrate a pugno, segno che era davvero arrabbiato.

«Prendo bei voti perché me li merito!»

«Hai bei voti solo perché tuo papà è il parroco!»

«Signorini,» intervenne Daniel, alzandosi e spolverandosi il fondoschiena «se dovete esprimere una divergenza di opinioni, siete pregati di farlo in toni ragionevoli. Qual è il motivo della discordia?»

George rimase sui gradini, il farabutto.

«Dice che ho bei voti solo perché tu sei mio papà» urlò Danny con il dito puntato contro il suo accusatore.

«È la verità» ribatté Digby. «Sei cresciuto in una canonica e il tuo papà ti insegna perché è intelligente. Mio padre è morto, quindi a me non ha mai insegnato niente nessuno.»

Improvvisamente, Danny aprì i pugni.

«Non hai avuto un insegnante, una governante o qualcosa del genere?»

«Mia mamma mi è stata un po' dietro, e avevamo una governante prima che morisse papà, quando ero molto piccolo.»

Danny si allontanò in direzione del cimitero. «Mi dispiace tanto. Scusa. Ma ora sei uno di noi! Dài, andiamo! Non abbiamo ancora giocato ai romani.»

E fu così che nacque un'amicizia che sarebbe durata per tutta la vita.

Sua altezza reale Tumistufi finalmente decise di alzarsi.

«È così che funziona anche a casa nostra, Banks. I nostri genitori erano spesso assorti nei loro drammi e noi abbiamo imparato a sbrigarcela da soli. Ci prendiamo cura l'uno dell'altro. Ricordatevelo.»

Daniel accettò la ramanzina perché era animata da buone intenzioni, tuttavia in veste di parroco, sarebbe toccato a lui prendersi cura degli altri.

Kirsten uscì dalla chiesa accompagnata da Elsie Haddonfield.

«Abbiamo risolto i problemi della civiltà moderna?» domandò Kirsten in tono ironico, prendendo Daniel sottobraccio.

Semplicemente con quel gesto e con una carezza sulla mano, Kirsten aveva risolto ogni tipo di problema. In quel modo era come se annunciasse a chiunque lo guardasse che Daniel era suo, che amava toccarlo e che adorava la sua compagnia.

«Se preferite tornare al maniero a piedi» disse Elsie «possiamo portare Danny con noi e ci vediamo direttamente a Belle Maison.»

«Daniel, posso avere l'onore di essere scortata?» chiese Kirsten.

«Naturalmente, mia signora.» Per il resto dei suoi giorni.

George radunò i vari eserciti che saccheggiavano il cimitero, Elsie li fece montare su una carrozza in attesa e Kirsten condusse Daniel verso i prati in fiore.

«Belle Maison è da quella parte» disse Daniel, indicando la carrozza in partenza.

«La canonica invece è da questa parte» replicò Kirsten, ammiccando.

Daniel avvolse la sua mano su quella di lei e accompagnò la sua signora nella direzione della loro prima casa, mentre l'espressione 'il mio calice trabocca di gioia assunse un nuovo significato'.

Adesso tutte le espressioni frivole, futili e azzardate avevano assunto un nuovo senso anche per Kirsten: 'felice come un fringuello', 'sopraffatta dalla gioia', 'pazza d'amore', 'innamorata persa'.

Fortunatamente per lei, non solo era pazza d'amore, ma pure ebbra di giacere col suo amato. Dopo che furono distribuite le pubblicazioni di matrimonio nelle settimane successive, la canonica divenne il loro... In cuor suo rifuggiva dal termine *nido d'amore*. Bisognava pur sempre mantenere un po' di dignità anche se i vestiti erano sempre sparpagliati per la stanza.

«Sei sveglia» disse Daniel, accarezzandole i capelli. «Non hai voglia di alzarti dal letto, e nemmeno io.»

Un altro uomo l'avrebbe baciata sulla guancia e avrebbe iniziato a borbottare sul tempo che volava.

«Ti amo» disse Kirsten. A Daniel piaceva sentire quelle parole, per cui lei gliele diceva spesso. A Kirsten invece piaceva sentire le sue mani su di lei, e lui la assecondava senza risparmiarsi.

«Anch'io ti amo» rispose lui. «In un modo così delirante che dovrebbe sembrare strano, ma non lo è.»

Per Kirsten, lo era, un po', mentre fare l'amore era diventato un'avventura reciproca nella creatività.

«Stai pensando a qualcosa di gravoso» disse Kirsten, girandosi di fianco e mettendosi di spalle in posizione fetale rannicchiata a fianco di Daniel.

Le diede un abbraccio senza stringere troppo, visto che cominciava a fare un po' di caldo e i loro sforzi erano stati notevoli.

«Sto pensando alla mia felicità futura» disse Daniel «che sarà sicuramente immensa. Il vescovo Reimer ha scritto per augurarci tanta felicità e per confermare la sua disponibilità a officiare il matrimonio.»

I vescovi dovevano avere importanza, tant'è che Kirsten smise di baciare la mano di Daniel.

«È il tizio che conosceva tuo padre?»

«Conosce anche me. Reimer è un amico. Di sicuro si sente un po' come una figura paterna. Forse dovrei fare un salto a Londra e andarlo a trovare.»

«Non si dovrebbero trascurare i propri vescovi.» In assenza di Daniel, Kirsten avrebbe potuto finire di arredare la canonica. Le dispense non si rifornivano da sole; i fiori non si piantavano da soli; e il dormitorio dei bambini non si sarebbe ordinato da solo, nonostante Kirsten non volesse separarsi dal suo promesso sposo neanche per un paio di giorni.

«Se è per quello, non si deve trascurare neanche la propria adorata fidanzata» disse Daniel, strofinandole l'orecchio col naso.

Era un uomo grande e grosso, eppure sapeva essere delicato. Non stava chiedendo apertamente a Kirsten di andare con lui a Londra, ma in un qualche modo stava sondando il terreno.

«Forse dovresti fare un salto anche a Little Weldon, Daniel. Puoi andare a trovare i tuoi vecchi amici e renderle omaggio.»

Nella misura del possibile cercavano di non fare mai il nome di Olivia. Non era stata sepolta nel cimitero della sua vecchia parrocchia, bensì in una città più grande, otto chilometri più vicina a Londra. Aveva pensato a tutto il cugino, e di questo dovevano essergliene profondamente grati.

Daniel giaceva supino. «Non mi voglio neanche avvicinare all'Oxfordshire.»

Il che significava, nella logica coscienziosa e virtuosa con cui Daniel scioglieva ogni nodo gordiano morale, che ci sarebbe andato.

«Mancherai a me e ai bambini» disse Kirsten, rannicchiandosi al fianco di Daniel. Non si stancava mai del suo tepore e di essere toccata dalle sue mani. «Di' ad Alfrydd di mandare un fantino a Nicholas per avvertirlo della tua visità. Se hai bisogno di un po' di compagnia durante il tuo soggiorno a Little Weldon, ti raggiungerà volentieri. Ha bei ricordi di Oxfordshire e degli amici nei dintorni.»

Daniel la abbracciò con la stessa naturalezza con cui la pioggia primaverile cade sui fiori. «Devo proprio stare con il conte a Londra?»

Daniel avrebbe pernottato in una pensione da quattro soldi o avrebbe preso una branda in un'umile casa parrocchiale se lei glielo avesse permesso.

«Signor Banks, vorrei ricordarti che hai una famiglia adesso. Mi rendo conto che ti devi ancora abituare all'idea, ma proprio come io sto imparando ad amare Danny, la mia famiglia imparerà ad amare te. Ti conviene abituarti. Non solo starai con Nicholas, ma gli permetterai anche di presentarti come mio futuro coniuge»

Oh, che delizia, che delizia pura e gretta, pensare agli sguardi che Daniel avrebbe ricevuto nei suoi eleganti abiti da sera. Le donne sarebbero andate in visibilio facendo una figura patetica, mentre i gentiluomini sarebbero rimasti stupefatti dalla pacata autostima di Daniel e dalla sua aria appagata.

«Quello sì che è un sorriso interessante, lady Kirsten.» Daniel baciò quel sorriso, che divenne ancora più ampio.

«Più o meno porti la stessa taglia di George. Avrà dei vestiti nella casa di Londra che potrai indossare. Leah insisterà affinché tu ne prenda in prestito qualcuno per le occasioni mondane.» Soprattutto se Kirsten si fosse raccomandata in tal senso.

«Partirò lunedì e tornerò prima della fine della settimana.»

Quella domenica gli annunci del loro matrimonio sarebbero stati letti per la terza volta e, il sabato successivo, il vescovo di Daniel avrebbe presieduto alle loro nozze.

«Scrivimi» disse Kirsten. «Non ci siamo mai mandati delle lettere.

Voglio una lettera d'amore, Daniel. Non c'è bisogno che ti metti a disegnare dei cuoricini ai margini, basteranno delle parole affettuose con cui prenderti in giro fra una quarantina d'anni. Non sarebbe male.»

Kirsten l'avrebbe letta talmente spesso quella lettera, che si sarebbe consunta e trasformata in polvere ben prima dello scadere dei quarant'anni.

«Farò il mio massimo» disse Daniel, mentre intanto le strofinava l'orecchio con il naso. «Scriverò anche ai bambini.»

«Ottima idea. Sono un po' preoccupata per Matthias.» Lo erano entrambi, dal momento che il bambino aveva l'aria sciupata sebbene continuasse ad impegnarsi con gli studi.

«Sta facendo progressi» disse Daniel.

«Non abbastanza per l'intelligenza che ha, Daniel. Non so se hai notato, in questi giorni non solo condivide il suo paniere con gli altri bambini, ma sembra quasi che a lui non interessi neanche.»

Daniel si spostò in modo che fosse accucciato su di lei. Kirsten amava la sensazione di essere protetta dalla sua pura fisicità mascolina.

«Non siamo tutti destinati a studiare a Oxford,» disse lui «così come non possiamo essere tutti vescovi. Matthias ha del talento in parecchi ambiti, che noi cercheremo di valorizzare.»

«Matthias è molto fortunato ad averti come insegnante» disse Kirsten, baciando la spalla di Daniel. «E anch'io sono fortunata ad averti.»

Daniel si mosse di nuovo, premendo contro Kirsten, là dove i loro corpi si erano uniti così spesso e così bene.

«Lunedì sarà qui fin troppo presto, mia signora. Facciamo l'amore ancora una volta prima di alzarci dal letto?»

Una visita a sua eccellenza il vescovo Thomas Reimer è sempre stata una piacevole impresa e talvolta Reimer riusciva anche a essere gradevolmente perspicace. Daniel tese la mano al suo mentore di un tempo e venne trascinato in un abbraccio al profumo di canfora nel vestibolo della residenza del vescovo.

«Hettie, cara, portaci qualcosa da mettere sotto ai denti» impartì Reimer alla cameriera grassoccia alle prese col cappotto di Daniel. «Saremo in giardino così che il giovane reverendo Banks possa ammirare i miei esperimenti botanici.»

«Mi chiamerete ancora giovane reverendo Banks tra quindici anni?» chiese Daniel, benché non gli dispiacesse affatto essere ancora il giovane reverendo Banks per qualcuno. In realtà, non essere più il 'giovane reverendo Banks' aveva i suoi lati positivi. Da giovane non avrebbe potuto anticipare i voti con Kirsten, riponendo una malaccorta devozione al di sopra del bisogno di Kirsten di rassicurazioni intime e irrevocabili perciò dell'impegno di Daniel nei suoi confronti. E al di sopra del bisogno di Daniel di ricevere le stesse rassicurazioni da lei.

Aveva atteso una vita per provare i sentimenti d'amore che provava con Kirsten, per sentirsi così a suo agio con un'altra persona. Sprecare anche solo un mese di un regalo così prezioso sarebbe stato... da stupidi.

«A Dio piacendo, ti chiamerò 'giovane reverendo Banks' anche fra venticinque anni» disse Reimer. «Vieni a vedere le mie iris, hanno davvero superato sé stesse quest'anno.»

Reimer era appassionato di botanica, tuttavia il giardino era anche un luogo in cui nessun servitore avrebbe origliato o li avrebbe interrotti. Daniel aveva impiegato anni per accorgersene.

La residenza del vescovo non era né opulenta né squallida, ma semplicemente un'abitazione spaziosa e piacevole. Nessuna testimonianza della teologia nella sua dimora, né della gloria di Dio, o dell'ostentata umiltà del vescovo. Daniel lo aveva notato durate la sua prima visita.

«Ti trovo bene, Daniel» disse Reimer, mentre attraversavano l'abitazione. «Tuo padre sarebbe felice di vederti in così buona salute.»

«Nel senso che sono vestito di tutto punto? Questi vestiti appartengono al mio futuro cognato e avrei insultato la famiglia rifiutandoli.»

Il piumaggio preso in prestito forniva anche una lezione rassicurante: Daniel non avrebbe messo in imbarazzo la sua beneamata famiglia con i suoi modi rozzi da sempliciotto di campagna.

I discorsi di circostanza erano discorsi di circostanza; un complimento sincero all'ombrellino di una signora era un sincero complimento all'ombrellino di una signora e, quando Daniel indossava gli abiti da sera di George, l'alta società non gli avrebbe riservato più attenzione di quella che avrebbero indirizzato a una duchessa vedova e ai suoi spasimanti.

Daniel e Reimer uscirono sul retro in un giardino soleggiato, più grande di quanto pareva dalla facciata della casa, giacché il verde si snodava per una cinquantina di metri in profondità. In cima alle pareti che fungevano da recinto, le viole del pensiero in vaso si trasformavano in tanti piccoli volti blu, gialli e bianchi rivolti verso il sole.

«Non c'è niente di male a sfoggiare il meglio di sé ogni tanto, Daniel» disse Reimer. «Persino ai fiori è concesso un momento di vanità, cosa che ci riempie di gioia. Vieni ad ammirare le mie viole, caro Daniel, non le ho mai viste così splendide.» Diverse sfumature di iris viola – lavanda, pervinca e viola – assorbirono l'interesse del vescovo finché un vassoio non venne sistemato su un tavolo al fianco di una meridiana.

Reimer era un uomo alto, magro e con i capelli bianchi: ricordava un po' le effigi di marmo che Daniel aveva visto in molte cattedrali. La voce del vescovo era sonora e maestosa durante la messa, ma sui gradini della chiesa, Reimer era affabile e propenso alla risata. Come fosse rimasto amico col padre di Daniel dopo i loro studi teologici era un mistero.

Reimer cessò gradatamente il panegirico sui suoi fiori dopo averne colto uno di un colore intenso quasi quanto gli occhi di Kirsten ed averlo infilato nel risvolto di Daniel. Emanava un profumo delicato e delizioso, sebbene Daniel avrebbe preferito che il fiore non fosse stato colto per continuare a fiorire in pace.

«Allora parlami della tua giovincella, Daniel, e dammi una mano a mangiare tutto questo ben di Dio, altrimenti Hettie mi rimprovera che spreco il cibo. Una vera puritana, questa Hettie.»

Daniel sedette su una panca di legno e si preparò a mangiucchiare qualcosa mentre veniva sottoposto a un cortese interrogatorio.

Sul vassoio c'erano delle pallide fette di formaggio cheddar, pane bianco imburrato, fragole e del prosciutto affettato sottilmente.

«Prendiamoci una birra chiara» fece Reimer. «Proprio quello che ci vuole in un pomeriggio così caldo. La birra è sempre stata il mio punto debole. Presto usciranno le birre estive, non vedo l'ora.»

Reimer era sempre entusiasta, caratteristica che in passato aveva dato leggermente fastidio a Daniel, il quale non condivideva, né comprendeva quel dono, al di là dell'austera convinzione che la vita fosse un regalo.

Adesso finalmente anche Daniel lo comprendeva.

«Volete sapere qualcosa sulla mia fidanzata, lady Kirsten.»

«Intanto mangia» disse Reimer, indicando il vassoio. «E non essere così rigido. Siamo soli, dopotutto.»

A Kirsten sarebbe piaciuto Reimer, e anche ai suoi fratelli. Daniel si fece una bella porzione di pane, formaggio e prosciutto. Non prese le fragole, dal momento che non c'era più spazio sul piattino.

«Lady Kirsten Haddonfield» disse Reimer, mandando giù un sorso di birra. «Rinomata per essere acida, mordace, avvenente, e poco incline a sposarsi. Le malelingue stanno parlando di voi a ruota libera: secondo la maggior parte della gente stai combattendo contro i mulini a vento con una come Kirsten. Dici che sarà appagata a vivere in una canonica?»

Quando il padre di Daniel aveva inveito contro il suo fidanzamento con Olivia, il tono era stato denigratorio e critico. Adesso Reimer invece sembrava preoccupato e curioso.

E Daniel non aveva neanche più vent'anni.

«Lady Kirsten ha avuto i suoi motivi per respingere i suoi pretendenti in passato, signore. Motivi validi. È una ragazza dolce e non sopporta gli sciocchi.»

«E allora non essere sciocco» disse Reimer ammiccando. «Anche se quando si tratta di donne, è più facile a dirsi che a farsi. Prova la birra, Daniel.»

La birra era buona, la giornata piacevole e la vita bella. D'un tratto fu attraversato da una fitta di desiderio per la compagnia – e i baci – della sua altrettanto bella fidanzata. Era stato difficile allontanarsi da lei, non vedeva l'ora di tornare a casa per riabbracciarla.

«Quindi sposerai lady Kirsten» chiosò Reimer. «Accorto da parte tua. Ho sposato la mia Violet neppure sei mesi dopo la dipartita di Maria. 'Non è un bene per un uomo rimanere da solo'.»

«Genesi, capitolo due, versetto diciotto. Sebbene l'Onnipotente non abbia attribuito alle donne una simile incapacità di tollerare la propria compagnia.» Reimer scoppiò a ridere.

«Citazione corretta, giovanotto. Ed è anche maledettamente vero! Non dire a Hettie che sto usando un linguaggio scurrile.»

Hettie doveva essere una domestica o una governante, una ventina d'anni più giovane di Reimer, eppure non era per niente giovanile.

«Potete tranquillamente usare un linguaggio osceno, signore. Come vanno le cose col mio sostituto a Little Weldon?»

Continuarono a parlare di Chiesa per un'altra ventina di minuti mentre il cibo spariva a vista d'occhio e un'ape esaminava svogliatamente le fragole.

«Facciamo due passi, Daniel?» chiese Reimer, finita la birra e ripulito il vassoio. «Bella giornata, per una volta.»

«Per me Londra ha sempre un lieve odore di zolfo, non trovate?» disse Daniel. «Preferisco l'aria fresca della campagna.»

Fecero un giro nel giardino e di tanto in tanto Reimer si fermava a guardare un letto di rose frondose e spinose o delle viole.

Per la prima volta da quando era arrivato, Daniel sentì un filo di impazienza nei confronti del vescovo, poiché non aveva ancora intuito il vero motivo di quell'incontro.

«Sei innamorato di lady Kirsten?» domandò Reimer non appena giunsero dinanzi a un letto di rose che non sarebbero fiorite per altre settimane.

«Follemente» rispose Daniel. «Innamorato perso, irrimediabilmente, irragionevolmente. Non avevo idea che ci si potesse sentire in questo modo. Mi piace persino litigare con lei.»

Kirsten era così incredibilmente onesta nei loro alterchi che discutere con lei era una lezione di tattica e fiducia.

«Viene da chiederselo» disse Reimer mentre passavano all'ombra di un melo, «dato che la tua prima moglie è stata una vera piaga.»

Ah, ecco qual era il vero scopo dell'incontro.

15

Una vera piaga.

«Anche mio padre si espresse in questi termini» disse Daniel. Si ricordava l'appellativo che il padre aveva usato nei confronti di Olivia perché in un qualche modo era stato profetico. Da quando si era fidanzato, Daniel aveva incominciato a leggere i diari del padre la sera, e la parola 'piaga' era apparsa più di una volta in riferimento a Olivia.

«Io vedevo solo una donna disposta a condividere la vita con me,» proseguì Daniel «una che non aveva troppe aspettative nei miei confronti. Non riuscivo a vedere al di là del mio naso.»

«E adesso non c'è più» chiosò Reimer. «Confido che la tua nuova signora ti abbia liberato da ogni persistente senso di colpa?»

Daniel rifletté su quale fosse la risposta più consona da dare in una circostanza del genere, una banalità qualunque del tipo che ogni morte è una perdita nonché una ferita che col tempo si rimargina da sola, e poi pensò invece a cosa avrebbe detto in presenza di Kirsten.

«La mia nuova signora è riuscita a scrollarmi di dosso la rabbia, signore. Olivia si è comportata veramente in malo modo con me e io non ho fatto assolutamente niente per meritare le sue malefatte. Quando eravamo in fase di corteggiamento io mi sono fatto conoscere per chi ero veramente, non ho mai mentito spacciandomi per chi non fossi, mentre lei ha finto in modo egregio.»

Gli aveva mentito, lo aveva ingannato, derubato, messo in cattiva luce, tradito, e si era approfittata di lui in qualsiasi modo immaginabile. Daniel non aveva più bisogno di schivare la verità, sebbene ammetterlo facesse ancora male. Aveva dato anima e corpo a Olivia e si era sentito miserabile allorché non riusciva a renderla felice.

«Dài tempo al tempo, Daniel, anche se la tua risposta ha risolto un interrogativo che mi stava tormentando. Tieni, prendi questo.» Reimer estrasse un fascio di carte piegate rilegato con un nastro nero. «Sono le lettere che tuo padre ha spedito a me nel corso degli anni. Hettie sta facendo un po' di pulizie di primavera e mi sono chiesto quando avrei potuto dartele. Le ho conservate perché tuo padre era pieno di vetriolo nei confronti della tua defunta moglie, e ho pensato che un giorno magari avrebbero potuto esserti utili.»

«Non aveva un'opinione lusinghiera riguardo a Olivia.» Dai diari del padre traspariva anche l'orgoglio nei confronti di Daniel, sebbene fosse preoccupato che la Chiesa fosse una pessima scelta per il figlio.

«Dai diari è emerso altresì che tuo padre metteva in discussione la tua vocazione» disse Reimer, come se gli stesse leggendo nel pensiero.

In quello il padre si era sbagliato: Daniel era piuttosto a suo agio nel servire la Chiesa. Altre cose, invece, il padre le aveva centrate in pieno.

«Volete chiedermi qualcosa, signore?» domandò Daniel mentre i raggi del sole lambivano il sentiero.

«Io non ho mai messo in dubbio la tua vocazione,» precisò Reimer «tuttavia ho avuto modo di vedere come ti sei mortificato sotto l'immeritata penitenza del tuo matrimonio. La tua fidanzata attuale è innamorata di te, Banks?»

Cosa importava a Reimer e perché insisteva tanto?

«Lady Kirsten mi ha fatto capire in tutti i modi che gradisce la mia compagnia.»

Le sopracciglia bianche e cespugliose del vescovo si sollevarono accompagnate da un sorrisetto ironico, come nubi sopra un'alba allegra.

«In *tutti* i modi? Voi giovani e i vostri vizietti. Sarà l'effetto della primavera, ma mi sembri proprio innamorato. La figlia di un conte è una scelta accorta come donna di cui innamorarsi, giovanotto. Contribuirà al matrimonio con le giuste conoscenze, ricchezza e un certo prestigio.»

A Daniel incominciava a dare fastidio essere chiamato giovanotto, ma forse era proprio quella l'intenzione.

«Peccato che non mi interessino affatto i privilegi dell'aristocrazia» disse Daniel, infilandosi in tasca le lettere del padre. «Apprezzo l'onestà di lady Kirsten, i suoi modi schietti, il suo affetto, il suo intelletto e la sua lealtà. È anche molto affezionata ai bambini, il che aiuta quando probabilmente molti studenti vivranno in canonica assieme a noi, alcuni addirittura per anni.»

Reimer cambiò argomento mentre tormentava un groviglio di edera sul pergolato.

«A proposito, hai un bambino, se non ricordo male.»

Non un figlio, un bambino. Che cosa aveva sentito Reimer e da chi?

«Danny. È con me a Haddondale dopo una lunga permanenza da mia sorella e suo marito.»

«Tua sorella ha sposato il visconte Fairly, giusto? Sua signoria sta piuttosto bene.»

Sua signoria era innamorato di Letty. «Mia sorella e suo marito sono molto affezionati a Danny, e anche lui è molto legato a loro.» Perlomeno lo era *adesso*.

Si avvicinarono alla meridiana. Reimer camminava spensieratamente come se il suo unico pensiero fossero le sue iris – o come stuzzicare Hettie sulle faccende domestiche.

«Hai sempre avuto un'intelligenza superiore alla media» osservò Reimer. «La gente a Little Weldon non fa che tessere le tue lodi con il nuovo parroco, il quale si è domandato perché non ti abbiano già santificato. Hai saputo gestire la faccenda con la tua moglie defunta con uno stoicismo e un decoro che in pochi avrebbero avuto.»

«Vi ringrazio, signore.» Secondo la meridiana, sempre che fosse affidabile, Daniel avrebbe potuto raggiungere a piedi il conte Nicholas, che si trovava in un club a Mayfair: sarebbe giunto all'incontro con dieci minuti di anticipo.

«Il decano della cattedrale di Aldchester andrà in pensione tra un paio di anni, Daniel. È ancora in gamba, ma comincia a perdere i colpi. C'è bisogno di una persona più giovane, dinamica, e con tanta voglia di fare. Si dà il caso che il posto di sottodecano sarà presto vacante.»

Le possibilità di carriera fluttuavano nell'aria accarezzate dal benevolo sole pomeridiano. Da sottodecano a decano, da decano a vescovo, una carriera tipica per gli esponenti del clero laboriosi, ambiziosi e con un pizzico di fortuna.

«Mi state chiedendo se sono interessato?» Perché Daniel lo era sicuramente. Si era lasciato Little Weldon alle spalle, e non era ancora pienamente inserito nella parrocchia di Haddondale, per cui adesso era il momento perfetto per fare una mossa vantaggiosa come suggeriva Reimer. Inoltre, le cattedrali avevano delle vere e proprie scuole annesse, non una mezza dozzina di bambini costretti a vivere ammucchiati in canonica, bensì una struttura scolastica a tutti gli effetti, un'occasione di cominciare il percorso di studi col piede giusto, sia moralmente che da un punto di vista accademico.

«No, per il momento non ti sto chiedendo se sei interessato» disse Reimer, sedendosi su una panca accanto alla meridiana.

«Per adesso ti dovresti concentrare sulle tue nozze imminenti; comunque se non sottodecano, direi che un posto nel personale di un vescovo non è fuori questione, Daniel. L'ambizione è un'ottima qualità in un ecclesiastico, a patto che non vada a intaccare la sua vocazione. La tua è stata messa a dura prova e, com'è stato rilevato, mi pare piuttosto genuina.»

Era ironico che le malefatte di Olivia diventassero lo stimolo alla base dell'avanzamento di carriera di Daniel.

«Grazie ancora, signore. Terrò presente questa conversazione.» Daniel ne avrebbe discusso con Kirsten, anzi con lady Kirsten, che sarebbe stata perfetta come moglie di un vescovo. In quel giardino profumato e silenzioso, Daniel fu pervaso da una strana sensazione: come un cerchio che si stava per chiudere, come se la sua virtù fosse stata ricompensata e la sua fede giustificata. La vita lo aveva messo alla prova, egli si era attenuto ai suoi principi e così aveva ottenuto la possibilità di fare carriera. Con Kirsten avrebbe potuto essere felice anche in una piccola parrocchia sconosciuta, ben inteso, ma lei avrebbe sicuramente approvato se Daniel operasse in un più ampio cerchio ecclesiale.

«Rifletticí e prega» disse Reimer ammiccando di nuovo. «Prenditi cura di tua moglie. Mi raccomando, Daniel. Mentre esci, di' pure a Hettie che adesso, se vuole, è libera di farmi la ramanzina su qualunque trasgressione abbia commesso di recente, o su quelle che sto per compiere. Quando ci si mette, sa essere un vero tiranno.»

«Sarà fatto. Buona giornata, signore.» Daniel riferì a Hettie una versione edulcorata del messaggio di Reimer quando gli passò il cappello, il cappotto, i guanti e il bastone da passeggio: a Londra i gentiluomini avevano tutti un bastone da passeggio. Daniel era già uscito dalla residenza del vescovo, quando d'un tratto gli sovvenne che Reimer non aveva indicazioni precise su come arrivare a Belle Maison.

Il giardino aveva un cancello laterale. Daniel fece il giro dell'abitazione ma si fermò prima di immergersi di nuovo tra i fiori di Reimer, giacché il vescovo era di nuovo seduto sulla panchina accanto alla meridiana, assieme alla governante.

Mano nella mano.

***

«Ai bambini manca il loro maestro Daniel, Sua signoria» disse Ralph, mentre a fine giornata stava riordinando l'aula insieme a lady Kirsten. I tavoli e le sedie dovevano essere messi in fila, belli diritti, le lavagne ripulite, i libri e le mappe messi a posto. L'ordine all'interno dell'aula avrebbe conciliato l'ordine nella mente dei bambini, secondo l'austera disciplina del reverendo Banks, il quale però non era altrettanto puntiglioso per quanto riguardava l'ordine in camera da letto.

«Anche a me manca» disse Kirsten, raccogliendo la lavagnetta di Matthias. Il piccolo aveva una calligrafia atroce, che a Kirsten ricordava tanto quella del padre.

«Non solo ai bambini manca Daniel, ma anche ai loro pony. Sono mogi mogi da quando è partito per Londra.»

«Il signor George Haddonfield ha detto esattamente la stessa cosa. Comunque Daniel tornerà presto e tutto tornerà come prima.»

Fino a quel momento la settimana era stata una mezza vacanza per i bambini, con partite extra di cricket, lezioni di equitazione e persino una lezione di botanica al giorno impartita da George Haddonfield, basata principalmente sulle informazioni contenute in un libro che Beckman aveva inviato anni addietro al vecchio conte. Per l'indomani, Kirsten aveva organizzato una gita presso la biblioteca pubblica, per far vedere ai bambini come funzionava e per non essere troppo agitata durante il giorno.

«Tocca a Danny rendere grazie stasera» disse Kirsten, mentre ripuliva la lavagnetta di Matthias. «Domani a colazione è il turno di Fred.»

«Esatto, Sua signoria. Il piccolo Matthias è un po' in difficoltà, ve'?»

«Si dice vero, Ralph, non ve'.» Kirsten lo corresse facendolo un po' arrossire per l'imbarazzo. Ralph stava studiando insieme ai bambini ed era giusto che venisse corretto. «È parecchio in difficoltà. Il signor Banks non ha ancora capito perché. Matthias è un ragazzino intelligente, sa ragionare e ha un buon eloquio.»

«È lento in alcune cose e rapido in altre» disse Ralph, chiudendo le porte francesi. «Come la maggior parte di noi.»

«Le puoi lasciare aperte, Ralph. La notte non fa più così freddo, un po' d'aria fresca al mattino fa piacere.»

L'aula venne riassettata, eppure mancava l'occhio vigile di Daniel per un ambiente preciso come imponeva il rigore accademico. Se si fosse trattato del salotto, Kirsten avrebbe saputo come personalizzare la stanza, a quali oggetti dare un'altra sistemazione, o quale sarebbe stato il posto ideale per collocare un vaso di fiori.

«Il reverendo tornerà presto, Sua signoria» disse Ralph. «Fra non molto vi sposerete, quello sì che sarà un bel momento!»

«Grazie, Ralph. A proposito, il signor Banks ti ha proposto di trasferirti in canonica con noi?»

La scuola andava bene in parte perché Ralph conferiva un amalgama perfetto di buonumore, buon senso e autorevolezza ai suoi rapporti con i bambini, eppure un trasferimento alla canonica sarebbe stato un passo indietro per Ralph. Con una spinta della mano fece girare il mappamondo, proprio come faceva Thomas ogni volta che ci passava accanto.

«Io? In canonica?»

«Mi rendo conto di chiedere molto. Dopotutto si tratta di lasciare la residenza di un conte, ma sei davvero in gamba con i ragazzi: conosci le loro abitudini e ogni regola del cricket.»

Una lacuna nell'educazione di Daniel che Ralph e George stavano rapidamente colmando.

«Non avevo preso l'ipotesi in considerazione, tutto qua» disse Ralph, fermando il mappamondo. Aveva aggrottato le sopracciglia castano ramato, e la sua attenzione era rivolta al Nuovo Mondo.

«Ho chiesto anche a Annie di venire con noi» precisò Kirsten, esaminando la punta della matita sulla scrivania di Matthias. Non era temperata bene, per cui la scambiò con una delle matite contenute in un barattolo nella parte anteriore della stanza. Le matite di Fred e Frank erano in buone condizioni, quella di Danny e quella di Digby, invece, avevano bisogno di una bella temperata.

«Anche Annie si trasferisce in canonica?» domandò Ralph, mentre era intento a osservare il Perù.

La sua adorata Annie.

«Ti pagheremo lo stesso, forse avrai più lavoro ma sarai sicuramente più libero.»

Ralph fece girare di nuovo il mappamondo, questa volta più delicatamente. «Nella canonica ci saranno più risate, meno pettegolezzi e partite regolari di cricket. Mi sembra un'ottima prospettiva. Non dovrò più sopportare le ramanzine del signor Sherwin sulla polvere e sul fatto di essere troppo lento, non dovrò più bussare all'infinito alla porta della biblioteca quando il conte e la sua contessa sono chiusi dentro a... Chiedo scusa, mia signora.»

«Neanche a me mancherà tutto ciò, Ralph. Beulah sarà il nostro cuoco e come domestico porteremo Parsons, e sono d'accordo con te: la canonica sarà un posto allegro, pieno di gioia e di risate.»

In passato chi avrebbe mai accostato il nome di lady Kirsten Haddonfield alla gioia? Eppure questo era stato l'effetto di Daniel: ultimamente Kirsten era quasi sempre allegra.

E anche stanca. Prendersi cura dei bambini, arredare la canonica, fare i preparativi per il banchetto nuziale: tutto ciò le aveva portato via un sacco di energie. Per non parlare poi dei momenti d'intimità con Daniel, che richiedevano una gran quantità di energia, ma che tuttavia le regalavano anche i migliori sonni.

«Pensaci a trasferirti con noi, Ralph, perché sono sicura che il signor Banks te ne parlerà al suo ritorno. Adesso vado nella stalla, ci vediamo domani.»

Ralph la salutò con un inchino, e mentre Kirsten se ne stava andando, incominciò a intonare un vecchio inno. Non riusciva a ricordarne il nome, sebbene avesse presente la melodia e le venne persino in mente una strofa. Kirsten finì col canticchiare la stessa melodia – Elsie avrebbe sicuramente saputo il nome – quando uscì di casa.

Il giardino stava prendendo vita, i colori si dispiegavano sotto il sole primaverile, le siepi a forma di drago, come ogni anno potate alla perfezione. Nella canonica, ovviamente, non ci sarebbe stato nessun elemento d'arte topiaria; d'altronde chi aveva bisogno di draghi quando c'era a disposizione un bel branco di ragazzini?

Kirsten, di ottimo umore, giunse nella stalla, dove l'attendeva la sua giumenta, già pronta e sellata. Era intenzionata a condurre la giumenta verso l'uscita senza disturbare nessuno stalliere – non avrebbero avuto stallieri nella canonica –, quando d'un tratto un rumore colse la sua attenzione.

Un suono ovattato, una richiesta d'aiuto che proveniva dal recinto di Buttercup, situato dalla parte opposta del corridoio. La giumenta era acciambellata nel suo letto di paglia nella misura in cui una giumenta della stazza di Buttercup poteva acciambellarsi. Rannicchiato contro l'animale c'era un bambino. Il piccolo Matthias stringeva la criniera di Buttercup in una mano, l'altro braccio era avvolto sul garrese della giumenta, e intanto piangeva disperato cercando di non fare rumore.

Kirsten fu colta da un bisogno impellente di consolare il piccolo Matthias, abbracciarlo stretto e promettergli che sarebbe andato tutto bene. Tuttavia, nonostante la piccola età, Matthias aveva un gran contegno, per cui non avrebbe voluto che Kirsten assistesse a un suo momento di debolezza.

Sicuramente Daniel avrebbe saputo come comportarsi in una situazione del genere: lasciare che si sfogasse, accovacciarsi nella paglia insieme a lui, oppure far finta di essere appena arrivato fischiettando come se non si fosse accorto di niente.

Kirsten, invece, non aveva la più pallida idea di come aiutarlo.

Forse la colpa era degli abiti eleganti che gli aveva prestato George Haddonfield, fatto sta che mentre Daniel incedeva verso il quartiere di St James, più di una signora compita – e praticamente ogni cameriera al seguito delle nobildonne – gli aveva lanciato degli sguardi di apprezzamento.

Quanto avrebbe voluto che Kirsten si fosse trovata lì per vederlo e per dirgli come comportarsi. Doveva ricambiare i sorrisi? Ignorare i loro sguardi? Salutare le signore che non gli erano state neanche presentate togliendosi il cappello? A onor del vero, Daniel era stato presentato alla maggioranza delle signore. La contessa di Bellefonte, che Daniel doveva chiamare Leah, era determinata a vedere sia lady Susannah che lady Della assieme a un buon partito, e così Daniel era stato costretto a partecipare a un ballo, una colazione veneziana e un musical.

Una noia mortale, oltreché una gran perdita di tempo, intervallata da insulsaggini. Erano necessari dei nervi saldi per sopportare tutto ciò, e a pensare che Kirsten aveva dovuto sopportare anni di tali assurdità.

Una volta giunto su St James's Street, Daniel si rese conto che a quell'ora nessuna lady degna di tale nome osava passeggiare su quella strada, per timore di attirare la censura dei ricconi che guardavano dalle finestre dei club per gentiluomini. Bellefonte aveva spiegato questa forma di censura a Daniel – solo di pomeriggio, giacché i ricconi erano tutti a letto la mattina –, e Daniel era rimasto esterrefatto.

Arrivato al club dove aveva appuntamento con Nicholas, un cameriere in livrea aprì la porta e invitò Daniel a entrare, dopodiché un maggiordomo lo accompagnò in un'anticamera. Le pareti erano tappezzate di velluto rosso e una credenza rivestita di marmo rosa sfoggiava un mazzo di rose rosse. Sul pavimento in parquet, uno spesso tappeto assorbiva i rumori come una notte senza luna assorbe la luce delle candele.

«Ho un appuntamento con il conte di Bellefonte» disse Daniel, consegnando il cappello e il bastone da passeggio. Daniel era pressoché convinto che si sarebbe trattenuto meno di cinque minuti, ciononostante i rituali da protocollo vennero osservati in ogni minimo dettaglio.

Proprio come a messa.

Daniel si domandò com'era possibile che Bellefonte – uno che adorava dormire accoccolato alla sua contessa in biblioteca, costruire casette per uccelli, e cantare alla sua giumenta – riuscisse a sopportare tutte quelle superficialità.

«Molto bene, signore. Chi ho l'onore di annunciare?»

La dizione del maggiordomo ricordava quella del vescovo Reimer, con tutta la solennità di una messa in cattedrale.

«Reverendo Daniel Banks» disse Daniel.

Ci fu una breve pausa, sufficiente a tradire la sorpresa del maggiordomo. Forse gli ecclesiastici non erano soliti frequentare ambienti così altolocati, o forse a Bellefonte non capitava sovente di essere in compagnia di un reverendo. Dopo una manciata di secondi, il conte vestito in pompa magna arrivò nell'atrio tutto trafelato, accompagnato da un uomo dall'aspetto più canuto che indossava abiti più sobri.

«Banks, siete puntuale» disse Bellefonte. «Una qualità eccellente in un futuro cognato. Avete già incontrato il vescovo Howley?»

Il vescovo di Londra? La sua residenza ufficiale si trovava a pochi isolati di distanza, ma Daniel non si sarebbe mai immaginato che...

Daniel si inchinò e si trovò una mano davanti.

«Reverendo Banks, è un vero piacere» disse Howley. «Anche voi uomo della Chiesa di Cristo. Il vescovo Reimer canta le vostre lodi a ogni piè sospinto. Dovete venire a prendere un tè la prossima volta che capiterete a Londra. Bellefonte mi ha detto che avete delle faccende urgenti da sbrigare nel Kent. Non bisogna mai trascurare le questioni urgenti, soprattutto quelle piacevoli. Bellefonte, non corrompete questo brav'uomo. Mi raccomando. È difficile trovare uomini tutti d'un pezzo al giorno d'oggi.»

Howley si accomiatò richiamato dai suoi mille impegni, qualunque fossero gli impegni del vescovo di Londra quando di pomeriggio non era appostato in uno dei club per gentiluomini.

«Pare che quando il vescovo giochi a *whist*[5] in compagnia di alcune duchesse imbrogli sempre» mormorò Bellefonte, catturando lo sguardo del maggiordomo. A volte senza dare nell'occhio fa anche il cascamorto. Mia nonna dice che un tempo sono stati amici, e questo parla da sé.

---

5 Gioco di carte.

Dopo che gli venne restituito il cappello e il bastone da passeggio, Daniel si ritrovò di nuovo per le strade di Londra sotto il dolce sole pomeridiano.

«Siete stato voi a organizzare l'incontro all'apparenza fortuito tra me e il vescovo?» domandò Daniel.

«Oh, può essere. Di tanto in tanto Howley esce dalla sua residenza e essere nelle grazie di signori ed eredi che si rilassano nei migliori club della città non può che giocare a suo favore.»

Il nome di Howley veniva menzionato ogni volta che veniva proposta la carica di arcivescovo di Canterbury.

«Immagino di dovervi ringraziare, ma davvero non vi dovevate disturbare.» A Kirsten invece avrebbe fatto piacere. Daniel si tolse il cappello per salutare una duchessa che aveva conosciuto alla colazione veneziana, poi si rese conto che conosceva anche uno dei figli della nobildonna nello Oxfordshire. Un pianista.

«Come no! Certo che dovevo disturbarmi!» controbatté Bellefonte. «Altrimenti Kirsten si sarebbe adirata. Adesso siete uno di noi, Banks, e in quanto membro della famiglia siete soggetto ai benefici della mia influenza nobiliare. Del resto Howley si sarebbe aspettato che vi presentassi. Sapete far finta di perdere quando giocate a carte?»

«Cercherò di affinare quest'abilità, mio signore.»

L'ora mondana per eccellenza si avvicinava, quando tutta l'alta società si concedeva un'insulsa sfilata a Hyde Park: era sia un'esibizione di opulenza che di abiti di alta sartoria, ma anche un'occasione per socializzare. Per le strade c'era un viavai continuo e i marciapiedi erano sempre più affollati.

«Mi manca il Kent» disse Bellefonte mentre si avvicinavano a Piccadilly. «Mi manca la legna su cui lavoro, la mia giumenta, il divano blu e la mia signora. Avete appena udito una patetica confessione, Banks. Qualche consiglio?»

«Tornate nel Kent insieme a me» disse Daniel, anche se il lamento del conte era sembrato curiosamente una specie di gemito fraterno.

«Dovreste accompagnare vostra sorella all'altare quando ci sposeremo e qui, a quanto pare, la contessa ha tutto sotto controllo, quindi potete rientrare senza alcun problema.»

«Perché non vi sposate a Londra?» propose Bellefonte, convinto di quanto stesse affermando, sebbene Daniel fosse certo che dietro a quell'idea ci fossero le sorelle di Kirsten.

Oh, che bella sensazione non essere più trattato da giovanotto come aveva fatto il vescovo Reimer.

«Vi ringrazio ma mi vedo costretto a rifiutare» disse Daniel.

«Rifiutare? Devo forse ricordarvi chi è che comanda, Banks? Rifiutate a vostro rischio e pericolo.»

Bellefonte sapeva bleffare bene, Daniel invece era sempre incline a dire la verità. «Vorrei ricordarvi, mio signore, che sono in procinto di sposare vostra sorella, la quale, il giorno del suo matrimonio, non dovrebbe essere tormentata dalle opinioni meschine e dagli insulsi pettegolezzi dell'alta società. Inoltre, né Kirsten né io vogliamo farvi spendere un capitale per un matrimonio a Londra.»

E infine, un parroco avrebbe dovuto sposarsi nella sua stessa chiesa, con i parrocchiani presenti a festeggiare con lui e la sua signora.

Howley era un esponente di quella che veniva definita l'Alta Chiesa, in linea con l'aristocrazia. Daniel invece era schierato con Kirsten e con la sua parrocchia e finché l'incarico di sottodecano era una possibilità...

D'un tratto Daniel si sentì pervaso da un'ondata di freddo che lo trafisse fin dentro le viscere.

«Banks, tutto bene?» si accertò Bellefonte, dal momento che Daniel si era fermato bruscamente, con il traffico pedonale che gli scorreva intorno.

La donna su cui si erano posati i suoi occhi era della stessa altezza e aveva la medesima andatura di Olivia: incedeva con le spalle indietro come se la postura le servisse per annunciare la sua presenza. Da giovane Daniel aveva sempre pensato che quel suo portamento avesse un che di regale, col tempo invece finì per vederlo come arrogante e presuntuoso. Forse la donna che aveva visto era leggermente più in carne di Olivia?

«Bellefonte, la vedete quella donna vestita di blu, vicina all'angolo?» Grazie alla sua altezza, il conte riusciva a vedere gran parte della folla. La signora in questione era vestita con un abito di raso blu che Olivia non avrebbe mai potuto permettersi.

«Sì, la vedo.»

La sensazione di gelo si diffuse verso l'alto cercando di attanagliare il cuore del reverendo. La donna – *non Olivia, ti prego, Dio, fa che non sia lei* – si stava allontanando da loro, noncurante della cameriera al suo seguito, con la stessa alterigia che aveva caratterizzato Olivia, la quale faceva sempre finta di non vedere la servitù quando abitavano nella canonica di Little Weldon.

«Sono quasi certo che quella donna sia mia moglie: la defunta e non rimpianta Olivia Banks.»

***

«Due vescovi in un colpo solo!» si meravigliò Kirsten. Daniel era talmente entusiasta del suo viaggio a Londra che Kirsten non poteva non essere contenta per lui.

«E non un vescovo qualsiasi!» esclamò Daniel «Il vescovo William Howley, vescovo di Londra! Pensa che mi ha pure invitato a prendere un tè la prossima volta che capito in città.»

Daniel aveva la stessa frenesia di un bambino davanti a un cesto di caramelle: era contagioso. Si era fermato un giorno in più del previsto a Londra, quindi con Kirsten ebbe modo di vedersi solo la domenica a messa.

Erano soli in chiesa, seduti sulla panca in prima fila, con le porte e le finestre spalancate per far entrare l'incantevole aria primaverile. Come a volta succedeva, una rondine entrò svolazzando dalla porta laterale e si andò a posare su una trave. I bambini erano al settimo cielo quando gli uccellini finivano in chiesa.

«Ho incontrato anche Reimer» continuò Daniel. «Era di ottimo umore e mi ha fatto molte domande su di te.»

«Vedrai che ti piacerà, Kirsten. Ne sono sicuro. Non è il classico vescovo, ed è l'opposto di mio padre. È stato molto comprensivo riguardo al mio matrimonio precedente.»

Kirsten prese la mano di Daniel dal momento che a lui non era venuto di prendere la sua.

«Significa molto per te, avere la comprensione del tuo vescovo.»

Daniel alzò lo sguardo e si mise a osservare la rondine che svolazzava da una trave all'altra. Forse stava pensando a dove costruire il nido.

«Credo che il vescovo Reimer abbia una relazione con la sua governante.»

Forse mariti e mogli condividevano quel genere di pettegolezzi, tuttavia Kirsten si sentì leggermente a disagio.

«Li hai colti in flagrante?»

Daniel distolse lo sguardo dalla rondine in volo e diede un bacio fugace alle nocche di Kirsten.

«Li ho visti mano nella mano.»

Quando aveva intenzione di dirle che gli era mancata?

«Sei sicuramente più ferrato di me in teologia, ma tenersi mano nella mano è considerato un peccato?»

«Lungi dall'esserlo!» esclamò Daniel, sollevandosi ed aiutando Kirsten ad alzarsi. «Come si legge nella Bibbia, 'non è bene che l'uomo sia solo'.»

Genesi. Fin lì ci arrivava anche Kirsten – la spiegazione dell'esistenza di una donna come aiutante dell'uomo.

Di fronte alla crescente irritazione, Kirsten decise di giocare la carta dell'onestà.

«Daniel, mi sei mancato.»

Per la prima volta quella mattina, Daniel si concentrò su di lei, non la guardò semplicemente come per dire: 'Oh, salve! Che bel tempo che fa!'

La abbracciò e la strinse forte a sé.

«Mi sei mancata talmente tanto che quasi non riuscivo a respirare» disse lui. «Stare sveglio fino alle ore più improbabili, mangiare a malapena, per poi impinzarsi di ridicole prelibatezze cinque volte al giorno, farsi vedere in giro per il parco, sempre tirati a lucido con abiti di seta e di raso... Non so veramente come tu abbia fatto a sopportare una vita del genere per anni.»

Kirsten si sentì attraversata da un'ondata di sollievo. Adesso Daniel – il suo Daniel – era a casa.

«È tutto ciò che sanno, Daniel. Tutto quello che vogliono sapere, e non ho mai ritenuto che la Stagione londinese fosse sbagliata moralmente, ma lo era per me. A proposito, come stanno i miei?»

La rondine planò sull'altare, motivo di preoccupazione perché, si sa, a volte gli uccelli lasciano delle sorpresine al loro passaggio.

Daniel baciò Kirsten sulla fronte e la sciolse dall'abbraccio. «Stanno tutti bene. Ti mandano un grande abbraccio. I vestiti di George mi calzano a pennello, a detta di tutti. Ti va di aiutarmi a piegare i paramenti?»

Sto sposando un uomo di chiesa. Kirsten avrebbe avuto bisogno di tempo per abituarsi all'idea. Gli diede una mano a sistemare i sacri paramenti, mentre la rondine si era appollaiata sul pulpito come se li stesse osservando. A riposo, era semplicemente un anonimo esemplare aviario, scuro sul capo, più chiaro sul ventre, e con un tocco di marrone ruggine sotto al becco. Allorché spiccava il volo diveniva una striscia blu e crema, lesta e adorabile.

«E non ti ho ancora detto la parte migliore» disse Daniel, riponendo le candele spente sotto l'altare. «Reimer mi ha detto che si libererà presto un posto come subdecano.»

«I decani officiano nelle cattedrali, giusto?» Kirsten aveva visitato sia la cattedrale di Rochester che quella di Canterbury, e non le erano mai piaciute. Tutte quelle effigi tenebrose, gente sepolta proprio sotto i piedi e un vago odore di umido ovunque.

«Sì, i decani operano nelle cattedrali» disse Daniel nello stesso tono con cui i bambini discutevano la gara di pony che Daniel gli aveva promesso alla fine dell'anno scolastico. «Aldchester è una delle cattedrali più antiche, benché non sia quella più a nord.»

La rondine si librò in volo questa volta dirigendosi verso la porta laterale della chiesa, ma virando all'ultimo momento per andarsi a posare sulle canne dell'organo.

«Al Nord? Daniel! Vorresti portare Danny a centinaia di chilometri da tutto ciò cui è riuscito ad abituarsi con tanta fatica, e che ne sarà dei tuoi allievi? E dei parrocchiani qui a Haddondale che stanno imparando a conoscerti soltanto adesso?»

E non pensi alla povera mamma di Danny? E non pensi a me?!

Daniel smise di sistemare l'altare. «Pensavo di portarti con me, Kirsten, ma ovviamente ne dobbiamo parlare prima.»

«Daniel, sta accadendo tutto così in fretta. Un momento sono lì che preparo il banchetto nuziale e un attimo dopo siamo in partenza per il Nord per ricoprire il ruolo di sotto-decano, qualunque cosa sia.» L'intero fidanzamento di Kirsten era stato abbastanza improvviso e, a dire il vero, non era sicura che le piacesse Daniel così come era tornato da Londra.

La rondine era tornata alla sua postazione iniziale sulla trave, dondolandosi avanti e indietro come se stesse declamando un discorso su un palcoscenico.

Daniel si avvicinò a Kirsten, la costernazione nei suoi occhi. «Tesoro, la vita di un parroco può comportare la successione di incarichi diversi. Se l'idea di Aldchester non ti rende felice, ne possiamo fare a meno, tuttavia Reimer mi ha assicurato che sono stato notato.»

Anche Kirsten lo aveva notato. Aveva notato la sua compassione, la sua integrità, il suo onore e la sua gentilezza. L'ambizione e lo sfarzo non avevano nulla a che fare con la sua persona.

Kirsten prese le mani di Daniel, mani che le avevano carezzato ogni angolo del corpo, quando l'unica ambizione di Daniel era stata quella di condividere gloriose intimità con la sua futura moglie.

«La parte dei due che diventano una sola carne non sarà facile per me, Daniel. Tutti i miei affetti più cari sono qui nel Kent. Anche mia sorella Nita e mio fratello George si stanno stabilendo qui. Beckman e Ethan non sono poi così lontani. Ald... come diamine si chiama, mi dà l'idea di un posto così freddo e lontano.»

Daniel la serrò tra le sue braccia, questo abbraccio più deciso del precedente.

«Danny ed io saremo sempre al tuo fianco, poi, facendo carriera, tra qualche anno ci potremmo spostare di nuovo al Sud. Le cattedrali hanno scuole e piccoli coristi e ogni sorta di servizio.»

Kirsten si rannicchiò tra le braccia di Daniel mentre la rondine fece un altro infruttuoso tentativo di dirigersi verso la porta.

«Le cattedrali mi incutevano timore da piccola» disse lei. «Pensavo sempre che da morti ci saremmo trasformati in pietre, sempre che uno in vita si fosse comportato bene, e avremmo giaciuto come le statue sopra le tombe per l'eternità dei tempi, in miniatura e con l'aria severa, per ispirare i bambini piccoli a essere buoni.»

Kirsten lo aveva fatto sorridere. Percepiva l'umorismo in lui, lo sentiva nei baci che le dava sulle tempie. Nonostante fosse cresciuta, le cattedrali continuavano a incuterle soggezione, soprattutto quelle nel lontano Nord.

«Hai una fervida immaginazione, tesoro. Non vorrei che tu pensassi che a Londra non ho fatto altro che socializzare e cercare degli agganci nella Chiesa, per cui ecco qua, per dimostrarti che ti ho pensato, guarda un po' cosa ti ho portato?»

«Sei tu il mio regalo più grande, il fatto che tu sia rincasato sano e salvo. Non voglio niente di più.»

Kirsten desiderava più di ogni altra cosa che Daniel avesse lasciato le sue brillanti idee sullo sradicamento del bambino e sulla scalata nella gerarchia ecclesiastica a Londra.

«Sono riuscito anche a fare una breve escursione a Ludgate Hill, sai?» disse lui. «Mi ha accompagnato tuo fratello e si è rivelato molto utile.»

Stavolta l'uccello fece una solenne marcia sull'altare, il suo passo accompagnato da uno sbattere d'ali a intermittenza che, se da un lato attraeva Kirsten, dall'altro la esasperava.

«In che modo si è rivelato utile?»

Daniel estrasse una scatolina dalla tasca.

«Stava lì seduto facendo mostra della sua nobiltà. Sono sicuro che grazie alla sua presenza sono riuscito a fare un bell'affare. Spero ti piaccia.»

Un anello. Be', forse dopotutto il Nord aveva il suo fascino che col tempo Kirsten avrebbe potuto imparare ad apprezzare, dal momento che Daniel non si era dimenticato di lei.

«Non avrei voluto chiederlo, Daniel.»

«Saresti stata pronta a mettere a disposizione uno dei tuoi anelli per la cerimonia» disse Daniel, aprendo la scatola e passandole una piccola fascia dorata. «A quanto pare la fede nuziale di mia madre è stata sepolta assieme a Olivia. C'era bisogno di qualcosa di nuovo e di grazioso, seppur modesto.»

«Ci sono scritte incise.» Il che doveva aver richiesto un po' di lavoro, data la limitata permanenza di Daniel a Londra. Kirsten si diresse verso la porta laterale, dove il sole si riversava a precipizio.

CON TUTTO IL MIO AMORE, DANIEL

L'anello era un pezzo di metallo lucido, senza particolari segni distintivi, non era un pensiero così originale, eppure a Kirsten vennero le lacrime agli occhi, proprio perché Daniel non le aveva portato una cosa troppo sfarzosa.

«Ne farò tesoro per sempre, Daniel, così come farò tesoro di te.»

Kirsten si infilò l'anello – le calzava alla perfezione – e lo ammirò estasiata. Gli anelli di fidanzamento che gli avevano regalato in passato, erano pacchiani; sintomo dell'ostentazione dei suoi fidanzati, non simbolo di un amore duraturo.

Daniel si appoggiò allo stipite della porta, la luce del mattino metteva in risalto i suoi occhi segnati dalla stanchezza.

«Ho avuto una brutta sensazione a Londra.»

Ah, questo era molto più interessante dei discorsi sui vescovi e sulle cattedrali.

«Dimmi.»

«Stavo camminando con tuo fratello per strada, ancora incredulo di aver fatto la conoscenza del vescovo di Londra Howley, quando un attimo dopo era come se avessi la convinzione di aver visto Olivia: una donna elegante, ben vestita, anche se lievemente più paffuta, insomma avrei messo la mano sul fuoco che fosse lei. Mi sarei messo a correre non tanto per fermarla quanto per sincerarmi che fosse davvero lei. Sai, è sempre meglio essere sicuri.»

Un brutto momento, a giudicare dalla preoccupazione negli occhi di Daniel.

«In passato anch'io ero solita udire la voce di mia madre nel corridoio» disse Kirsten, cingendolo stretto a sé. «E invece alla fine o era Nita o le cameriere o semplicemente la mia immaginazione. Con mio padre, invece, sento ancora l'odore della pipa che fumava, sebbene nessuno dei miei fratelli fumi. Tranquillo, Daniel, non stai perdendo il lume della ragione, non ti preoccupare.»

«È quello che ha detto anche tuo fratello. Ha detto di aver udito la risata di vostro padre una volta, ma in realtà erano i domestici che stavano stuzzicando le cameriere. Comunque ho preso proprio un bello spavento. Bellefonte mi ha portato in un pub nei paraggi, ha ordinato un brandy e mi ha fatto sedere, sperando che mi tranquillizzassi.»

Nicholas non avrebbe mai detto una parola a Kirsten su quel terribile momento.

«Cos'hai provato, Daniel, nell'istante in cui hai pensato che Olivia potesse essere ancora viva?»

Daniel e Olivia erano stati sposati per più di un decennio, dopotutto, avevano cresciuto assieme il piccolo Danny e avevano condiviso il letto matrimoniale.

«Quando ho pensato che quella che stavo osservando poteva essere la nuca di Olivia, mi sono sentito come se fossi piombato all'inferno, Kirsten. Una disperazione assoluta, oscura, senza speranza. Se Olivia fosse viva, tutto ciò che mi rimarrebbe sarebbe la mia carriera, e nonostante sia una parte importante della mia vita, non riuscirei proprio a immaginare un'esistenza senza di te.»

Finalmente, aveva detto le parole giuste. Kirsten si strinse a Daniel, sentendosi più in pace da quando era entrato in chiesa quella mattina per celebrare la messa.

«Non c'è più, Daniel. Non può più farti del male in nessun modo. È morta.»

La rondine fece un ultimo tentativo di volare in picchiata alla volta della libertà, guizzando direttamente sopra le loro teste, e stavolta riuscì a guadagnarsi il sole di quella bella mattina. Un segno, forse, della libertà che Daniel aveva ottenuto in seguito alla dipartita della moglie.

«Chiudiamo la chiesa e andiamo ad ammirare le nuove tende nella canonica» disse Kirsten, tirandosi indietro. «Ho incominciato a sistemare anche le dispense e, in tua assenza, sono arrivati gran parte dei mobili del piano terra.»

«Andiamo a dare giusto un'occhiata» disse Daniel, spostandosi per andare a chiudere le finestre lungo un lato della navata. «Ho molta corrispondenza di cui occuparmi. Danny vuole passare del tempo con me e Ralph mi ha chiesto se ho un po' di tempo da dedicargli per aggiornarmi su cos'hanno fatto i bambini in mia assenza.»

Kirsten si occupò di chiudere le finestre sul lato opposto – la chiesa era un piccolo edificio.

«Posso raccontarti io cos'hanno fatto» disse lei. «Tante passeggiate botaniche, parecchie partite di cricket, due lezioni di equitazione. Adesso sanno andare al trotto e hanno fatto anche diversi esercizi di memorizzazione.»

Daniel chiuse a chiave le porte sul retro. «Vai matta per quei bambini, e questo mi riempie il cuore di gioia.»

Senza la luce naturale, l'interno della chiesa si oscurò, tant'è che Kirsten non riuscì a vedere l'espressione del suo amato.

«A chiunque piacerebbero quei bambini. Credo che dovremmo fare dei picnic di venerdì dopo le interrogazioni e magari insegnare loro a pescare.»

Daniel percorse la navata centrale, proprio come avrebbe fatto il giorno del loro matrimonio.

«Vorrei poterti dare dei figli nostri.»

Si arrovellava ancora per questo? «Non ci ho più pensato da quando ci siamo fidanzati. Ho te, ho gli alunni e ho Danny. Non sono semplicemente contenta, Daniel, sono traboccante di felicità.»

Daniel si fermò di fronte a Kirsten, il suo sorriso era sempre lo stesso di una volta, familiare; il gentile sorriso di cui Kirsten si era innamorata.

«Il tuo calice trabocca di gioia?»

«Esatto. Adesso posso mostrarti le tende?»

Il suo sorriso si fece malizioso, poi d'un tratto le sue sopracciglia crollarono. «Quell'uccellaccio ha preso il mio altare per un bagno di servizio.»

Kirsten ridacchiò. «Peccato che i bambini non siano qua a godersi la scena.»

Stavano ridendo e minacciando di inventare nuovi usi per le fasce delle tende, quando Kirsten ricordò di non aver detto a Daniel che, durante la sua assenza, le era capitato di vedere Matthias piangere disperato.

16

L'esperienza a Londra aveva cambiato Daniel in profondità: era attanagliato da un forte senso d'alienazione, come se gli fosse stato inflitto un duro colpo alla testa. Anche il cavallo, Belzebù, lo aveva percepito e questo lo aveva reso inquieto durante il loro viaggio di ritorno che si rivelò lungo e oltremodo faticoso.

Anche Kirsten capì che c'era qualcosa di strano, poiché una volta rientrato a Haddondale lei si mise a chiacchierare spensieratamente di chintz e di velluto mentre Daniel, intento ad ammirare tutti i progressi compiuti nella canonica, non le prestava attenzione. Kirsten non era molto versata nell'arte del discorrere, ma in compenso sapeva bene come preoccuparsi.

«Vedo che ti sei fatta in quattro mentre io ero a Londra a passeggiare nel parco con le tue sorelle» disse Daniel.

La canonica era come nuova: superfici in legno luccicanti, finestre scintillanti, tappeti variopinti e finestre tirate a lucido. Il profumo della cera d'api e dell'olio di limone seguiva Daniel da una stanza all'altra, e un vaso di iris viola ornava l'ingresso.

«Mi hanno aiutata i bambini» disse Kirsten «e la servitù di Belle Maison è stata ben lieta di aver qualcosa da fare in assenza della famiglia. Anche Elsie mi ha dato una mano: è stata un vero tesoro. Sai, lei se ne intende di arte e decorazioni.»

Kirsten precedette Daniel su per le scale, e mentre lui osservava il fruscio delle sue vesti e la certezza del suo passo, proprio in quel frangente, fu assalito da due emozioni contrastanti.

Amava Kirsten Haddonfield. E su questo non c'era alcun dubbio. Ammirava la sua energia e il suo pragmatismo, era toccato dalla sua incapacità di accettare gli elogi, e gli piaceva il fatto che lei gli desse dei consigli quando si trattava di prendere delle decisioni riguardanti la sua carriera. In poco tempo aveva trasformato la canonica in un'abitazione accogliente. Ciononostante, non sentiva lo slancio di fare l'amore con lei.

Londra lo aveva riempito di dubbi. Quella donna con il vestito blu, benché l'avesse vista solo di sfuggita, era stata come la prima esperienza di un uomo anziano con un forte dolore al petto: aveva lasciato il segno. Come un topo che striscia freneticamente lungo le pareti della sala del trono di un re. Un promemoria della fallibilità umana, del modo in cui un passo falso potrebbe plasmare il percorso di ogni vita e trasformare le speranze più innocenti ed esuberanti in implacabile disperazione.

Adesso, Daniel era attanagliato dai dubbi e si rese conto di aver fatto tanti errori in passato.

Olivia non aveva risposto a nessuna missiva da prima di Natale, sebbene non avessero alcun bisogno di corrispondere. Daniel aveva inviato dei fondi al Nord per la cura e il mantenimento di sua moglie, e in cambio aveva ricevuto... il nulla. Le lettere che il padre di Daniel aveva inviato al vescovo Reimer erano intrise di odio nei confronti della decisione di Daniel di sposare Olivia: pagina dopo pagina, un lamento paterno nei confronti di un ragazzo malaccorto. Da giovane, invece, Daniel aveva sbeffeggiato i timori del padre.

«Kirsten, potremmo parlare un momento?» le chiese Daniel. Se Daniel permetteva alla sua promessa sposa di condurlo in camera da letto, si sarebbe sicuramente aspettata delle attenzioni intime, cose che lui non era in grado di darle in quel momento.

Kirsten tornò giù per le scale e si sedette su uno scalino ricoperto di moquette.

«Parlare? Naturalmente.» Non lo disse in un tono molto incoraggiante. Daniel si sedette accanto a lei a metà scala. «Come stai, tesoro?»

Si era svegliato troppo tardi, era arrivato a messa quasi in ritardo, e poi era stato trattenuto dai parrocchiani sui gradini della chiesa. Durante la celebrazione era stato distratto e pareva altrove con la testa.

«Come sto? Sto per sposarmi» rispose Kirsten. «Anche se il mio fidanzato è partito per Londra e non so quando tornerà. Mi manca terribilmente.»

Daniel adorava la sua onestà condita con un pizzico di ironia.

S'avvicinò a Kirsten e con un braccio le cinse le spalle. «In passato, non mi era mai piaciuta Londra. Anche mio padre la detestava, con tutta quell'opulenza ostentata, eppure devo dire che questa volta... Londra non mi è sembrata così malvagia.»

La sensazione di malessere che attanagliava Daniel aveva avuto origine nel momento in cui aveva visto la donna che somigliava alla sua defunta moglie. Nonostante fosse un pomeriggio incantevole e lui stesso, fino a qualche istante prima, si sentiva raggiante in seguito all'incontro con Howley, in un istante, i platani verdi, i gentiluomini che passeggiavano, i vasi di viole del pensiero che aggraziavano i pub e le scalinate d'ingresso, insomma tutto ciò che gli aveva allietato l'animo sembrò sparire nel nulla, lasciandolo con un dubbio atroce.

Se Olivia fosse viva...

Forse era proprio quel pensiero che impediva a Daniel di andare in camera da letto con Kirsten: fare l'amore con la ragazza minacciava di tramutare una gioiosa attesa dei voti coniugali in un peccato di adulterio. Secondo alcune tradizioni era meglio un uomo morto che adultero. E da lì, ogni altro dubbio aveva trovato un punto d'appoggio nella mente di Daniel.

«A Londra c'è tanta ricchezza ma anche tanta povertà» osservò Kirsten. «Immagino di esserci abituata, si passa dalla carità alla libidine, dalla bellezza allo squallore. È questo che ti ha turbato?»

La sua domanda abbracciava sia il divario sociale tra un parroco di campagna e la figlia di un conte, sia il ponte che il loro amore aveva formato, dal momento che Daniel poteva risponderle onestamente.

«A Little Weldon, spalavo via il letame dalla stalla di Belzebù, mi occupavo della vacca da mungere. Facevo i lavori più umili. Fissavo le tegole allentate. Ero un gentiluomo solo di nome, Kirsten. Che ci faceva quel parroco di campagna a passeggio in Bond Street sfoggiando abiti alla moda e profondendosi in inchini al vescovo di Londra?»

Con un braccio Kirsten gli cinse la vita. «Sai tesoro? Questa settimana ho battuto tappeti, lavato piatti a dozzine, ho lucidato la credenza e metà della boiserie che abbiamo. Mi è piaciuto fare questi lavori, Daniel. Forse anch'io sono una lady solo di nome.»

La risposta di Kirsten lo fece sentire meglio ma non lo rassicurò completamente.

«Ti offenderesti molto se non facessimo uso della camera da letto oggi?» le chiese Daniel.

Kirsten appoggiò la testa sulla sua spalla. «Sei stanco e giù di corda. La mia famiglia sa essere alquanto assillante durante la Stagione londinese. Oltretutto, sarai ancora in tensione dopo aver incontrato il vescovo di Londra. Sai che ti dico? Ho un suggerimento.»

«Sentiamo.»
«Perché non evitiamo la camera da letto fino alla nostra prima notte di nozze? Per costruire un po' di aspettative, un po' di desiderio per i piaceri che abbiamo assecondato fin troppo spesso nelle ultime settimane? Ti ho sognato spesso, Daniel: dei sogni magnifici e, devo ammettere, un po' monelli, che mi hanno dato un sacco di idee.»
Daniel invece non aveva sognato Kirsten. Le sue notti erano state turbate dall'incubo di essere sposato con Olivia e aveva anche sognato il padre che gli faceva la ramanzina su cosa fosse il concetto di remissività.
«Purtroppo mi vedo costretto a rifiutare questa tua proposta» disse Daniel. «Non mi dispiace affatto quando anticipiamo i voti.» Non gli era dispiaciuto fino a quel momento.
Kirsten usò la mano libera per esercitare una pressione gentile sulle sue parti intime, e l'uomo-bestia che risiedeva in Daniel ne fu felice. Una sensazione di sollievo, che lo rese ancor più confuso.
«Mi sono crogiolata nella gioia dell'anticipazione, non lo nego,» disse Kirsten «ma vorrei tanto che la nostra prima notte di nozze fosse speciale.»
«La nostra prima notte di nozze sarà molto speciale, Kirsten» ribadì Daniel.
Un colpo secco alla porta d'ingresso mise fine alla conversazione tra i due promessi sposi.
«Chi potrà mai essere?» chiese Kirsten, liberandosi dall'abbraccio di Daniel. «Se sono George e Elsie, hanno davvero una bella faccia tosta a presentarsi senza preavviso.»
Kirsten aprì la porta e si trovò davanti Letty e il visconte Fairly, nei loro migliori abiti domenicali. Fairly aveva in mano una scatolina di legno delle giuste dimensioni per riporci i gioielli di una donna, uno scrigno decorato da foglie intagliate e fiori che si attorcigliavano ai lati.
«Salve» disse Kirsten. «Ci trovate alquanto impreparati a ricevere ospiti. Comunque, prego, entrate pure. Il salotto è ammobiliato, purtroppo non possiamo offrirvi nessun rinfresco.»
Letty scavalcò la soglia e baciò Kirsten sulla guancia. «Dovete perdonarci. Fairly ha detto che invece di venire qui saremmo dovuti andare direttamente a Belle Maison, anche se lady Susannah ci ha scritto dicendo che siete andata a stare da vostro fratello George che abita ancora più lontano, insomma non sapevamo proprio...»
«Letty, a loro non importa niente di tutto ciò» disse Fairly, pas-

sando di fianco a sua moglie. «Ci limiteremo a lasciare delle spezie e poi togliamo il disturbo, d'accordo?»

Daniel scese le scale. «Siete i nostri primi ospiti e siamo lieti di darvi il benvenuto.» Lieti del fatto che dei parenti venissero senza invito, come era tradizione fare in campagna, senza tutte le carte piegate e ripiegate e con tanto di goffratura che usavano a Londra per invitare qualcuno.

«Mettiamole in cucina, le spezie» disse Kirsten a Letty dopo aver terminato i saluti e ammirato la scatola. Le signore si allontanarono, facendo dei commenti sulle modifiche che erano state apportate alla vecchia casa e lasciando Daniel in compagnia di suo cognato.

«Banks, vi trovo in splendida forma. Danny gode di ottima salute e lady Kirsten è raggiante» disse Fairly, attirando Daniel nel portico ombreggiato. «Ascoltate bene, sto per rivelarvi un segreto. So che non dovrei farlo, ma un uomo che sta per sposarsi deve conoscere la verità.»

«Fairly, questa sceneggiata non è da voi.» La sensazione di malessere interiore che attanagliava Daniel non fece che aumentare.

«Le signore ci raggiungeranno presto e, prima che arrivino, devo dirvi una cosa in confidenza. Tempo fa avevo inviato un uomo al Nord per sincerarmi che la bella Olivia si trovasse nell'abbraccio caloroso della famiglia. E invece... pare che abbia lasciato lo Yorkshire prima di Natale... Molto prima.»

Un'altra rondine o forse la stessa, svolazzò sotto i cornicioni del portico.

«Quindi Olivia ha mentito su dove si trovava» disse Daniel con una calma che non gli apparteneva. «Lo avevo sospettato quando ha smesso di rispondere agli assegni che le mandavo.»

Sebbene Daniel non avesse ammesso i suoi sospetti nemmeno a sé stesso. Olivia aveva mentito, come sempre del resto. Era probabile che i fondi le venissero trasferiti da un parente compiacente. Con discrezione, Daniel spostò il visconte di qualche passò verso sinistra, di modo che non si trovasse esattamente sotto la rondine.

«Si è spostata al Sud: a Londra» proseguì Fairly, ignaro della rondine, «e si è stabilita nella residenza di Bertrand Carmichael.»

«Non c'è niente di strano, Fairly. Carmichael era un suo parente.» Che non si era mai degnato di fare visita a Olivia quando costei abitava a Little Weldon, per quanto ne sapesse Daniel almeno.

«Fate attenzione, Banks. Nessun medico è stato convocato a casa di Carmichael dal primo dell'anno. Io sono un medico e sono in contatto con i medici di Londra. Ho fatto fare delle domande alla servitù di Carmichael, tra una pinta e l'altra al pub, nelle scuderie e così via. Non ricordano nessun paziente malato, ma pare che una certa coccinella, così la chiama Carmichael, non si comporti molto bene con la servitù. Nell'arco dell'ultima settimana, pare che il suo comportamento sia peggiorato ancora di più, non la sopportano più.»

Non è possibile. Non è possibile.

«Fairly, cerchiamo di ragionare. Ho parlato con il mio successore a Little Weldon. Mi ha assicurato che a Great Weldon si sono tenuti i funerali della compianta Olivia Banks. Dal canto suo, Carmichael è un uomo in gamba, non è sposato, ed è un gentiluomo londinese. Per quale motivo non dovrebbe avere una coccinella?»

Come se fosse interessata alla conversazione, quella rondine del malaugurio si mise a saltellare lungo le travi per posarsi nuovamente al di sopra della testa del visconte.

«Per caso Carmichael vi ha fatto recapitare le spese del funerale?» domandò Fairly.

La morte era un'impresa. Ogni cosa aveva un costo: le campane a morto, la lettura delle Sacre Scritture al cimitero, la bara, il sudario, tutto.

«Non ho ricevuto niente» rispose Daniel. «Carmichael era il cugino di Olivia, ben sistemato, forse ci ha pensato lui. Comunque, no, non ho ricevuto niente.»

Daniel fece un gesto verso l'alto, rivolto alla rondine.

«Non c'è da fidarsi di quell'uccellaccio. Fareste meglio a scansarvi.»

Fairly si scostò appoggiando un fianco sul corrimano, fuori dalla portata di rondini dall'intestino debole.

«La bigamia è un reato, Banks. Se voi o il piccolo Danny doveste essere coinvolti in un altro scandalo, Letty non reggerebbe il colpo.»

Per non parlare della povera Kirsten.

«Ho conservato la missiva di Carmichael» disse Daniel. «E anche quella del parroco di Little Weldon che confermava l'avvenuta sepoltura. Se Olivia non è morta, allora ci ha fatto una cortesia a entrambi con questa farsa elaborata. Può metterci una pietra sopra e andare avanti con la sua vita. E anche io.»

«Sareste sempre colpevole di bigamia.»

«Olivia è morta!» Un desiderio fervente, non una certezza. «Se non è troppo disturbo, vorrei chiedere il vostro aiuto per procurarmi una licenza speciale.» Per il momento, la necessità di sposare Kirsten era diventata urgente più che mai e la posizione al Nord si profilava come una nuova terra promessa.

Fairly pareva intenzionato a controbattere, ma in quel momento tornarono le signore. Letty si andò a posizionare proprio sotto la rondine.

«È tornata» disse Kirsten, aggrottando le sopracciglia in direzione della rondine. «Se fossi in voi, mi sposterei, Sua signoria. Quell'uccellino, o uno molto simile, è stato alquanto irrispettoso nei confronti dell'altare di Daniel.»

Letty si avvicinò al fianco di suo marito, proprio mentre la rondine lasciò loro un ultimo regalino, prima di allontanarsi librandosi in volo.

«Si sposano! Si sposano! Hanno annunciato che si sposano!» esultò Olivia. Bertrand aveva previsto che la notizia le avrebbe fatto piacere, ma Olivia non era solo contenta. Era estasiata, sprizzava gioia da tutti i pori, come una mamma la cui figlia abbia appena ricevuto una proposta di matrimonio da un duca giovane, bello e ricco.

«Non sono ancora sposati, Olivia» precisò Bertrand, girando attorno alla scrivania per riprendere la missiva che gli era stata inviata dai suoi uomini a Haddondale.

Olivia si appropriò del posto di Bertrand dietro la scrivania.

«Ma lo saranno presto, e allora quale scelta avrà Daniel? O mi consegna una grossa somma di denaro oppure verrà sbattuto in carcere per bigamia!» Daniel non avrebbe avuto problemi in carcere, però non avrebbe mai coinvolto il piccolo Danny in uno scandalo del genere, così come non aveva nessuna intenzione di rinunciare alla sua carriera ecclesiastica.

Anziché sedersi davanti alla scrivania come un supplicante, Bertrand finse di leggere attentamente un volume sull'economia scritto da Adam Smith.

«Per essere una donna che non vede suo marito da quasi un anno, pare che tu lo conosca fin troppo bene.»

Bertrand aprì il tomo a una pagina a caso: 'Il governo civile, in quanto istituito per la salvaguardia della proprietà, è in realtà istituito per la difesa dei ricchi contro i poveri...'

Il signor Smith non aveva mai incontrato persone come Olivia Banks, per le quali persino la legge divina non aveva alcun significato.

«Ho vissuto con Daniel Banks in quello schifo di canonica per anni» controbatté Olivia, prendendo una piuma dal portapenne sulla scrivania. Sventolò la punta della piuma all'altezza del mento. La strofinò avanti e indietro, ripetutamente.

«Per Daniel la carriera ecclesiastica è la cosa più importante,» proseguì Olivia «si ridurrebbe sul lastrico pur di salvaguardarla. Senza il bambino, la chiesa è tutto ciò che ha.»

In realtà, il bambino era tornato a stare con Banks. Ma Olivia non lo sapeva. Bertrand si era tenuto per sé quell'informazione, contenuta in un'epistola precedente. Il giovane Danny non era cresciuto da un visconte opulento, come pensava Olivia, bensì da un umile parroco e, a quanto pareva, ne era molto entusiasta.

«Olivia, sottovaluti gli alleati che Banks sta raccogliendo nel Kent» disse Bertrand, più per il piacere di tormentarla che altro.

«Non ti dimenticare che stiamo parlando della sorella di un conte, e i conti condannano la frode, il ricatto e la bigamia.»

Bertrand ripose il biglietto di Haddondale tra le pagine del libro, dopodiché rimise il signor Smith sullo scaffale, giacché la sua prosa era troppo contorta per i suoi gusti.

«Gli aristocratici non sopportano gli scandali» disse Olivia con troppa certezza per essere una che non aveva mai condiviso la sala da ballo con quelli dell'alta società. «E non sapranno mai che sono io l'artefice di tutto! Daniel non chiederebbe aiuto a nessuno, se non al suo prezioso ed eterno Dio, e guarda che fine ha fatto: senza moglie, senza figlio, un'altra chiesa di campagna che puzza di fango, letame e disperazione.»

Olivia era la persona più meschina che Bertrand avesse mai conosciuto, altrimenti non avrebbe provato cotanta gioia per la sofferenza altrui. Eppure quella meschinità aveva il potere di affascinarlo, soprattutto quando la teneva tra le braccia e si arrendeva a una parte della sua stessa natura primordiale.

Bertrand aiutò Olivia ad alzarsi.

«Quindi lasceresti che Banks vada all'altare, si sposi e compia un reato ai fini dei tuoi vantaggi materiali?»

«Altroché! Spargerò petali di rosa sul suo cammino» disse Oliva, «e canterò la marcia nuziale a squarciagola. Ho aspettato questo momento così a lungo, Bertrand!»

Bertrand utilizzò la sua altezza e la sua forza per spingere Olivia contro la scrivania.

«Anch'io ho atteso fin troppo, Olivia. Oggi la servitù ha mezza giornata libera, quindi abbiamo tutta la casa per noi, e non ho più intenzione di aspettare.»

Poteva adirarsi, imbronciarsi e atteggiarsi da attrice drammatica, ma Bertrand era certo che anche a Olivia piacesse l'intimità che condividevano. Bramava il piacere, del quale, a dire il vero, aveva conosciuto ben poco, ma le piaceva anche immaginare che Bertrand cercasse solo lei per il proprio appagamento, e che il suo desiderio fosse rivolto unicamente a lei.

Bertrand non smentì questa convinzione di Olivia, sebbene non corrispondesse al vero. Bertrand non era certo uno stinco di santo e allorché si presentava l'occasione, anche lui si lasciava andare ai piaceri della carne.

«Perché indossi tutte queste vesti?» borbottò lui, spingendo Olivia sulla scrivania. «Con tutte le camicie da notte che ti compro, non hai bisogno di tutti questi stracci.»

«Mi piacciono le mie vesti» ribatté lei. «E invece non mi piaci tu quando sei in calore.»

«Eccome se ti piaccio, detesti solo il fatto che io possa darti il piacere che tu non sei in grado di dare a te stessa.»

Perché in fondo, da ragazza di campagna, Olivia non aveva mai immaginato che le donne potessero commettere una versione del peccato di Onan con la stessa facilità degli uomini.

«Qualsiasi uomo potrebbe...»

Bertrand la baciò, anche se il silenzio non sarebbe durato abbastanza a lungo. Discutere con Olivia era stimolante – per entrambi.

«Non qualsiasi uomo» la corresse Bertrand, facendosi spazio tra le sue vesti e incuneandosi tra le sue pallide ginocchia.

«Sai cosa mi piace? Mi piace il fatto che Banks non ti possa avere e io, invece, sì. Sposami, Olivia, e ci trasferiremo al Nord.»

Unì il suo corpo a quello di lei non troppo delicatamente, cosa che anche lei pareva bramasse e al contempo detestasse.

«Il matrimonio è per gli stolti» sibilò Olivia, cingendogli la vita con le gambe, come fossero una morsa. «Il matrimonio è per le donne senza ambizione, senza...»

Bertrand la mise a tacere con una spinta secca e dura, pur sapendo che sarebbe tornata a sputare odio e ai suoi intrighi prima ancora che le sue gonne le fossero ricadute all'altezza delle caviglie. Olivia era inesorabilmente egoista, subdola e, nella sua libidine, sia patetica che magnifica.

«Ti piace, eh?» gracchiò Bertrand. «Dillo!»

«Vai all'inferno.»

Lo stupido, tenero ragazzo del villaggio non le offrì più argomenti, perché mentre fornicavano sulla dura superficie della sua scrivania, quel ragazzo desiderava fare l'amore con quella donna. Desiderava darle il suo nome e cancellare tutte le ferite e la meschinità che la vita le aveva gettato contro.

Olivia aveva un cuore di selce e un disperato bisogno di essere economicamente indipendente ed era per questo motivo che la vita l'aveva resa così dura.

Mentre si aggrappava alla schiena di Bertrand e la scrivania scricchiolava sotto il suo peso, un ultimo, preoccupante pensiero si insinuò travolgendo il suo crescente desiderio: se Olivia era capace di mettere a repentaglio la felicità di un bambino e quella di un reverendo di campagna che aveva un'integrità morale irreprensibile, cosa sarebbe stata in grado di fare a lui, se si fosse accorta che la sua infatuazione non gli era mai passata?

Kirsten era seduta in fondo alla classe e osservava Daniel che spiegava l'Atto di Unione[6] a sei ragazzini assorti. Narrò l'unione della Scozia all'Inghilterra come un racconto di eroi e cattivi, ragazzi intelligenti trasformatisi in uomini geniali, e battaglie combattute sia per motivazioni vili che nobili.

«Quindi la Scozia non poteva commerciare con le colonie, con il Canada, l'India o con qualsiasi altro posto?» domandò Matthias.

«I porti inglesi erano chiusi agli scozzesi» rispose Daniel, «eppure la Scozia aveva un disperato bisogno di commerciare con il mondo. Anziché lottare per quel privilegio, gli Scozzesi accettarono l'Atto di Unione.»

Era una versione dei fatti un po' anticonformista, anche se Kirsten sospettava che la resa di Daniel fosse più verosimile della versione che era stata raccontata a lei.

Frank alzò la mano. «È come quando Thomas si siede su qualcuno. Non è che ci prende a botte quindi non possiamo dire che abbiamo fatto una lotta, però comunque è pur sempre una lotta senza pugni.»

«Danny, cosa ne pensi?» domandò Daniel.

«Se fossi la Scozia, non mi piacerebbe quest'Unione, e se fossi l'Inghilterra, non mi fiderei di essa.» Un breve riassunto di gran parte della storia britannica.

Daniel smise di camminare avanti e indietro mentre la sua attenzione si focalizzò su Kirsten. Era entrata di soppiatto, non volendo disturbare la magia che accadeva quando Daniel era con i suoi allievi.

«Bambini, abbiamo un ospite» disse Daniel.

I bambini seguirono il suo sguardo e si alzarono tutti insieme.

«Buongiorno, lady Kirsten.» Si inchinarono come una pattuglia durante un'esercitazione nella scuola delle buone maniere.

---

6 Nel 1707 fu emanato l'Atto di Unione, che univa la Scozia all'Inghilterra e al Galles.

Kirsten ricambiò il saluto con la stessa grazia, come se fosse in presenza di sei piccoli duchi.

«Bambini, buongiorno a voi. Sono rimasta colpita dalla padronanza che avete della storia britannica. Pare che vi troviate bene a lezione. Questo mi rende molto felice.»

I bambini sorrisero compiaciuti della propria bravura. Le orecchie di Thomas si fecero rosse, e anche Daniel parve un po' schivo.

«Chiedo scusa se vi ho interrotto» proseguì Kirsten. «Potrei prendere in prestito il signor Banks per qualche istante? Ho lasciato dei biscotti in cucina ed è quasi ora della ricreazione. Potete approfittarne, intanto.»

Nessuno si mosse. Rimasero tutti a guardare Kirsten, sei pilastri giovanili di desiderio e autocontrollo.

«Andate pure!» li esortò Daniel. «Non dimenticate di lavarvi le mani e di rendere grazie prima di mangiare.»

Memori delle buone maniere, i bambini mantennero un certo decoro fino a quando non raggiunsero la porta, a quel punto, pensando di non essere visti, iniziarono a sgomitare, e una volta giunti in corridoio si misero a correre verso la cucina come dei forsennati.

«Hanno fame» disse Kirsten mentre Daniel si avvicinò a lei nel retro dell'aula.

«Hanno sempre fame» ribatté lui, abbassando le ciglia. «Anch'io ho fame» baciò la guancia di Kirsten languidamente e fu così che la ragazza provò un forte languore nelle sue viscere.

«Io ho una fame da lupi» disse lei, stringendogli le braccia attorno e afferrando la sua bocca. Qualche idiota aveva dichiarato una moratoria sull'anticipazione dei voti, tuttavia Kirsten si sentiva esattamente come quell'orda di ragazzini: l'autocontrollo che a malapena riusciva a vincere la lotta contro l'istinto.

Daniel sorrise sfiorandole le labbra. «Ti sono mancato?»

Kirsten gli diede un buffetto sul torace, dopodiché lasciò scivolare la mano verso il basso.

«Antipatico! Certo che mi sei mancato. Non vedo l'ora di poter dormire con te tutta la notte, anche se dubito ci riposeremo molto.»

Doveva dargli una notizia, una bella notizia che una donna più forte avrebbe potuto tenere per sé, tuttavia Kirsten era troppo felice per mirare al riserbo. Tutti i biscotti del mondo erano stati infilati nelle sue tasche, e il miglior pony nella scuderia era suo per sempre.

Tuttavia, adesso che lei e Daniel avevano un po' di intimità, la sua parlantina schietta e diretta l'aveva abbandonata.

«Anch'io non vedo l'ora che arrivi quel momento» disse Daniel.

«Reimer verrà a farci visita dopodomani. I tuoi fratelli Nicholas, Beckman e Ethan, lo accompagneranno.»

Leah le aveva dato la stessa informazione in un'epistola recente. In un fitto scambio di missive, Kirsten aveva esentato le sue sorelle dal partecipare al matrimonio e Della aveva espresso il suo ringraziamento.

«E sabato ci sposiamo!» esclamò Kirsten. A quel punto Daniel avrebbe dovuto baciarla per condividere l'entusiasmo del momento, e invece si allontanò verso la parte anteriore della stanza. Giunto all'altezza della lavagna, prese la cimosa di feltro usata per cancellare la grande lavagna posizionata dove un tempo era stato appeso un ritratto del vecchio conte.

«E sabato...» ripeté Daniel, mentre intanto cancellava l'Atto di Unione, «ci sposeremo.»

Era freddo e Kirsten lo sentiva distante, come quando si erano incontrati per la prima volta. Gentile, cordiale, cortese, ma sostanzialmente freddo.

Kirsten aveva osservato una lezione di equitazione dei ragazzi il martedì precedente e aveva capitanato una squadra di cricket il giorno prima. Nel giro di un paio d'ore, avrebbe raggiunto i bambini per il tè mentre Daniel avrebbe apportato gli ultimi ritocchi al sermone della domenica. Per quanto Daniel fosse stato al suo fianco sia nella scuderia che nel campo da cricket, era come se in qualche modo avesse già accettato una posizione nel lontano, freddo Nord.

«Daniel, cosa c'è che non va?» domandò Kirsten, raggiungendolo.

Daniel fermò la cimosa prima di cancellare la parola 'Unione'.

«Non c'è niente che non va. Non vedo l'ora di sposarmi, proprio come te.» La parola 'Unione' venne cancellata con un gesto deciso. Un campanello d'allarme risuonò nel cuore di Kirsten, lo stesso che aveva cercato di ignorare da quando Daniel era tornato da Londra.

«Daniel Banks, guardami negli occhi.»

Dopo un momento di immobilità con gli occhi fissi sulla lavagna pulita, posò la cimosa, si spolverò le mani, le mise dietro la schiena, e si voltò. I suoi occhi racchiudevano la desolazione di un tempo, la sofferenza, oltreché un velo di indulgenza.

«Se sposarmi ti fa sentire un martire, Daniel, puoi riprenderti l'anello.»

Kirsten parlò per timore, ma anche consapevole che c'era qualcosa che non quadrava, e Daniel avrebbe sopportato il fardello da solo a meno che lei non lo avesse in qualche modo forzato a parlare.

«Ci si deve procurare una licenza speciale in previsione del martirio?» chiese Daniel. La domanda era civile, non ironica.

«Mi stai mentendo» disse Kirsten, prendendo il feltro e battendolo contro il lato della scrivania di Daniel. La polvere volò in tutte le direzioni, un po' come le particelle della felicità di Kirsten.

«Ti amo» disse Daniel, prendendo la cimosa dalla sua mano. «Questa è la verità e lo sarà sempre. Ti amo e voglio rimanere al tuo fianco per il resto della mia vita. Nella malattia e nella salute, nella buona e nella cattiva sorte, dimentichi di chiunque altro, finché morte non ci separi.»

«Lo pensi davvero?» Nei suoi occhi e nella gravità della sua espressione si leggeva la verità. «Allora dimmi il resto, Daniel Banks, perché sono quasi certa che siamo i destinatari di un miracolo. Se non vedi l'ora di diventare padre tanto quanto io attendo con trepidazione di portare in grembo i tuoi figli, temo ormai sia troppo tardi per presentare un reclamo...»

Non era proprio quello il modo in cui avrebbe voluto renderlo partecipe del loro miracolo, ma era ugualmente riuscita nell'intento di attirare la sua attenzione.

Le strinse le mani in una salda presa. «Che stai dicendo?»

Adesso era arrivato il momento della verità.

«Ho il forte sospetto, e l'ostetrica me lo ha confermato, di essere incinta, Daniel. Di nostro figlio.»

Per un momento non ebbe nessuna reazione, neanche un battito di ciglia. Rimase inebetito a fissarla.

«Non mentiresti mai su una cosa del genere.»

Affermazione ovvia. Kirsten attese, il disappunto la rosicchiava, perché Daniel non manifestò nessun segno di esultanza, nessun ringraziamento.

Nessun segno gioia.

«Daniel, dimmi subito cosa c'è che non va, altrimenti convincerò Beckman o Ethan a farmi stare con loro. Ethan ha dei parenti acquisiti al Nord e delle proprietà sul Continente. Beckman conosce gente in tutto il mondo. Io e te o ci sposiamo, oppure la facciamo finita.»

Separarsi dai suoi precedenti fidanzati era stato un semplice inconveniente rispetto al terrore che Kirsten stava provando adesso. Daniel Banks era l'uomo che amava, l'uomo a cui aveva dato il cuore.

Daniel affondò lentamente davanti a lei, finché non si inginocchiò ai suoi piedi, la sua guancia premuta contro la pancia di Kirsten.

«Avremo un figlio?»

Finalmente una reazione. «Sono all'inizio e non si sa come andrà la gravidanza, comunque sì, sono incinta. Gli indizi puntano in quella direzione.»

Lei, che non aveva mai avuto problemi di digestione, aveva spesso la nausea. Aveva degli attacchi di sonno nei momenti più impensabili, era... era in ritardo di due settimane. «Potrei essere in dolce attesa.»

Kirsten non si era ancora abituata all'idea: un miracolo, eppure, per quanto fosse meravigliato, Daniel non pareva molto entusiasta.

Le accarezzò la pancia. «Dio buono e misericordioso. Un figlio. Un figlio nostro. 'A noi, un figlio è dato'.»

A Kirsten improvvisamente balenarono tre pensieri: i bambini sarebbero tornati a breve, Daniel era felice, ma era anche turbato, e...

«Poc'anzi hai parlato di una licenza speciale, Daniel. Che intendevi?»

Si alzò lentamente, la sua espressione impossibile da decifrare.

«Sì, c'è una cosa di cui ti devo parlare, anche se temo che la discussione non sarà affatto di tuo gradimento.»

17

«Mattie, non mangi un biscotto?»

I bambini erano seduti attorno alla tavola della cucina dove consumavano la colazione, il pranzo e la merenda. Per la cena dovevano recarsi al piano di sopra, ed erano tenuti a rispettare il galateo. Digby cercava sempre di rispettare le buone maniere, anche ai piani inferiori.

«No, non mi va» rispose Mattie, passando la manica sopra le labbra per pulire i baffi che si era fatto con il latte. «Cos'è venuta a fare lady Kirsten così presto?»

Frank si fermò a metà di un biscotto allo zenzero. «È venuta a sbattersi...»

Thomas gli strappò dalle mani la parte rimanente del biscotto.

«Se ti azzardi a dire che è venuta a sbattersi il maestro Daniel, giuro che mi vengo a sedere su di te fino al censimento annuale dei cigni della Corona[7]!»

A quel punto intervenne Digby, cosa che faceva spesso ultimamente. «Ho cercato 'sbattere' sul dizionario. Talvolta assume l'accezione di pulire, come nel caso di sbattere i tappeti. Ho pensato quindi che forse avesse a che fare con le pulizie di casa.»

Il padre invece gli aveva spiegato che non aveva assolutamente nulla a che fare con le pulizie della casa, dimostrando ancora una volta che il padre giusto era un compagno pratico su cui contare.

«Effettivamente lady Kirsten dà tanta importanza alle pulizie di casa» riconobbe Frank.

---

7 Cerimonia, tipicamente inglese, che si svolge ogni anno nella terza settimana di luglio. La tradizione risale al XII secolo, quando Edoardo IV rivendicò la proprietà di tutti i cigni bianchi selvatici del regno (non soggetti a migrazioni), ritenuti molto pregiati per la loro carne. Da quel momento in poi la corona inglese sarebbe stata la proprietaria di tutti i pennuti britannici. Ogni anno, infatti, lungo il tratto del Tamigi tra Shepperton e Windsor, avviene il cosiddetto 'Swan Upping', ovvero il censimento annuale dei cigni della corona.

Quello era vero. Sparì qualche altro biscotto. Il cuoco arrivò con la brocca di latte e rabboccò i bicchieri di tutti.

«Presto si sposeranno» disse Frank. «Di recente lady Kirsten sta sistemando la canonica, dove andremo a vivere tutti insieme. Hanno persino costruito una stalla in più per far spazio ai nostri pony.»

«Un tempo la canonica puzzava da far paura» disse Digby. «Il vecchio parroco fumava la pipa ed emetteva un sacco di gas dall'intestino.»

Il che, naturalmente, provocò una risatina da parte degli altri bambini, e un'occhiataccia di disapprovazione da parte del cuoco.

«Anch'io ho problemi di flatulenza» disse Frank, facendo vedere a tutti cosa intendesse, nonostante la presenza incombente del cuoco. Frank aveva un talento naturale per quelle cose, sebbene non si fosse mai lasciato andare in presenza di lady Kirsten.

Matthias balzò in piedi bruscamente. «Vado nella stalla. Se pensate davvero che ci trasferiremo nella canonica, siete proprio sciocchi. Prima del censimento annuale dei cigni della Corona, farete i bagagli per Eton, dove sarete fustigati regolarmente e non ci sarà neanche un biscotto.» Uscì dalla porta sul retro battendo i piedi, anche se piccolo com'era non faceva tanto rumore.

«Che gli è preso, Tom?» domandò Frank. «Si sta sempre a lamentare e non riesce più nemmeno a fare i compiti.»

«Forse dovresti provare a sederti su di lui» suggerì Frank, pensando di elargire un consiglio davvero utile.

«C'è qualcosa che non va» disse Thomas. «Non dorme neanche più. Spesso di notte si alza e scende giù in aula. Non ho la più pallida idea di cosa ci vada a fare.»

Digby e Danny una volta lo avevano seguito: Matthias scendeva a fare i compiti, illuminato a malapena dalla luce fioca di una misera candela. Fissava la sua lavagnetta e scrutava i libri di testo, tenendoli così vicini al naso che era un miracolo se riusciva a leggerli.

«Mattie non è stupido,» disse Danny «ma di sicuro non è neanche felice.»

Se Mattie era triste, per empatia lo erano tutti. Un paio di mesi addietro, solo Thomas si sarebbe interessato ai problemi del fratello, ma da allora erano diventati amici e compagni di studio, e se uno di loro soffriva, tutti condividevano il suo dolore.

«Lo dobbiamo aiutare» disse Digby. «Chiederemo sostegno a Ralph, al parroco e anche a lady Kirsten, se dovesse essere necessario. Mattie non è stupido, e noi siamo suoi amici, quindi lo aiuteremo.»

Thomas sollevò la sua tazza di latte. «Lo aiuteremo!»

Sollevarono le loro tazze e le unirono in segno di giuramento, come facevano i prodi guerrieri, di cui il reverendo avevo loro parlato, che estraevano le spade e, dopo averle rivolte verso il cielo, facevano grandi giuramenti.

«Lo aiuteremo noi,» fece eco Frank «e non permetteremo che i suoi biscotti vadano sprecati.»

Un figlio. Un fratellino per Danny e un cuginetto per i figli di Letty. Un bambino: la prova più tangibile, gloriosa, inconfutabile dell'affetto più intimo tra un uomo e una donna.

Dopo aver superato l'incredulità, Daniel fu pervaso da un'immensa gioia.

Lui e Kirsten sarebbero diventati genitori di un figlio... *illegittimo,* qualora Olivia fosse ancora viva.

«Allora, che bisogno hai di ottenere una licenza speciale?» domandò Kirsten, attraversando la stanza per aprire una finestra. I pomeriggi erano diventati abbastanza caldi da garantire un po' d'aria fresca in classe.

«Non ne sono sicuro» disse Daniel. «Ho un brutto presentimento. Sono un po' restio a dirti su cosa si basa questo mio vago sospetto.»

«Dillo e basta, Daniel. Stiamo per diventare marito e moglie e affrontare insieme i problemi è uno dei privilegi del matrimonio.»

Lady Kirsten Haddonfield era così: dispensatrice di verità cruda, era la donna che aveva salvato la vita di Daniel. Egli disse cosa lo aveva tormentato nell'arco dell'ultima settimana, andando al nocciolo della questione.

«Temo che Olivia sia ancora viva.»

Non si trattava solo di un timore, le sue parole erano graffiate dall'idea e dal terrore. Alcuni passi delle Sacre Scritture avevano tormentato l'animo di Daniel per tutta la settimana. 'Non commettere adulterio' figurava in primo piano. Di tanto in tanto compariva anche 'non uccidere'.

Se fosse stata d'aiuto, Kirsten avrebbe potuto ridere di cuore e dire a Daniel che aveva bisogno di più riposo. Avrebbe potuto scrollare le spalle o mettergli la mano sulla fronte per vedere se avesse la febbre.

Kirsten invece era abituata a essere onesta. «Per quale motivo pensi che una donna morta e sepolta sia ancora viva?» Incrociò le braccia e prese posto sulla scrivania che ospitava il terrario, sei piccoli vasi in cui erano piantati semi di ghianda e un mappamondo.

Per mancanza di spazio, Daniel non poté prendere posto accanto a lei, quindi si appoggiò a un angolo della scrivania.

«Se ne sentono di tutti i colori» disse lui. «Non è così difficile falsificare la morte di qualcuno, succede di continuo: per eludere i debiti, la legge, per rifuggire da un coniuge di cui si è stufi o da situazioni di apprendistato intollerabili.»

Kirsten infilò la mano nel terrario e ne estrasse il rospo della settimana. Ogni lunedì, dopo le lezioni, Daniel portava i bambini a fare una passeggiata per insegnare loro un po' di Biologia. Se un rospo incrociava le loro strade veniva ospitato nel terrario per una settimana e poi rilasciato il venerdì seguente.

In onore di Guglielmo il Conquistatore, che ben conosceva il significato della parola ostaggio, quel rospo – durate la sua settimana di cattività – venne chiamato Guglielmo.

«Pensi di aver visto Olivia a Londra?» domandò Kirsten, accarezzando con un dito la testa del rospo, maculata da chiazze marroni. «O comunque qualcuno che le assomigliava molto?»

«Ho percepito la sua presenza.» Daniel si domandò se il loro bambino sarebbe stato un maschio, perché una donna che aveva il coraggio di accarezzare un rospo avrebbe sicuramente avuto il temperamento giusto per crescere un maschietto.

«È come se il mio corpo abbia riconosciuto in quella donna la stessa persona che in passato si è approfittata spudoratamente di me, di mia sorella e del piccolo Danny.»

«Brividi di freddo?» domandò Kirsten. «Una brutta sensazione nello stomaco, come se ti venisse a mancare il fiato? È quello che ho sentito la prima volta che ho visto Arthur Morton con la sua nuova moglie in sala da ballo; e tutti si sono messi a osservarmi da dietro i loro ventagli e le loro tabacchiere.»

Il rospo gracidò, sembrava un verso di piacere, mentre a Daniel stava crollando ogni certezza.

«C'è di più» disse Daniel, mentre in cuor suo cominciava a invidiare quel maledetto rospo. «Fairly ha fatto delle indagini e nessuno ricorda di una donna che si sia ammalata in casa di Bertrand Carmichael all'inizio di quest'anno. Carmichael ha, tuttavia, cominciato a convivere con una coccinella, come la chiama lui, che a dire della servitù è difficile da accontentare. Ho inviato una missiva a Fairly chiedendogli di procurarsi una descrizione di questa donna.»

Kirsten sollevò il rospo all'altezza della guancia, come se gli volesse svelare un segreto.

«E quindi?»

«Poc'anzi è arrivato un messaggio a conferma del fatto che la donna in questione è bionda con gli occhi azzurri.»

«E questo che significa? Metà delle donne in Inghilterra sono bionde e con gli occhi azzurri!»

«Ho vissuto con Olivia per anni, Kirsten, ed è abbastanza subdola da architettare una simile farsa. Ha seminato zizzania tra le donne della parrocchia, mi ha denigrato alle spalle, ha sottoposto ad abusi il piccolo Danny, assumendo sempre un'espressione angelica non appena metteva piede in chiesa e un'affettata aria compassionevole nel maniero. Non ci si può fidare di lei.»

Parlare di Olivia al presente lo aveva fatto sprofondare di nuovo all'inferno.

«Qualora fosse veramente viva,» disse Kirsten «è tua moglie legittima. Siamo di nuovo al punto di partenza, Daniel.»

No, era molto peggio, poiché avevano consumato il loro amore con i risultati più meravigliosi e disastrosi possibili.

«Olivia è mia moglie, se è viva.»

Si sentì venire meno solo al pensiero: un profondo senso di malessere che gli corrodeva cuore e anima e gli toglieva il respiro.

Kirsten fece un'ultima carezza alla fronte nodosa del rospo e lo ripose tra le foglie morte, i ramoscelli e il fango.

«Ti amo, Daniel, e se fossimo coinvolti solo noi due, ti giuro che mi recherei a Londra a cercare questa donna, e farei in modo che mio fratello istituisse un procedimento immediato per il divorzio. Sta commettendo adulterio con il signor Carmichael e questo è sufficiente affinché tu possa richiedere il divorzio.»

Mentre una donna non poteva divorziare da un marito errante per gli stessi motivi. Daniel aveva letto per caso quest'informazione la sera prima nella biblioteca di Belle Maison.

«Purtroppo ci va di mezzo il piccolo Danny e anche il nascituro» disse Daniel. «Col divorzio, perderei il lavoro non riuscendo così a mantenere né una né l'altra famiglia.» Per non parlare della carriera: che avrebbe potuto fare un parroco senza pulpito?

Kirsten si alzò e con le mani si stirò le pieghe del vestito all'altezza della vita. «Se non prosegui con la strada del divorzio, nostro figlio sarà illegittimo, a meno che, naturalmente, non riesca a rintracciare qualcuno nei prossimi otto mesi che voglia accollarsi della merce usata, dopodiché dovrei trasferirmi il più lontano possibile.»

La sua famiglia aveva tutti i mezzi per scacciarla in lande remote, mentre Daniel avrebbe sbarcato il lunario con lo stipendio dell'incarico attuale e qualche soldo che era riuscito a mettere da parte.

Solo l'idea era come un pugno allo stomaco per Daniel, poiché

Letty aveva rinunciato a suo figlio affinché fosse cresciuto da altri. Dinanzi alla stessa prospettiva – o anche di fronte all'idea di restituire il bambino alla madre stessa – tutto il suo essere si ribellava.

«Non posso permetterti di sposare un altro uomo, che crescerebbe mio figlio come se fosse suo.» Daniel non riusciva neanche a concepire un'idea simile, né per il bambino, né per Kirsten, né per sé stesso. L'espressione di Kirsten aveva perso tutta la vitalità: era di nuovo la creatura scontrosa, introversa e suscettibile che aveva incontrato la prima volta nel cottage alla fine di un lungo e gelido viaggio a cavallo.

«Daniel, non è né colpa tua né colpa mia, e tanto meno del bambino che porto in grembo. Ti amo. Però devi anche capire che devo proteggere nostro figlio. Non voglio che tu commetta reato di bigamia per colpa mia.»

Gli allievi di Daniel sarebbero tornati da un momento all'altro e Kirsten aveva già issato le vele, pronta a salpare dall'aula e, forse, anche dalla vita di Daniel.

Sebbene fosse tentato di rimanere in silenzio, Daniel rincarò la dose. «È peggio di così» disse lui. «Se ti sposerò, non solo avrò commesso reato di bigamia, ma sarò vittima di ulteriori ricatti da parte di mia... insomma, di Olivia. Con Letty aveva portato avanti il suo piano diabolico per anni e una volta che nascerà questo bambino non allenterà mai la presa. Ne sono convinto.»

La verità nuda e cruda, in tutta la sua sordidezza e disperazione, era stata svelata e, come un muro, separava Daniel dalla donna che amava. Se Olivia avesse varcato la porta in quell'istante, Daniel le si sarebbe scagliato contro facendole del male.

Come minimo. E avrebbe goduto della violenza, nonostante la vendetta fosse appannaggio esclusivo dell'Onnipotente.

Kirsten rimase dov'era, a pochi passi di distanza, benché in realtà fossero separati da un abisso di problemi. Corrugò la fronte e fece due passi verso la porta, superò il banchino che era stato assegnato al piccolo Danny, e abbracciò Daniel.

La sensazione che gli diede fu come tornare a casa, una sensazione di speranza, ma anche di tormento.

«Per me sei stato un miracolo, Daniel, e mi hai fatto rinascere» disse lei, lisciandogli la cravatta con la mano. Prima di incontrati, mi ero rassegnata a diventare una vecchia zia acida, di quelle spudorate che nessuno vuole mai invitare a pranzo. E poi sei arrivato tu: non ti sei mai fatto scoraggiare dalla mia carenza di fascino e dalle mie affermazioni insolenti. Ti amo.»

Daniel si fece forza per non serrarla in un abbraccio ancora più stretto. «Anch'io ti amo.» *Con tutto me stesso e per sempre.*

«Avremo un figlio tutto nostro, Daniel. Questo è un altro miracolo e non sarò mai abbastanza grata per questo dono, per quanto temo possano esserci delle ripercussioni per il bambino.»

Interminabili e penose.

E adesso arrivava il ma, il rifiuto pragmatico, il momento dell'addio. Kirsten era abbastanza forte da fare la scelta giusta e altruista per il loro bambino. Daniel le diede un ultimo bacio prima che venissero pronunciate quelle fatidiche parole.

«Continua pure» sussurrò lui. «Di' quelle parole tremende, Kirsten, poiché se si tratta di un addio, io non ce la faccio a pronunciarle.»

«Hai un cuore d'oro» disse lei, lasciandosi andare tra le braccia del suo amato. «Sei eccezionale con i bambini, ti dedichi anima e cuore al piccolo Danny, sei sincero nella tua vocazione, e ti meriti di essere felice.»

Anche se senza di lei non sarebbe mai riuscito a esserlo.

«E quindi?»

«E quindi abbiamo semplicemente bisogno di un altro miracolo, Daniel, o qualcosa di molto simile.»

«Lady Kirsten è vostra sorella e Banks è mio fratello» disse Fairly. Su richiesta di Letty e spinto dalla propria coscienza era giunto a Londra a cavallo.

«Banks non è vostro fratello, è vostro cognato» replicò il conte di Bellefonte, mentre stava facendo uscire un enorme castrone dalla stalla. Nicholas non sembrava felice di essere il depositario delle confidenze di Fairly; d'altronde il conte Nicholas era raramente di buon umore quando era confinato a Londra. Fairly lo aveva avvicinato nelle scuderie dietro la residenza di città dei Bellefonte, il che significava che le sorelle di lady Kirsten non dovevano venire a conoscenza del motivo della sua visita.

«Siete sicuro che questa Olivia sia ancora viva?» domandò Bellefonte, tenendo il cavallo a filetto.

«Ho mandato un ritrattista eccellente a farne il ritratto, dandogli tutte le indicazioni su come entrare di soppiatto nel giardino di Carmichael» disse Fairly.

«Letty ha riconosciuto la donna del ritratto: Olivia Banks, senza ombra di dubbio.»

Bellefonte si appoggiò al cavallo facendo leva sul garrese. Per quanto fosse enorme, accanto al conte il castrone pareva un cavallo di dimensioni normali.

«È un bel problema» disse Bellefonte. «E Kirsten ne ha già avuti fin troppi di problemi.»

Che Bellefonte fosse protettivo era scontato.

«Se è per quello, anche Banks ne ha già avuti fin troppi di problemi.» Per non parlare di Letty, del piccolo Danny e di Fairly stesso.

Gli balenarono varie idee nella mente, alcune di una violenza gratificante.

Una porta si spalancò dall'altro lato del corridoio. Lady Susannah e lady Della entrarono tutte trafelate, in tenuta da equitazione.

«Dannazione.»

L'imprecazione di Daniel venne sussurrata a un volume abbastanza alto affinché fosse udita da Fairly.

«Kirsten ne ha abbastanza di gente che gli organizza la vita» disse lady Della, come se avesse udito l'intera conversazione.

«Non ha bisogno di nessuno che gli selezioni i corteggiatori e che si intrometta nella sua vita. Che diamine state tramando voi due?»

«Non fate gli ipocriti» soggiunse lady Susannah. «O lo diremo a Leah e a Letty.»

Fairly osservò le due ragazze mentre Bellefonte soppesò il da farsi. Non sapeva quale carta giocarsi: fascino, astuzia, spavalderia...

«Abbiamo motivo di credere che lady Kirsten e il signor Banks si trovino coinvolti in una situazione poco gradevole e non sappiano come uscirne» disse Fairly. «Siamo aperti a suggerimenti, ma questo forse non è il posto più indicato per parlarne.»

Bellefonte rimosse il filetto. «È quello che penso anch'io. Si tratta di una questione seria.»

Sua signoria rimise il castrone nel suo recinto aperto, mise un braccio attorno al collo di ciascuna delle due sorelle e le accompagnò in giardino, dove vennero servitori con gran copia di rinfreschi e fu convocata la contessa per partecipare alla discussione.

«Il divorzio non è un contemplabile» disse Daniel alla donna tra le sue braccia. «Mi costerebbe la carriera e, con essa, la capacità di provvedere a te e ai bambini. Il divorzio immergerebbe tutta la famiglia nello scandalo, per non parlare delle conseguenze per le tue sorelle e per i bambini.»

Tra le persone annoverate, Daniel incluse i suoi allievi, giacché si aspettavano che il loro maestro stabilisse per loro uno standard di onore conseguibile, lo stesso che Daniel si aspettava da sé stesso.

Kirsten si allontanò.

«Due fidanzati piantati in asso mi hanno gettato nello scandalo, eppure eccomi qua, cinque anni dopo, sono ancora in grado di dare significato alla vita mia e gioire delle mie benedizioni. Lo scandalo è di gran lunga preferibile all'ipocrisia, caro Daniel, al ricatto e all'idea di rendere un bambino illegittimo.»

La porta si aprì, rivelando cinque ragazzini pronti a riprendere il loro studio dell'Atto di Unione. Ralph era ritto in piedi dietro di loro, facendo finta che non avesse udito neanche una parola. Solo Matthias mancava all'appello.

«Bambini,» disse lady Kirsten «confido che vi siano piaciuti i biscotti. Vi lascio con il vostro maestro a racimolare un po' di saggezza sul passato.»

Lasciò la stanza camminando con ostentazione, accompagnata a mo' di serenata dal morbido gracidare di Guglielmo il Rospo.

«Ralph, stavamo parlando dell'Atto di Unione» disse Daniel, intenzionato a seguire la sua amata addolorata ovunque fosse diretta. «Aiutali a ripassare quanto hanno appreso.»

I bambini rimasero fermi immobili: nessuno ebbe il coraggio di andare a sedere al proprio posto.

«Dovreste pulirvi gli stivali, maestro» disse Digby.

«Pulirmi gli...?» Daniel aveva sempre detto ai suoi studenti che pulirsi gli stivali era un modo per facilitare la contemplazione di un eventuale passo falso.

«Ha ragione, papà» disse il piccolo Danny. Era la prima volta che lo chiamava papà davanti ai compagni di classe e non maestro.

«Potete andare a fare una passeggiata nella natura.» Un altro dei famosi rimedi di Daniel per cacciare la tristezza.

«O anche una bella cavalcata su Belzebù» suggerì Thomas cercando di rendersi utile. «Un gentiluomo non dovrebbe mai fare arrabbiare una signora.»

Per amor del cielo! Rimproverato da un gruppetto di bambini, e il bello è che avevano ragione.

«So che avete buone intenzioni,» disse Daniel «e che lo fate in buona fede, ma non capite. La situazione è complicata.»

Guglielmo il Rospo si mise a gracidare di nuovo, e a quanto pareva era il massimo del supporto che Daniel avrebbe ottenuto dai presenti.

«Sua signoria aveva l'aria alquanto sconvolta» Ralph ebbe il coraggio di dire. «C'è da aspettarselo quando le nozze sono dietro l'angolo. Dài, su, bambini. Andate a sedere adesso.»

A quanto pareva le nozze *non* erano più dietro l'angolo.

«Mi raccomando, di' a Belzebù di fare il bravo» soggiunse Danny dolcemente.

«Glielò dirò» disse Daniel, marciando verso la porta. «Stai tranquillo.»

Quando Daniel raggiunse il giardino, Kirsten non si vedeva da nessuna parte, quindi si diresse verso la stalla ma, ancora una volta, non c'era alcuna traccia di Sua signoria. Il capo stalliere, l'unico essere umano in vista, stava conducendo Loki all'abbeveratoio.

«Alfrydd, hai visto lady Kirsten?»

«No, signor Banks, non l'ho vista, tuttavia il signorino Matthias è venuto a farmi visita e mi è parso piuttosto giù di corda.»

Era proprio una giornataccia. Erano parecchie settimane che Matthias era tormentato da qualcosa.

«Qualora Lady Kirsten dovesse chiederti di far sellare il suo cavallo, per favore, trattienila finché non arrivo. A proposito, dov'è Matthias, adesso?»

Daniel era sia il parroco che il maestro di Matthias e non lo avrebbe certo abbandonato alla sua tristezza.

«Il signorino Matthias si trova nella stalla della giumenta, ma ho fatto finta di non averlo visto. È lì che piange disperato come l'altra volta, poverino.»

«Va bene. Per favore, non lasciare che lady Kirsten se ne vada senza parlarmi, mi raccomando!» disse Daniel, dirigendosi verso la stalla.

Alfrydd gli diede commiato. In cuor suo Daniel sapeva benissimo che quelle sue raccomandazioni non avrebbero sortito alcun effetto, giacché Kirsten sarebbe andata dove voleva e non avrebbe dato retta a nessuno.

Dapprima cercò Matthias nella stalla di Freya, la quale stava mangiucchiando con soddisfazione il fieno che aveva a disposizione e si limitò a lanciare a Daniel uno sguardo disinteressato.

Dove poteva essersi cacciato... da Buttercup?

Dall'altra parte del corridoio, la giumenta preferita del conte era distesa sulla paglia, al suo fianco un ragazzino magro le stava attaccato al collo come l'edera.

Forse alla cavalla mancava il conte, o forse era semplicemente di indole mite.

«Detesto essere uno studente» si lamentò Matthias piangendo dolcemente. «Detesto il venerdì e le stupide lezioni. Detesto anche la mia stoltezza.»

Se la giumenta si fosse accorta della presenza di Daniel, si sarebbe forse alzata calpestando inavvertitamente il piccolo Matthias.

«Matthias, sto entrando» disse Daniel.

«Andatevene! Detesto anche voi!»

A Daniel vennero in mente dei luoghi comuni sul fatto che l'odio corroda la nostra anima; ma simili banalità non avrebbero certo aiutato un cuoricino infranto.

«Non ti fidi più di me?» chiese Daniel, avvicinandosi pian piano. Buttercup annusò il ginocchio di Daniel e lo lasciò accarezzarle la fronte.

«Odio tutto» disse Matthias con un tono leggermente meno drammatico, ma con la voce spezzata dalla tristezza. «Sono stupido e vorrei non dover mai più studiare nulla. Papà dice che sarò il lustrascarpe più vecchio del mondo se non mi unirò alla Ma... Ma-Marina.»

«Vuoi unirti alla Marina?»

Per la prima volta, Matthias guardò Daniel dritto negli occhi. «Mi mandereste via?»

«Certo che no!. Sei uno dei miei allievi prediletti,» rispose Daniel, resistendo all'impulso di abbracciare il piccolo «e sei molto intelligente. È solo che non ho ancora trovato il modo migliore per insegnarti. Dovresti essere arrabbiato con me Matthias, non con te stesso. Tu stai cercando di fare del tuo meglio e questo è il massimo che Dio, tuo padre, o chiunque altro possa aspettarsi da te.»

Anche se talvolta i migliori sforzi e i sogni accorati si risolvevano solo in un lurido guazzabuglio.

«In Francese me la cavo abbastanza bene» disse Matthias, strofinando la grossa criniera della giumenta.

Era portato per la dizione. «Hai un accento impeccabile, meglio di qualsiasi tuo coetaneo. Hai anche imparato le dinastie reali più rapidamente degli altri.»

«Però sono duro di comprendonio. Me lo dice sempre mio padre.»

Sempre utile, quando un padre non aveva altro che critiche per il figlio. «Io invece dico che non lo sei. Dove hai messo gli occhiali, Mattie?»

Il fatto che lo aveva chiamato con il soprannome gratificò il bambino per un breve istante, anche se subito dopo si rabbuiò in volto.«Non li trovo più. Sono qui da qualche parte, ma non li trovo. Detesto anche quelli!»

«Sei un uomo di opinioni coerenti, quindi. Io credo invece che gli occhiali ci diano un'aria da intellettuali» disse Daniel, mentre intanto con gli occhi cercava tra la paglia. Se non fosse riuscito a trovarli, a Matthias sarebbe venuta una crisi di nervi.

«Voi non portate quasi mai gli occhiali» replicò Matthias, mentre intanto con le mani cercava anche lui nella paglia vicino alle ginocchia nodose della giumenta. «Io invece li devo portare tutto il giorno.»

«Li metto solo quando l'illuminazione è bassa o quando ho gli occhi stanchi» precisò Daniel.

«A voi gli occhiali fanno venire il mal di testa?» domandò Matthias. Era praticamente a carponi ormai, tastando ovunque alla disperata ricerca degli occhiali, mentre la giumenta, per fortuna, se ne stava mansueta come una mucca da latte intenta a ruminare.

«Al contrario, gli occhiali fanno sì che non mi venga il mal di testa» disse Daniel, unendosi alla ricerca.

«Invece a me la testa fa male di continuo» mormorò Matthias. «Mi ci sveglio al mattino e ci vado a letto, e poi mi vengono anche degli strani mal di pancia. Succede quando non riesco a memorizzare i compiti.»

Daniel afferrò gli occhiali sotto la paglia. «Eccoli, li ho trovati! Che intendi dire quando dici che ti fa male la testa di continuo?»

Matthias si sedette nascondendo le mani sotto le gambe. «Papà dice che è perché...»

«...perché sei stolto?» concluse Daniel. «Il tuo papà ha torto, Matthias, e se gli dirai che te l'ho detto io, mi accuserà anche di mancanza di rispetto nei suoi confronti e avrà ragione. Senti un po', adesso ti fa male la testa?»

Matthias esercitò una lieve pressione sugli occhi. «Un po'. Comunque è molto peggio quando sono in classe tutto il giorno. Mi duole meno quando facciamo le lezioni di cricket e di equitazione.»

Cricket ed equitazione... ovvero, quando si toglieva gli occhiali.

All'improvviso, Daniel ebbe un'intuizione. Alzò una mano e gli chiese: «Mattie, riesci a vedere la mia mano?»

«Certo che la vedo.»

Daniel passò quei dannati occhiali al ragazzo e tese di nuovo la mano. «Mettili e dimmi cosa vedi.»

«So che è la vostra mano, ma vedo tutto sfocato» disse Matthias. «Comunque sempre meno sfocato del libro di testo.»

Be', naturalmente. «Matthias, ricordi quando siamo andati a fare una passeggiata a cavallo e tu eri su Buttercup?»

Matthias diede una pacca sulla spalla della giumenta. «Certo che mi ricordo! Buttercup si è comportata proprio bene!»

La giumenta era una santa. «Per sbaglio ho tenuto i tuoi occhiali fino al lunedì successivo. Hai avuto mal di testa in quei giorni?»

La pacca successiva che il piccolo Matthias diede alla giumenta fu più gentile. «No, signore. Pensavo significasse che ero riuscito a fare spazio per tutte le informazioni che dovevo immagazzinare a lezione e invece non ha funzionato lo stesso.»

Daniel tolse gli occhiali al bambino, poiché a quanto pareva un momento di grazia stava per intromettersi in una giornata per il resto desolante.

«Matthias Webber, ascoltami bene. Tu non hai assolutamente nessun problema. Gli occhiali sono il problema. Il punto è che non riesci a vedere bene *con* gli occhiali.»

Tanto semplice, eppure così problematico. Perché Daniel non l'aveva capito prima? Perché non se n'era accorto nessuno?

Qualunque reazione Daniel si aspettasse dalle sue parole di assoluzione, il mento del bambino che si mise a tremare non era tra quelle.

«Ho d-detto a papà che non volevo mettermi i suoi occhiali, ma mi ha detto che ero un ingrato.» E molto probabilmente lo aveva anche umiliato dicendogli che era testardo, cocciuto e irrispettoso.

Daniel abbracciò il piccolo Matthias, un abbraccio rapido e forte, seguito da una pacca sulla spalla.

«Avevi ragione, Matthias, è il tuo papà che si sbagliava. Nella tua testa c'è spazio per tutte le lezioni che vuoi, è solo che non vedi bene con questi occhiali.»

Forse non riusciva a vedere neanche la propria lavagnetta in classe, tanto meno quella nella parte anteriore della stanza che Daniel riempiva ogni giorno di nozioni e citazioni dotte.

«Non voglio essere l'ultimo della classe» disse Matthias, una lacrima si incuneò tra i residui di paglia che aveva sulle guance. «Voglio essere bravo, come gli altri compagni.»

La giumenta strofinò il muso contro il fianco del piccolo Matthias, come per rammentargli che di tanto in tanto avrebbe apprezzato anche una carezza.

«Diventerai uno studente modello» disse Daniel, passandogli un fazzoletto che Kirsten aveva ricamato con un paio di colombe. «È solo che non ci vedevi bene, Matthias, tutto qua. Ne parlerò con tuo padre. Dovrai riposarti questo fine settimana, almeno finché la testa non smetterà di farti male.»

Matthias si arrampicò sul dorso della giumenta e si chinò sul collo, il che non parve affatto disturbare l'animale.

«Non è la prima volta» disse Daniel «che vieni a far visita a lady Buttercup quando sei giù di corda, vero?»

«Ci avete sempre detto di venire nella scuderia quando siamo un po' tristi e funziona davvero! Buttercup è sempre tanto paziente con me. Talvolta vado anche da Freya.»

Daniel si infilò gli occhiali incriminati nel taschino della giacca. «Se non ti dispiace, mi piacerebbe trattenermi per qualche istante. Tu intanto puoi tornare a casa ed entrare dalla porta della cucina.»

In virtù della convinzione del cuoco che i biscotti e i bambini fossero fatti per stare insieme.

«Posso prendere il tè con lady Kirsten?» domandò Matthias, arrotolando il fazzoletto e riponendolo in una tasca.

Il tè! Daniel si era completamente dimenticato dell'impegno che Kirsten aveva preso con i bambini. «Certo, a patto che lasci gli occhiali a me.»

Matthias scivolò giù dal cavallo e le diede un ultimo buffetto. «Parlerete con mio padre, maestro?»

«Gli invierò un messaggio questa sera e gli chiederò di passare da me venerdì dopo le lezioni.» Ammesso e non concesso che Daniel avesse ancora il suo posto di lavoro entro la fine della settimana.

«Va bene, allora. Grazie maestro!»

Matthias si precipitò verso l'uscita, mentre Daniel rimase seduto sulla paglia accanto alla giumenta, esaminando gli occhiali del padre di Matthias che avevano quasi trasformato un bambino intelligente in uno cieco, stolto e senza alcuna speranza.

I vassoi erano pronti: ce n'erano tre, abbastanza da soddisfare l'appetito insaziabile di sei bambini. Le teiere erano piene di tè. Frattanto Kirsten non riusciva a distendere minimamente i propri nervi. Daniel, il suo Daniel, il padre di suo figlio, molto probabilmente era ancora *sposato*.

«Avete fatto un bel lavoro, mia signora» disse la governante. «Sono convinta che riuscirete a trasformare quei ragazzini in veri e propri gentiluomini.»

«Grazie, signora Castle. In realtà sono già dei gentiluomini.» Grazie all'influsso che esercitava Daniel sui piccoli, giacché era il carattere a forgiare un gentiluomo, le buone maniere e il decoro erano solo dei simboli esteriori. La gentilezza e l'onestà di un vero gentiluomo potevano essere apprese solo seguendo l'esempio di qualcuno.

Ralph bussò alla porta socchiusa del salotto. «Scusate l'intrusione. Sono arrivati i bambini, li posso far entrare, Sua signoria?»

Perché non avrebbe dovuto...?

Oh. Perché, sconvolta e sul punto di piangere, si era precipitata fuori dall'aula, a causa della maledetta e subdola moglie di Daniel.

«Sono sempre lieta di ospitare i bambini, Ralph. Non indugiare oltre, falli pure entrare.»

I bambini entrarono in fila, mani pulite e pettinati a modo, e si accomodarono sui divani e sulle sedie. Non ci fu nessuno spintone per sedersi più vicino a Kirsten o per addentare i pasticcini.

«Benvenuti, è un piacere rivedervi.»

I bambini si guardarono l'uno con l'altro, ma nessuno disse nulla. Intanto Ralph si ritirò.

«Matthias, dove sono i tuoi occhiali?» domandò Kirsten. Aveva sempre conferito grande importanza a quel paio di occhiali e non se n'era quasi mai separato.

«Il reverendo dice che gli occhiali mi fanno vedere peggio.»

Un costoso paio di occhiali eleganti non potevano farlo vedere peggio. Matthias doveva essere un po' confuso. Kirsten offrì loro il piattino con i pasticcini, poi ricordò che aveva detto ai ragazzi che i tramezzini dovevano sempre essere serviti prima dei dolci. Infatti neanche un bambino osò allungare la mano per prendere un dolcetto.

«C'è qualche problema?» Altroché. Daniel aveva avuto bisogno del suo sostegno e lei gli aveva voltato le spalle.

«Secondo noi siete in difficoltà» disse Danny, «ma nessuno ci dice che problemi avete. Papà è andato a fare visita a Belzebù, forse dovreste andare anche voi nella stalla dalla vostra giumenta.»

«Ha ragione» disse Digby. «E cercate di non urlare al reverendo, perché è un maestro dal cuore d'oro e lui non grida mai.»

«Solo perché è il parroco» soggiunse Thomas. «Non può neanche imprecare, se è per quello, a meno che Belzebù non gli schiacci un piede, il che sarebbe considerato un incidente, naturalmente.»

«Forse,» azzardò Frank, spostando il vassoio dei pasticcini di qualche centimetro verso lady Kirsten «dovreste chiedergli scusa.»

«Magari potete provare a lucidarvi gli stivali: fa passare la rabbia!» suggerì Fred.

«Ero furibonda quando ho alzato la voce» disse Kirsten. «In parte lo sono ancora.»

Quanto amava quei bambini e le loro premure nei suoi e nei confronti di Daniel. Matthias le passò un fazzoletto che le parve alquanto familiare. Una coppia di colombe tubava lungo il bordo della stoffa.

«Il reverendo è ancora nella stalla, lady Kirsten. A lui non dispiace quando siamo arrabbiati. Non ci sgrida mai.»

Eccome, invece, se gli dispiaceva. Si preoccupava per quei bambini, cercava di aiutarli in tutti i modi e... e era ancora sposato con quella donna orribile.

«Avete ragione» disse Kirsten, alzandosi. «Mattie, pensa tu a versare il tè; Digby, tu occupati dei tramezzini; Thomas, tu passa il vassoio con i pasticcini; Fred, tu fai i piatti; Frank, sistema l'argenteria e la tovaglia, per favore. Danny, sei incaricato di guidare la conversazione, quindi cerca di pensare a cose di cui parlare oltre alle previsioni meteorologiche.»

«Parleremo dell'Atto di Unione» disse Danny. «Sebbene sia accaduto più di cent'anni fa.»

Kirsten li lasciò nel miglior salotto di sua madre: avevano l'aria di sei gentiluomini perfetti a suon di 'per favore mi passi questo?', o ancora 'ti andrebbe di assaggiare questo?'.

Allorché raggiunse la scuderia, Kirsten era ancora in lacrime e, nel momento in cui si accorse che la stalla era vuota, si mise a piangere a dirotto.

18

Daniel non aveva mai sentito Kirsten Haddonfield piangere, tuttavia riconobbe subito il lamento del cuore infranto della ragazza che faceva riecheggiare la miseria nel suo stesso cuore. Il reverendo lasciò la giumenta del conte a riposare sul suo letto di paglia, si strofinò le mani e le posò dolcemente sulle spalle di Kirsten la quale si trovava nel recinto vuoto di Belzebù.

La ragazza si accasciò contro di lui, la sua dignità l'abbandonò completamente.

«Oh, Daniel... I b-bambini mi hanno detto di non alzare la voce, ma sei sposato e io ti amo e... e non è giusto!»

Era la verità, per quanto triste e amara.

«Tesoro, per favore, non piangere. Ti darei il mio fazzoletto ma non lo trovo più.» Daniel sfilò dalle tasche un fazzoletto di scorta – uno di quelli soffici, vecchi e rammendati – e asciugò le lacrime di Kirsten.

«Ho io il tuo fazzoletto, Daniel» disse lei con la voce spezzata, «ma è il tuo cuore che voglio. Il tuo futuro. I tuoi figli e tutti i bambini che entreranno nella tua vita in futuro, con tutti i pregi e i difetti che possano avere. Daniel, non posso permettere che tu finisca tra le grinfie di quella maledetta donna.»

Non c'era più traccia della creatura pragmatica che aveva affrontato Daniel in classe e neanche dell'aristocratica razionale che aveva sbrigativamente concluso due fidanzamenti. Al loro posto c'era una donna che amava con passione. E che era amata con altrettanta passione.

«Ti sposerò» disse Kirsten, appoggiandosi a lui. «Lascia pure che Olivia se la spassi con suo cugino, lascia che ti tormenti per avere il mantenimento tutte le volte che vuole, ho abbastanza denaro, può avere tutto quello che...»

«No.» Daniel la baciò sulla guancia, assaporando il pungolo salato delle sue lacrime. «Olivia è come una malattia perniciosa. Comincia con un leggero dolore alle articolazioni e se non viene debellata in quella fase, presto annienterà tutta la vitalità e la volontà del paziente prima di ucciderlo fisicamente. Non possiamo sposarci finché potrà tormentarci.»

Kirsten si tirò indietro e si mise a camminare per diversi metri lungo il corridoio della stalla, voltandosi di scatto con un fruscio delle vesti, poi girandosi di nuovo, come un cavallo che cammina su e giù per il recinto.

«Probabilmente Nicholas può farla deportare» disse lei, «e noi due possiamo trasferirci alle Ebridi. Peccato che solo i presbiteriani riescono a tollerare le isole settentrionali. Non importa! Sono disposta anche a diventare una presbiteriana, Daniel, ma non posso proprio sopportare...»

Kirsten si interruppe, gli orli delle vesti le sfioravano la cima degli stivali e le mani erano serrate a pugno lungo i fianchi. «Daniel, ho tanta paura.»

Daniel le andò incontro, sapendo che le era capitato spesso di affrontare la paura, ma probabilmente non aveva mai confidato le sue ansie a qualcun altro. Avevano un legame talmente forte e indissolubile che il matrimonio altro non era che una pura formalità.

«È giusto che tu sia preoccupata,» disse Daniel «perché siamo di fronte a un nemico senza onore, tuttavia questo potrebbe ripiegarsi a nostro vantaggio.»

Era rimasto seduto sulla paglia vicino alla grande giumenta placida, considerando ogni aspetto della situazione e pensando anche a quei bambini che passavano troppo tempo a guardare il mondo attraverso gli occhiali del padre. La risolutezza insieme alla speranza andarono a mettere le radici laddove prima c'era stata solo disperazione. Era necessario un semplice cambio di prospettiva.

Suo padre, per quanto severo, rigido e inflessibile, aveva avuto ragione.

«Potrei sfidare Olivia» disse Kirsten, mentre il suo abbraccio diventava sempre più intenso. «Ci sono state donne che hanno combattuto veri e propri duelli per offese futili come un insulto a un cappello.»

«Possiamo spedirla in Australia» disse Daniel, accarezzando la guancia umida di Kirsten con il pollice. «Possiamo scappare in Catai o trasferirci nelle terre selvagge del Canada, ma non cambierebbe nulla: sarei sempre sposato con Olivia.»

«Voglio sposarti» ribadì Kirsten. «Ho bisogno di sposarti, desidero sposarti, e stai pur certo che lo farò.»

Daniel le diede un altro bacio sulla guancia, perché per quanto fosse deprimente la loro situazione, il suo sfogo sconfisse gli ultimi dubbi che il reverendo aveva nutrito sul loro fidanzamento e su sé stesso. Daniel non era semplicemente un'alternativa accettabile a una vita da zitella, era il grande amore di Kirsten Haddonfield.

Come lei era il suo. Valeva la pena di combattere per il grande amore.

«È tutta la settimana che sono tormentato da alcuni passi delle Sacre Scritture» disse lui, spostando gli occhiali di Matthias dal taschino a una tasca laterale, onde evitare che si frapponessero tra loro.

'E un bambino li condurrà...'

«Non ti capita spesso di pensare ad alcuni passi delle Scritture?» domandò Kirsten, mentre gli sistemava la cravatta un po' umidiccia e tutta spiegazzata allentandogli il nodo.

«Sì, ogni tanto mi sovviene qualche passo, ma questa settimana non ho avuto pace. Elia, i vangeli, i proverbi... Mi sono venuti in mente nei momenti più impensabili. Un giorno mentre mi trovavo qua nella stalla, un passo si riaffacciò alla mente con particolare insistenza, ma solo adesso ne comprendo pienamente il significato.»

Lo sguardo di Kirsten divenne diffidente. «Se si tratta del passo sull'adulterio, te lo puoi anche risparmiare.»

«Non credo in un Avvocato onnipotente, pronto a giudicarci e a condannarci, tesoro. Uno stratagemma elaborato è stato costruito a tavolino per farmi credere di... di essere vedovo, e il peccato che ne deriva incombe all'ingannatore, non certo a chi è stato raggirato.»

Mentre il miracolo rimaneva suo e di Kirsten. La ragazza fu scossa da un ultimo fremito in seguito al suo attacco di pianto.

«La odio, quella donna. Se stai per dirmi che bisogna amare i peccatori, puoi anche risparmiarti la predica. «Olivia è una minaccia, un flagello, e deve essere fermata.»

«Efesini» disse Daniel, inondato dall'amore che provava nei confronti di Kirsten. «'Adiratevi, e non peccate; il sole non tramonti sopra il vostro cruccio, e non date luogo al diavolo'.»

Kirsten gli sciolse la cravatta e rifece il nodo in modo più ordinato. «E questa sarebbe la tua grande intuizione? *Adiratevi e non peccate*? Abbiamo bisogno di un miracolo, Daniel, non di un sermone.»

Ciò di cui avevano bisogno era un po' di fede, di fiducia e un po' di collaborazione da parte di amici e familiari. Dall'altra parte del corridoio, la giumenta del conte si issò dal suo letto di paglia e si scosse con vigore.

«Ti amo» le disse Daniel. «Anche tu sei entrata nella mia vita come un miracolo, Kirsten. Ci sposeremo, noi due, e questo è tutto ciò che conta. Andiamo a sederci in giardino.»

Lei gli lanciò uno sguardo come se stesse a indicare che era mezzo sciocco, il che corrispondeva al vero. Era anche, eternamente e completamente, suo, sebbene oltre a ciò avesse poche altre certezze.

Kirsten condusse Daniel verso il gazebo, circondato da letti di viole e da roseti che si sforzavano di sbocciare. Probabilmente i bambini erano incollati alle finestre del salotto a sbirciare, con i pasticcini in mano, ma andava bene così.

Daniel teneva la mano di Kirsten nella sua mentre si accomodavano su una panchina nel gazebo, dopodiché Kirsten appoggiò la testa sulla sua spalla. Continuò a parlare dei dettagli del matrimonio – una licenza speciale avrebbe permesso loro di sposarsi al di fuori della Chiesa – e di tanto in tanto si fermava per godersi il profumo della sua promessa sposa o la morbida sensazione dei suoi capelli setosi sulla sua guancia.

Lo fece senza alcun senso di colpa, perché Kirsten era, dopotutto, la donna con cui presto sarebbe convolato a nozze.

Il giorno del matrimonio si riunirono nel salotto più elegante di Belle Maison, tutti gli ospiti erano vestiti di tutto punto. I fratelli e le sorelle della sposa parevano particolarmente contenti. I bambini avevano scelto il bouquet della sposa, sebbene non fossero presenti poiché erano andati a passare il fine settimana a casa dei genitori, fatta eccezione per Digby e Danny. Il vescovo Reimer era di buon umore: stringeva la mano a tutti, sorrideva e aveva un'aria affabile e cordiale. Oltre ai fratelli e alle sorelle di Kirsten, erano presenti anche le nuore: Sara moglie di Beckman, Alexandra moglie di Ethan e Elsie moglie di George. Nita non era ancora rientrata dal viaggio di nozze con il signor St Michael, ma in compenso aveva inviato calorosi auguri e un delizioso copriletto di lana dalla Germania come regalo di nozze.

In cucina si preparava un banchetto nuziale degno degli sposi e il maniero era tirato a lucido. C'era da mangiare e da bere per tutto il vicinato: nessuno sarebbe tornato a casa affamato e pochi sarebbero tornati a casa sobri. Mentre il podio veniva allestito sfarzosamente, i parenti presero posto e, quando la porta del salotto fu chiusa, Reimer si schiarì la gola e fece segno al conte che era d'obbligo un altro brindisi prima che le cose prendessero il via.

«Si sono sposati!» esclamò Bertrand, gettando il cappello e i guanti sulla credenza. «Quel maledetto pastore ha sposato la sua signora e metà della contea sta dicendo che gli sposi erano raggianti d'amore. Spero tu sia contenta, adesso.»

Bertrand era felice, perché tutto ciò che avvicinava Olivia al suo obiettivo la portava sempre più vicina al giorno in cui sarebbe andata avanti con la sua vita. Una vita in cui ci sarebbe stato anche lui.

«Si sono sposati?» domandò Olivia, mentre il maggiordomo chiudeva la porta. «Sei sicuro?»

Non gli chiese mica come era andato il viaggio e non gli disse frasi di circostanza del tipo 'come sei stanco' o 'grazie, caro Bertrand, per esserti dato tanto da fare', niente. Non la sua Olivia.

«No, tesoro» rispose Bertrand, spostandosi lungo il corridoio fino al suo ufficio, perché alcune conversazioni non dovevano aver luogo dinanzi alla servitù. «Non sono sicuro. Non ero presente alle nozze. Hanno fatto ricorso a una licenza speciale e la cerimonia si è svolta in privato nel salotto del conte ed io, ahimè, non figuravo tra gli invitati. Fatto sta che al Queen's Harebell gira voce che il banchetto nuziale sia stato veramente sfarzoso.

«Sono sposati» affermò Olivia, non era più una domanda. «Me lo sentivo.»

Mentre Bertrand chiudeva la porta dell'ufficio dietro di lei, Olivia andò dritta al sodo.

«Daniel è troppo bello, troppo dolce, troppo santo per non aver bisogno di una donna che si prenda cura di lui. Pensa che il mondo sia pieno di persone altrettanto virtuose quanto lui. Il matrimonio con lui è stato il più grande errore che avessi mai potuto commettere, ma ora si sistemerà tutto.»

Oppure sarebbe andato tutto a rotoli.

Bertrand si versò un sorso di brandy per sciacquarsi la gola dalla polvere che aveva accumulato per strada, dato che la donna che lui aveva nutrito, vestito, a cui aveva dato asilo e che si era portato a letto non si sarebbe certo disturbata a offrirgli da bere.

«Stai forse ammettendo che avresti dovuto sposare me, Olivia?»

Si appropriò del suo drink e ne sorbì il primo sorso. «Non eri altro che un ragazzo di campagna allora, con troppe ambizioni e poco senso pratico. Certo che non avrei dovuto sposarti.» Gli restituì il drink. «Non allora.»

Non *allora*. La speranza, irrilevante e futile, scorse nel sangue di Bertrand riscaldata dal tepore del liquore.

«Hai pensato a come affrontare Banks ora che è bigamo, Livvie?» Poveraccio. Che brutta fine che aveva fatto.

Olivia si gettò sul divano dove a Bertrand piaceva distendersi di sera.

«Le autorità giudiziarie potrebbero non vederla in questo modo» disse lei. «Potrebbero pensare che lo hai ingannato e che quindi non è da incolpare. Sono ancora in tempo a coinvolgerlo in uno scandalo immane, e questo è tutto ciò che conta davvero.»

No, non era tutto ciò che contava davvero.

Lo hai ingannato. Bertrand rabboccò il bicchiere e si appoggiò alla mensola del camino, per vedere meglio Olivia quando si sarebbe resa conto che avrebbe dovuto sposarlo.

«Io lo avrei ingannato? Pensi di coinvolgermi solo perché ho inviato a Banks il messaggio della tua presunta morte?» domandò Bertrand.

«Non mettermi i bastoni tra le ruote, Bertrand» ringhiò lei, sistemandosi le costose vesti di seta. «Sei stato un tesoro fino a ora e Daniel probabilmente non ha neanche conservato il tuo messaggio.» Messaggio che Bertrand aveva sigillato e firmato sotto lo sguardo vigile di Olivia.

«Senza dubbio, il reverendo avrà gettato la missiva nel fuoco, sopraffatto dal dolore,» disse Bertrand «tuttavia io sono a conoscenza di qualcosa che hai firmato tu, mia cara, molte cose, a dire il vero.»

Sempre di più con il passare delle settimane.

«Non ho mai scritto nessuna missiva» controbatté Olivia. «La gente pensa che sia morta. Le commesse che mi aiutano con la prova abiti non mi identificheranno certo come la defunta sposa di Daniel Banks, per cui smettila di infastidirmi.»

«È divertente infastidirti, mia cara.» Provava un certo senso di soddisfazione a un livello così basso e meschino, che il ragazzo di campagna che ancora risiedeva dentro il suo cuore si vergognava.

«Quando fai i tuoi acquisti, sei tu a firmare le ricevute, Olivia. Seta, raso, magnifici tessuti misto lana, per non parlare dei ricami e delle rifiniture. Scarpe, cappelli, guanti, calze, camicie da notte... Hai un gusto davvero notevole, come notevoli sono anche le tue spese, che hai continuato a firmare con il nome di Olivia Banks anche dopo la tua presunta morte.»

Bertrand non rimproverava a Olivia tutte le sue spese eccessive. Allorché si era arricchito, anche lui aveva speso un sacco di soldi per pura vanagloria. Dopo circa un anno di sperperi, si era finalmente calmato.

Olivia, invece, non si sarebbe mai resa conto delle sue esagerazioni. Doveva essere frenata, per il suo bene e per la serenità di tutti.

«Le fatture vengono spedite a te, caro cugino» disse Olivia, facendo sporgere il piede destro, che era adornato con una pantofola dorata. «I negozi sono molto contenti di avermi come cliente.»

Agitò le dita del piede e si distese sui morbidi cuscini: sapeva sempre come viziarsi. Bertrand fece roteare il brandy dentro al bicchiere, gustandosi l'aroma.

«Olivia, come pensi di pagare tutte quelle fatture?» La scarpetta d'oro scomparve dalla vista.

«Le pagherai tu. Funziona così, Bertrand. Quando si vuole una nobildonna, la si deve anche mantenere.»

«Tu non sei una nobildonna. Sei una donna manipolatrice, meschina e vanesia e per di più sposata. Stai commettendo adulterio con me, Olivia, e questo è sufficiente a far sì che Daniel richieda il divorzio.»

Olivia si tirò su dal divano, si avvicinò a Bertrand e gli diede un buffetto sulla guancia. «Con il divorzio Daniel sarebbe perseguitato dalla Chiesa, e per quanto allettante sia l'ipotesi, non otterrei certo il denaro che voglio in quel modo, non trovi? Daniel non divorzierà mai da me.»

Era magnifica nel suo egoismo e nella sua determinazione, tuttavia Bertrand era altrettanto determinato.

«Se non pago le tue fatture, potresti anche andare in prigione. Ti terranno rinchiusa finché non avrai saldato tutti i debiti, lo sai? Forse ci può pensare il tuo consorte indigente a pagare le tue stravaganze, dato che legalmente sei ancora sotto la sua responsabilità, a meno che davanti al giudice non affermi che sua moglie è deceduta. C'è stato un funerale, dopotutto.»

Ma nessun certificato medico che documentasse la 'morte' di Olivia a Londra. Era tutto piuttosto complicato, ma gli agenti di polizia avrebbero sbattuto Olivia in carcere come prima cosa e poi in un secondo momento si sarebbero occupati degli altri dettagli.

«Bertrand Carmichael, mi stai minacciando?» La voce di Olivia tradiva un gradevole sentore di incertezza.

«Ti sto dando un avvertimento da amico, Olivia. Puoi insultare Banks quanto vuoi tanto non c'è nessuno qui a contraddirti, ma ricordati che il tuo diabolico piano non ha ancora dato alcun frutto, e potrebbe non farlo mai. Potrei buttarti fuori di casa in questo momento e non potresti avere alcuna pretesa su nessuno, tranne che su Banks, tuo legittimo marito, che hai intenzione di defraudare della sua ricchezza e felicità. Vuoi sapere la somma che devi ai vari negozi?»

Olivia voleva schiaffeggiarlo. Bertrand poteva vedere la rabbia nei suoi occhi, sentirne le vibrazioni insieme a tutti i vecchi risentimenti e le frustrazioni di un tempo.

Al pensiero di finire in carcere, Olivia assunse un atteggiamento composto, nonostante un'irrefrenabile voglia di cedere ai suoi folli impulsi. Dal canto suo, Bertrand si concesse il lusso di cedere a un suo impulso, dandole un bacio sulla guancia.

«Siamo amici, Olivia, e non devi mai dare per scontato gli amici. Se vuoi che organizzi questo confronto con Banks, se vuoi che ti dia una mano con i tuoi piani diabolici, allora mi mostrerai l'apprezzamento e il rispetto che mi sono dovuti.»

Portò il bicchiere alle labbra di Olivia, la quale con lo sguardo fremente di rabbia, sorbì ubbidientemente l'ultimo goccio di brandy.

«E adesso cosa facciamo?» domandò Fairly e Daniel si sentì sollevato dalla domanda. Kirsten gli lanciò uno sguardo incoraggiante dall'altro lato del tavolo della colazione, che era il massimo dell'intimità che avevano avuto da quando si erano sposati il giorno prima.

«Adesso,» disse Daniel, accettando un toast offertogli da lady Della «non ci rimane che aspettare.»

Mangiarono senza neanche un cameriere che li servisse, dato che la maggior parte del personale aveva ottenuto mezza giornata di riposo alla luce delle eccessive indulgenze del giorno prima.

«Quanto dobbiamo aspettare?» chiese Bellefonte seduto a capotavola.

Un quesito dell'Antico Testamento con rilevanza immediata.

Nessuno era contento del piano di Daniel, e nemmeno lui ne era entusiasta. Anche se fossero riusciti a sventare la congiura di Olivia, molte domande sarebbero rimaste senza risposta, come ad esempio il modo in cui Daniel avrebbe dovuto mantenere la sua famiglia una volta perso l'incarico in chiesa.

«Aspettiamo il tempo necessario» disse Kirsten. «Sono pur sempre la figlia di un conte, e se dico che la canonica ha bisogno di una nuova carta da parati prima che mi ci trasferisca, nessuno dirà niente al riguardo. Non tutte le coppie si occupano delle faccende domestiche subito dopo il matrimonio. Della, visto che hai passato il toast potresti passare anche il burro.»

Della la assecondò senza fare commenti, suggerendo che la tensione provata da Daniel era condivisa da tutta la famiglia. I suoi allievi avrebbero avuto una settimana di vacanze, dopodiché la routine della scuola doveva riprendere, nella misura in cui Daniel sarebbe riuscito a sostenere quella farsa.

«È come se ci fosse una guerra che imperversa nelle vicinanze» osservò lady Della. «Non abbiamo idea di quando il nemico marcerà in questa direzione, ma rimane il fatto che il bottino migliore è qui, quindi uno scontro pare inevitabile.»

Fairly si appropriò della teiera. «Ben detto. Letty, un po' di tè?» La sorella di Daniel era stata alquanto silenziosa il giorno prima, e neanche adesso era di buon umore.

«Vorrei potessimo affrontare Olivia» disse Letty mentre il marito le versava il tè. «Pensa di poter giocare la carta della sorpresa, ma perché attendere fino all'ora e al luogo di sua convenienza? Ha impiegato mesi per escogitare il suo piano diabolico e potrebbe aspettare anni prima di far scattare la trappola. A quel punto Daniel potrebbe persino essere diventato vescovo, e che ne sarà di lady Kirsten.»

Letty sapeva bene quanto potesse essere tenace e implacabile Olivia, oltreché meschina.

«Sono d'accordo con Letty» disse Kirsten. «Se affrontiamo Olivia, siamo noi a scegliere il momento e il luogo. Scegliamo chi accompagnerà Daniel e quale strategia mettere in atto.»

Daniel posò la forchetta con cui stava cercando di inforcare le uova sul suo piatto.

«Non avevo pensato di portare qualcuno con me. Olivia sarà anche subdola e infida, ma non certo al punto da...»

L'intero tavolo lo guardò come se fosse diventato pazzo.

«Sono stato io a pronunciare i voti assieme lei» disse Daniel. «È con me che ce l'ha e sono io a dovermela vedere con lei. Non c'è nessun bisogno di coinvolgere altre...»

Kirsten si appoggiò allo schienale della sedia e incrociò le braccia, alzando leggermente un sopracciglio. Un giorno i suoi figli avrebbero avuto paura di quell'espressione così arcigna.

«Daniel, abbiamo una famiglia a cui pensare» disse Kirsten. «Cosa diciamo ai nostri allievi quando vogliono andare a cavallo, anche su terreni a loro conosciuti?»

«Viaggiate sempre in coppia» disse Daniel, un altro dei suoi moniti biblici, giacché gli apostoli giravano sempre in coppia. «Andate con uno stalliere o con un amico, ma mai da soli.»

A quel punto si espresse il conte, sebbene alle apparenze, si rivolgesse alla teiera. «Da questo punto di vista, siete un cattivo esempio, signor Banks, quando ve ne andate in giro per i campi da solo con quel demonio del vostro destriero. Mi pare sia giunto il momento di ravvedervi.»

L'espressione di Fairly era comprensiva e al contempo determinata. «Lady Kirsten ha ragione. Siamo noi la vostra famiglia e questo ci dà determinati privilegi.»

Un parroco quando celebra la messa è abituato a guardare la congregazione e, di conseguenza, a osservare gli sguardi che si scambiano i parrocchiani, che parlottano, spettegolano e si lamentano proprio sotto il suo naso mentre qualche martire viene gettato scritturalmente in pasto ai leoni.

Martire. In pasto ai leoni.

Allo stesso modo, Letty e Kirsten si scambiarono uno sguardo d'intesa.

«Allora Banks?» domandò il conte. «Cosa intendete fare?»

La settimana precedente nella stalla, seduto sulla paglia assieme a Buttercup, Daniel era giunto ad una sorprendente intuizione: '*adiratevi e non peccate*'. Lo prese come un modo per dire che aveva il diritto di affrontare i torti commessi a lui e ai suoi cari e che la pietà non giustificava i comportamenti illeciti. Si trattava del concetto di virtù inteso da un guerriero e non la versione docile, umile e accomodante che il padre di Daniel aveva cercato di inculcargli sin da piccolo.

Il padre era stato un uomo solitario. Sfogliando i vecchi diari e la corrispondenza sbiadita del padre defunto, era emerso un paradosso. Suo padre aveva studiato le Scritture e la Teologia, e ogni versetto di ogni inno mai scritto dalla mano pia dell'uomo, ma mai aveva conosciuto l'amore.

«Apprezzerò ogni forma di aiuto che la nostra famiglia ritiene opportuno darmi» disse Daniel. «Potrei avere del burro adesso?» Kirsten sorrise.

Fairly diede un buffetto sulla mano di Letty e il conte prese il giornale che aveva piegato all'altezza del gomito.

Dio era nel suo paradiso e nel mondo di Daniel; per il momento, tutto sembrava filare liscio.

«Non mi piacciono le vacanze!» esclamò Fred, lasciandosi cadere in un mucchio di paglia. «Stiamo sempre a leggere la Bibbia e le nostre sorelle non fanno altro che parlare del debutto in società. Il maestro Daniel rende la lettura della Bibbia più divertente.»

«A volte non fanno che parlare di vestiti per ore di fila» soggiunse Frank.

Digby aveva avuto la stessa esperienza. Sua madre non faceva altro che parlare dei suoi vestiti da quando si era risposata. Spesso si lamentava di dover allargare le cuciture per qualche motivo.

Da sotto il fienile arrivava il rumore dei cavalli che mangiucchiavano con soddisfazione il fieno, ma a parte quello, tutto la campagna era avvolta da una campana si silenzio.

Haddondale si stava ancora riprendendo dalla celebrazione per il matrimonio di Daniel e lady Kirsten che si era tenuta il sabato prima a Belle Maison. Persino la biblioteca pubblica del villaggio non aveva ancora riaperto, e questo, secondo i bambini, era un affronto alle loro ambizioni accademiche.

«Era bella lady Kirsten?» chiese Thomas. Era seduto vicino alla scala a gambe incrociate, perché Thomas era il più indicato a stare di guardia.

«È sempre bella» disse Digby. «Anche il reverendo stava proprio bene, ma d'altronde pure lui è sempre bello. Ho sentito dire che gli uomini dovevano indossare calzoni all'altezza del ginocchio, raso, anelli e roba del genere.»

«Abbigliamento formale» chiosò Danny, con lo stesso tono in cui la madre di Digby avrebbe potuto descrivere un cane inzaccherato di fango addormentato sul suo miglior divano. «La casa della contessa madre non è la stessa senza di voi. Forse Alfrydd ci può portare a fare un giro a cavallo.» Matthias era intento a leggere un libro; la parola 'cavallo' di solito gli faceva venire in mente la cavalcata che aveva fatto con Buttercup.

«Mattie, cosa stai leggendo?» chiese Digby.

Matthias di solito odiava leggere.

«La grammatica latina» rispose Matthias, senza neanche alzare lo sguardo. «*Puer* e *puella, amo, amas, amat*.»

«Fanciullo e fanciulla, io amo, tu ami, lui ama? È il programma di qualche settimana fa» disse Frank. «Una noia infernale.»

Ormai era diventato tutto infernale per Frank. La parola della settimana prima era stata 'diabolico'.

«Ho un'idea» disse Matthias, mettendo da parte il libro. «Ho un'idea per come ravvivare le nostre vacanze.»

«È un'idea che coinvolge i rospi?» chiese Digby, giacché Mattie Binocolo – il suo nuovo soprannome – stava rapidamente recuperando l'agilità mentale di un tempo.

«Nessun rospo, caro. Si tratta di fiori. Dobbiamo rendere visita ai novelli sposi. Alle signore piacciono i fiori e ci saranno un sacco di pasticcini e di tortine rimaste da sabato.»

«Non è una brutta idea» disse Danny. «Non credo che papà abbia molto da fare senza di noi a cui insegnare e non è che può avere Lady Kirsten tutta per sé. D'altronde, condividere è una virtù.»

Con grasse risate accolsero quella dichiarazione, poiché piegare le virtù a proprio uso e vantaggio era diventato un gioco tra loro.

«Bene» disse Frank, alzandosi e battendo vigorosamente i pantaloni coperti di paglia. «Andiamo a fare una passeggiata tra le aiuole del sagrato e poi andiamo a trovarli. Mi raccomando svuotate le tasche, per fare un po' di spazio nel caso in cui lady Kirsten ci dica di prendere un pasticcino in più. Poi chiediamo ad Alfrydd di portarci a fare un giro a cavallo, altrimenti questa sarà la settimana più diabolicamente noiosa e infernalmente lunga della mia vita scolastica.»

Anche per Daniel era la settimana più diabolicamente lunga, infernalmente noiosa e snervante. Durante quella settimana, Daniel sentì per caso Kirsten impartire ordini sui lavori che dovevano ancora essere sbrigati in canonica prima di trasferircisi. Sua Signoria non stava raccontando una menzogna, poiché la canonica non aveva neanche la stanza per il bebè.

«Ti vedo pensieroso» disse Kirsten.

Daniel si alzò dalla scrivania e, alla vista di Kirsten, nel suo cuore si scontrarono dolcezza, ansia e dolore.

«Da quanto tempo mi stai spiando, tesoro?» chiese lui.

Kirsten fece scivolare le braccia attorno alla sua vita. Si abbracciavano spesso, ma i baci... Per tacito accordo, i baci avrebbero dovuto attendere.

«Sono rimasta sulla soglia per diversi minuti, Daniel, e tu eri completamente assorto nei tuoi pensieri. Hai dei ripensamenti?»

Daniel aveva dei rimpianti.

«Vorrei aver detto a mio padre che gli volevo bene e che avevo tanta stima nei suoi confronti» disse Daniel, cingendo le spalle di Kirsten con le sue braccia.

«Voleva la mia stima, e ce l'aveva, ma all'epoca non ero in grado di esprimerlo a parole.» A vent'anni Daniel era ossessionato dall'idea di sposare Olivia, dalla convinzione che un parroco avesse bisogno di una moglie e che il padre fosse troppo burbero.

«Cos'è che scriveva?» domandò Kirsten, spostandogli con una mano i capelli dalla fronte. «Ha riempito così tanti diari: non credo siano tutte raccolte di sermoni e trattati di Teologia.»

Adesso il loro contatto fisico era fonte di conforto e non di eccitazione, sebbene il desiderio affliggesse Daniel senza sosta.

«Scriveva quello che provava. All'epoca pensavo che mi considerasse un giovane pazzo, e infatti così mi vedeva, ma aveva anche grande rispetto per i miei traguardi accademici, e gli piaceva il fatto che pensassi sempre di testa mia, anche quando magari giungevo a delle conclusioni errate.»

«Ti voleva bene» chiosò Kirsten.

Quelle parole gli provocarono un nodo alla gola, che non era solo di tristezza. «Sì, provava dei sentimenti forti nei miei confronti, proprio come io li provo nei tuoi, tesoro. Ti amo da impazzire.»

Daniel la baciò: un bacio a stampo dolce e prolungato. Un bacio di rimpianti condivisi e di nostalgia infinita.

Dei passi risuonarono sulle scale. Daniel si accorse del momento in cui Kirsten sentì quei passi e percepì anche la sua volontà di non staccarsi dalle sue labbra. Quando Fairly arrivò all'altezza del corridoio, fu Banks a sciogliere l'abbraccio.

«Mia signora,» Fairly si prodigò in un inchino ossequioso «Banks, buongiorno. L'incontro è stato organizzato per domani mattina come da voi suggerito e la mia carrozza vi attende. Per quanto ne sa Carmichael, la mia amata viscontessa ha avvistato Olivia all'inizio di questa settimana mentre era fuori a fare spese in quel di Mayfair. Come mi avete chiesto voi, nel messaggio a Carmichael ho dichiarato di essere disposto a pagare un'ingente somma di denaro se sono disposti a tenere riservata una certa irregolarità nella condizione di mio cognato.»

«Vi ringrazio, mio signore» disse Kirsten. La sua voce era pacata, sebbene la sua presa sulla mano di Daniel fosse piuttosto stretta.

Kirsten diede un bacio a Daniel sulla guancia e si allontanò in fretta; a quanto pareva l'attesa era finita.

Lo schema che Daniel si era inventato era degno di un ragazzaccio come di un vescovo, e quella combinazione di creatività, convinzione e strategia era tanto peculiare quanto... appropriata.

Il padre ne sarebbe andato fiero, e questo gli dava man forte. Kirsten era orgogliosa di lui e persino Daniel era orgoglioso di sé stesso.

«Avevate ragione, Banks» disse Fairly, dopo che Kirsten si fu allontanata. «Avevate maledettamente ragione. Chiedo venia per il linguaggio. Il denaro e l'idea che vi troviate in gravi difficoltà era tutto ciò di cui avevamo bisogno per adescare Olivia e farla uscire allo scoperto. In tutto questo periodo si è messa pure a far delle compere, nelle boutique più costose di Mayfair.»

Fatture delle quali Daniel, tecnicamente, era responsabile.

Ironia della sorte.

«Vi ringrazio per i vostri sforzi» disse Daniel. E proprio in quel momento, quando avrebbe dovuto sbrigarsi per andare a Londra, era quasi riluttante a lasciare la casa della contessa madre.

«Dovete per forza essere così maledettamente calmo e tranquillo, Banks? Stiamo per catturare un diavolo con le mani in pentola, siamo sul punto di sventare la sua congiura e di sconfiggerla, il vero amore trionferà e voi invece sembrate passivo a tutto.»

Anche Fairly aveva un po' di demone in lui, un po' dell'angelo vendicatore, mentre ciò che l'attendeva a Londra lasciò Daniel tranquillo. Semplicemente... tranquillo.

Se l'avesse saputo, era Olivia quella che stava per entrare nella tana del leone.

«Bene, possiamo andare adesso» disse Daniel. «La famiglia di Kirsten vorrà discutere di questa faccenda quando arriveremo a Londra e Kirsten ha bisogno di riposare.»

Fairly era un medico e la sua cara signora aveva bisogno di riposo frequente negli ultimi tempi. Non si mise a discutere con Daniel, e si diresse verso le scale.

«Non vi capisco, Banks» disse mentre Daniel diede un'ultima occhiata allo studio in cui aveva programmato le sue lezioni e dove alla fine aveva avuto il coraggio di leggere i diari di suo padre.

«Sono un uomo innamorato» disse Daniel, chiudendo la porta e raggiungendo Fairly sui gradini. «L'amore può richiedere sacrifici.»

L'amore offriva anche dei doni, però. Doni meravigliosi e preziosi che davano un senso ad ogni sacrificio.

«L'amore ci impone di cogliere la felicità quando ci capita» disse Fairly, il passo deciso. «State per sposare la donna dei vostri sogni. C'è intesa fra voi. Economicamente è messa bene e Danny dal canto suo gode di ottima salute. Se non riuscite a gioire della vostra situazione fiabesca, vuol dire che c'è qualche problemino.»

«Mi mancheranno i bambini» disse Daniel mentre raggiungevano la terrazza sul retro lambita dai raggi del sole. «Kirsten e io saremo felici, molto felici, ma i bambini ci mancheranno terribilmente. Sono vere entrambe, sia la gioia che il rammarico.»

Siate felici, anche quando siete attanagliati da un dolore straziante.

Adiratevi e non peccate.

19

«Ti trovo bene, Olivia.»

Tale era la virtù innata di Daniel Banks che, alle orecchie di Nick, il complimento alla signora Banks pareva sincero. Non affettato, né risentito, né ironico; semplicemente sincero. Con i suoi modi civili, Banks aveva salutato cordialmente un avversario che si trovava dall'altra parte di un campo da duello. In realtà si era anche espresso con accuratezza, poiché Olivia aveva davvero un bel colorito ed era in ottima forma.

«Chi sono questi signori?» domandò lei, lanciando uno sguardo a Nick e a Fairly. Il visconte era in forma, l'aspetto elegante e al contempo minaccioso: un angelo vendicatore intento a sbrigare delle commissioni celestiali dell'ira divina. Anche il conte Nick si era agghindato in tutto il suo splendore signorile, mentre Banks era semplicemente... Banks. Un completo sobrio con un panciotto nero e marrone, gli stessi stivali che aveva indossato parecchi mesi addietro quando era arrivato a Haddondale la prima volta, eppure in cuor suo Banks si sentiva completamente diverso adesso. Si era tagliato i capelli, i vestiti gli calzavano a pennello, nessun pezzo di stoffa rattoppato o rammendato, e la sua cravatta era per una volta perfettamente inamidata e annodata. Insomma, era ovvio che qualcuno si stesse prendendo cura di lui. Che si era risposato.

Era amato. E determinato più che mai.

Nel bel mezzo del giardino londinese di Fairly, dove i fiori stavano sbocciando in tutto il loro splendore, Banks si vide costretto a presentare i due gentiluomini che lo avevano accompagnato.

«Olivia, è un onore per me presentarti Nicholas, conte di Bellefonte, e David, visconte Fairly. Sua signoria alla mia sinistra è il signore di Haddondale. Sua signoria alla mia destra è il marito di mia sorella Letty. Ti dovrebbe dire qualcosa questo nome, dato che un tempo ha vissuto insieme a noi.»

Ah, lo sguardo di Olivia fu attraversato da un gratificante accenno di incertezza; con una mano si stirò nervosamente le vesti, mentre il signor Carmichael – un uomo da compatire, secondo Banks – non disse niente.

«Vogliamo accomodarci?» Domandò Fairly, anche se in realtà stava impartendo un ordine, e Carmichael non se lo fece ripetere due volte. Fairly era sposato con la donna che Olivia aveva ricattato, la donna il cui figlio aveva dovuto sopportare la perfida Olivia per i primi cinque anni della sua vita.

«Dobbiamo rimanere fuori in giardino?» chiese Olivia.

Pretendeva forse di entrare nella comoda residenza del visconte?

«Preferirei che non metteste piede in casa mia» disse Fairly, il suo un rimprovero velato ma pur sempre gelido.

«Né vi offrirò da mangiare o da bere.»

«Prego, Olivia» disse Banks, indicando un massiccio di ferro battuto sotto un paio di maestosi platani. «Non ci tratterremo a lungo, dopodiché tu e il signor Carmichael potrete tornare a casa vostra.»

Banks, Olivia e Carmichael si accomodarono, mentre Nick e Fairly rimasero in piedi alle spalle di Banks. Nick assunse un'espressione seria e ripiegò le ali da angelo custode.

«Cosa vuoi da me, Olivia?» domandò Banks. Il suo tono era semplicemente curioso e, di nuovo, la signora Banks sembrava avere abbastanza buon senso da essere incerta. Daniel non temeva l'ipotesi di un processo penale, né era allarmato dalla prospettiva di un ricatto o di uno scandalo, e lei doveva averlo percepito.

«Sei libero di fare ciò che vuoi, Daniel» disse Olivia, in tono sprezzante. «Non ti ostacolerò, ma legalmente sono sempre tua moglie e ho diritto a essere mantenuta per il resto della vita.» Non male come risposta, anche se forse non corrispondeva alle intimidazioni che si era preparata.

«Olivia è disposta a trattare» disse Carmichael, lanciandole uno sguardo che lasciava a intendere che avrebbe dovuto seguire il suo consiglio. «Una somma di denaro e vi lascerà in pace, Banks. Un affare civile. E poi ognuno potrà continuare per la propria strada.»

«Indisturbata» mormorò Banks, strappando una giunchiglia proprio al suo fianco. «A quanto ammonta la somma che avevi in mente, Olivia?»

Mentre Daniel odorò il fiorellino che aveva colto, Olivia andò in cerca della totale rovina. Letty, la viscontessa Fairly, avrebbe gradito questo momento.

Olivia sparò una cifra astronomica. Carmichael si mise a osservare le foglie degli alberi per evitare di incontrare lo sguardo dei presenti.

«E credi che questa somma sarà sufficiente per il resto dei tuoi giorni?» chiese Daniel.

«Esatto» si intromise Carmichael nel tentativo di riempire un momento di esitazione da parte di Olivia.

«Va bene anche dilazionata nel tempo, non c'è bisogno che paghiate tutto in una sola volta.»

«Olivia, io non pagherò proprio nulla in cambio del tuo silenzio» disse Daniel con tono flemmatico, sin troppo. «Hai tradito me, la parrocchia, e le persone a me più care, e non ho nessuna intenzione di continuare a essere vittima della tua avidità.»

Se Nick ricordava accuratamente le sue lezioni di catechismo, l'avidità era un peccato mortale.

«Eccome se mi pagherai» sibilò Olivia. «Ti ho sopportato per anni e siamo ancora sposati e legalmente mi devi passare il mantenimento. Questa è la legge. La legge dice anche che puoi sposarti con una donna alla volta, Daniel, e dirò al mondo intero cosa hai fatto se ti ostini a non pagare.»

Daniel odorò di nuovo il fiore, un esemplare adorabile nonostante la fioritura tardiva.

«Mio padre mi ha criticato duramente quando ho insistito nel volerti sposare, sai?» disse Daniel. «E aveva ragione. Ero determinato a sposarti, e forse gli anni che ho passato con te sono stati una punizione per non avergli dato retta.»

«Voglio i soldi, Daniel. Guarda che posso crearti un sacco di problemi.»

Lentamente, Daniel fece roteare la giunchiglia.

«Vedi, mio padre era preoccupato per me, al punto da confidare i suoi timori in molte epistole inviate giorno dopo giorno al suo amico, il vescovo Reimer. In questo modo, documentò le sue riserve sul nostro matrimonio scrivendo di continuo suoi diari. Diceva che ero testardo e che non ci volevo sentire. Ero ostinato. La nostra unione non ha mai avuto la sua benedizione, sebbene mio padre pregasse di continuo affinché io fossi felice oltreché per la mia salvezza eterna.»

Carmichael si spostò di nuovo sulla sedia, mentre Olivia non sembrò ancora percepire la sua incombente sconfitta. Nick resistette all'impulso di grattarsi il naso e invece piegò i pugni. Anche le mani di Olivia, candide come un giglio, erano serrate a pugno.

«Tuo padre era un vecchio rimbambito, Daniel, e ti auguro la gioia dello stesso destino. Se la Chiesa scopre che hai commesso bigamia, il tuo unico pulpito sarà in prigione.»

«Banks non ha affatto commesso bigamia» disse Fairly in tono pacato, «nonostante il vostro tentativo di spingerlo in quella direzione. Sono state distribuite le pubblicazioni di matrimonio e si è tenuta una celebrazione privata, dopo essersi procurato una licenza speciale. Nessuna cerimonia ufficiale. Nessun atto di bigamia.»

Daniel smise di far roteare la giunchiglia.

«Abbiamo bevuto del punch eccellente, in compenso,» soggiunse Nick «e consumato cibo di prima qualità. È stato meraviglioso. Comunque non c'è stato nessun matrimonio.»

Olivia si era alzata dalla sedia e si era precipitata verso i lillà sbiaditi. «Mi hai mentito, Daniel? Ti sei preso gioco di un santo sacramento?»

L'indignazione di Olivia era genuina quanto ridicola. Il suo schema prevedeva che Daniel fosse talmente stupido e prevedibile nella sua pietà, che arrivasse come una capra sacrificale nelle lande selvagge delle scelte di Olivia.

Fairly appoggiò una mano guantata sullo schienale della sedia di Olivia. «Signora, vi suggerisco di ricomporvi.» Olivia si rimise seduta.

«Sei sempre stato onesto, Daniel. Anche nel caso in cui fingere sarebbe stato nel tuo interesse. Persino con il piccolo Danny, a Little Weldon non hai mai detto a nessuno apertamente che fosse tuo figlio. E adesso questo.»

«L'onestà è una virtù» disse Nick. La sua osservazione fu accolta da un silenzio ancor più assordante, interrotto dal cinguettio entusiasta di un paio di passerotti. Forse erano nel nido, dato che la primavera era arrivata in tutto il suo splendore.

«Siamo ancora sposati» ribadì Olivia, alzando il mento. «Dobbiamo raggiungere un accordo, altrimenti non potrai risposarti con nessuno. Daniel. Vivrai sempre solo come un cane. Sarà sufficiente una parola nell'orecchio del vescovo giusto...»

Banks sollevò una mano anziché permettere a Olivia di continuare con il suo sproloquio. «Ti ho sposato nonostante mio padre fosse contrario. Avevo solo vent'anni, e quindi non avevo ancora l'età per sposarmi senza il suo consenso. Ho fatto avviare le pratiche per annullare il nostro matrimonio, Olivia. Le prove sono state presentate e la decisione è stata una conclusione scontata giacché la posizione di mio padre era ben nota proprio a uno di quegli stessi vescovi che avresti cercato di manipolare.»

Carmichael, stranamente, pareva soddisfatto di questo sviluppo. Se Nick si fosse trovato vicino a Olivia Banks – era lecito chiamarla ancora Banks? – si sarebbe alzato di scatto.

«Un annullamento?» ringhiò Olivia. «Stai annullando il matrimonio, Daniel? Il nostro matrimonio?»

«Consideratelo pure un fatto compiuto» disse Fairly. «Le pratiche dovrebbero concludersi a breve grazie ad alcune donazioni fatte alle persone giuste. Daniel non è responsabile dei vostri debiti, signora, tantomeno vi deve alcun mantenimento. Siete una donna scacciata dalla canonica e dovete badare a voi stessa nel miglior modo che potete. Mia moglie, alla quale avete riservato lo stesso destino che adesso incombe su di voi, non ha richiesto un ulteriore risarcimento, anche se, credetemi, l'opinione di mia moglie è l'unica cosa che mi ferma la mano, giacché se avessi agito per conto mio, non l'avreste scampata con così poco.»

Daniel passò la giunchiglia a Fairly, mentre Nick provò un'ondata di puro affetto nei confronti dei suoi parenti. Quell'incontro era tutto fuorché un disastro.

«Anch'io ho ricevuto un consiglio da una signora» disse Daniel, estraendo un pacchettino da una tasca interna. «Si è raccomandata dicendomi che la clemenza fosse d'obbligo, per cui, ecco qui. Questo è un assegno bancario, Olivia. Se sarai prudente, ti durerà un bel po', o almeno riuscirai a pagare una parte dei debiti accumulati comprando cianfrusaglie. Il destino è nelle tue mani e puoi dire qualunque cosa ti piaccia a chiunque tu voglia. Non mi tange. Ti faccio i miei migliori auguri.»

Concluso il sermone, il reverendo Daniel Banks si alzò, fece un inchino ossequioso ed entrò in casa. Nick avrebbe tanto voluto applaudire, ma non sarebbe stato carino da parte sua.

«Accompagno gli ospiti all'uscita, Fairly» disse Nick. «E chiudo i cancelli del giardino.»

Con un brusco cenno del capo in direzione di Carmichael, Fairly risparmiò a Olivia un inchino che sarebbe stato il massimo dell'ipocrisia, e si incamminò verso la sua abitazione.

«Olivia, andiamo» disse Carmichael, allungando una mano verso di lei. «Non c'è altro da fare qui.»

«Nient'altro da fare senza finire in prigione» precisò Nick in tono di scherno.

«Siamo in possesso della vostra epistola, Carmichael, quella in cui fate le condoglianze a Daniel per la presunta morte di Olivia. Abbiamo anche la testimonianza del parroco di Great Weldon, al quale avete ingiunto di eseguire i funerali di una bara apparentemente vuota.»

«Abbiamo prove sufficienti per condannare anche voi per associazione a delinquere e frode...»

«Ho una tenuta molto spaziosa al Nord, Sua signoria, e il clima è più mite adesso. Togliamo il disturbo e spariamo dalla circolazione. Olivia, sbrigati!»

Olivia rimase seduta a fissare l'assegno bancario. La somma di denaro non era sufficiente a condurre il tipo di vita che avrebbe desiderato. Non era neanche sufficiente a ripagare le spese esorbitanti che aveva accumulato acquistando nuovi capi di abbigliamento.

«Potreste imbarcarvi» suggerì Nick. «Farvi una nuova vita in India. Come donna d'affari potreste cavarvela abbastanza bene.»

Purché le malattie, i pericoli e la mancanza di leggi non le facessero fare una brutta fine.

«Olivia, sbrigati» la incitò Carmichael. «È finita e hai perso. Se mi sposerai, ti porterò al Nord.»

Il povero sciocco era sincero. Daniel lo avevo previsto, avendo conosciuto Carmichael da giovane.

«Signora, siete pregata di togliere il disturbo» disse Nick, poiché la dannata donna aveva incominciato a piangere. «Carmichael, devo farvi portare fuori con la forza?»

Nick non avrebbe mai messo le mani su Olivia, per evitare di lanciarla al di là del muro del giardino alla pari del contenuto del vaso della notte prima.

«Daniel non si è risposato» gracchiò Olivia. «Mi avevi detto che aveva sposato quella donna, hai detto che l'intero villaggio stava festeggiando e adesso questo è tutto ciò che mi rimane...»

«Avete una proposta di matrimonio» disse Nick, lanciando un'occhiata significativa in direzione della casa. «Avete dei fondi e, a quanto pare, avete un alleato nel signor Carmichael. Vi suggerisco di trasferirvi al Nord, perché se fosse per Fairly vi avrebbe già fatta impiccare; dovete ringraziare la natura misericordiosa di Letty, se siete sempre viva è solo grazie a lei!»

Con una simile affermazione, Olivia si rizzò in piedi sbrigandosi a prendere Carmichael sottobraccio.

«Bertrand, portami via da questo posto. Daniel mi ha ingannato e ne faccio anche a meno di lui.»

Era stata la sua cupidigia ad averla ingannata: l'aveva portata a vedere il mondo attraverso le sue avide lenti, mentre Daniel era stato semplicemente saggio. Carmichael avrebbe dovuto mettere Olivia sulla prima nave diretta per il Catai.

Lasciarono il giardino a braccetto, l'assegno spuntava fuori dalla sua pompadour, mentre gli uccellini al di sopra delle loro teste per qualche motivo avevano smesso di cantare.

«Non sono molto contenta della decisione del vescovo Reimer» disse Kirsten, mentre intanto sistemava la cravatta di Daniel con una precisione matematica. George le aveva insegnato una mezza dozzina di nodi e Daniel preferiva il più semplice. Anche a Kirsten piaceva, poiché era semplice da disfare.

«Questa tua separazione dal pulpito per gradi dev'essere un'angoscia» proseguì lei. «Con tutti i curati che muoiono di fame in tutte le parrocchie rurali dell'Inghilterra, è possibile che non sia riuscito a trovarne uno disposto a venire nel Kent con un breve preavviso? Non ce n'era uno che...»

Daniel la baciò e, come sempre, i suoi baci facevano sì che Kirsten smettesse di fare ciò che stava facendo, dato che la gratitudine aveva sempre il sopravvento. Essere grati era un buon modo per iniziare la giornata, anche se in realtà ogni scusa era buona per essere grati in qualsiasi momento della giornata.

Adesso erano marito e moglie: una tranquilla cerimonia nel salotto di Reimer, alcuni membri della famiglia presenti, e qualche giunchiglia che Kirsten teneva stretta nelle mani. Erano sposati e potevano baciarsi quando volevano.

«Attento che ti sgualcisco la cravatta» disse Kirsten, lasciandosi andare tra le braccia di Daniel.

«Oggi lo dirai ai bambini?»

«Pensavo che raccontare tutto al comitato pastorale sarebbe stata la cosa peggiore» disse Daniel, avvolgendo le braccia intorno a lei. «Pensavo che Reimer si sarebbe lanciato in una specie di sermone dettato dalla delusione inflittagli. Pensavo... dirlo ai bambini mi spezzerà il cuore.»

«Quei bambini ti hanno riempito il cuore di gioia» disse Kirsten. «Naturalmente dir loro che te ne andrai sarà terribile.»

Seguirono altri baci, poiché così era la loro vita: un alternarsi di gioia e dolore. Kirsten si strinse al corpo del marito estasiata della loro intesa sempre più forte.

«Il mio seno...» sussurrò mentre le labbra di Daniel si piegarono in un sorriso.

«È più splendido che mai» disse Daniel completando la frase.

«Ultimamente ho molti sbalzi d'umore» disse Kirsten, facendo scivolare una mano sulle parti basse del marito e trovando la prova tangibile di un'imminente felicità coniugale. «Mi addormento nella dispensa. Non riesco a concentrarmi...»

Le mani di Daniel, lente e consapevoli, si fecero strada sotto la gonna della moglie mentre la stava accompagnando in camera da letto.

«Adesso concentriamoci sul nostro amore.»

«Arriverai tardi in classe» disse lei, mentre iniziò a sbottonargli i pantaloni. «Ti sono rimasti pochi giorni con i bambini e pochi sermoni da predicare.»

Daniel sarebbe diventato amministratore di una piccola tenuta di Fairly, mentre Kirsten correva il rischio di diventare una buona cristiana.

«Non ti dispiace diventare la moglie di un amministratore?» le chiese Daniel, cadendo in ginocchio prima che Kirsten riuscisse a finire di sbottonarlo. «È una vita tranquilla, a tratti monotona, ma in compenso non saremo lontani dalla famiglia.»

«Gestire una tenuta non è molto diverso da gestire una parrocchia, Daniel. Se posso essere la moglie di un parroco, imparerò anche a essere la moglie di un amministratore.» Certo, avrebbe impiegato ogni fibra del suo essere nel rendere la loro nuova vita di coppia un grande successo.

«L'unica cosa che mi dispiace,» proseguì Kirsten, accarezzando i capelli di Daniel «è che i bambini ti perderanno e tu perderai loro. Non è giusto, Daniel. Non è quello che...»

Altri baci e vestiti sparpagliati in tutte le direzioni, e solletico, e poi silenzio: prodigio d'amore.

Daniel era diventato un demonio tra le lenzuola. Nelle sue sedute amorose, univa l'infinito autocontrollo di un parroco, la resistenza di un direttore scolastico e l'astuzia di un ragazzo monello.

Oltreché la devozione di un marito.

«Questo è il mio momento preferito» disse Kirsten mentre Daniel univa il suo corpo al suo lentamente e con tanta dolcezza. La quiete di una bella mattina li circondava, il profumo della lavanda si levava dalle lenzuola completamente sgualcite.

«Io adoro la parte in cui si dice che marito e moglie diventeranno una sola carne.» I pollici di Daniel sfiorarono i palmi di Kirsten, una carezza tenera quanto intima.

«Ti amo e ti amerò per sempre.»

Erano parole che a voce aveva detto spesso, adesso glielo stava mostrando con i fatti. Kirsten si arrese alla gioia e al piacere, sebbene si preoccupasse per suo marito, che non sapeva nulla sull'amministrazione della terra e tutto invece su ciò che riguardava la cura del cuore umano, tenero e vulnerabile.

«Non preoccuparti» disse Daniel quando riuscì a formare di nuovo frasi di senso compiuto. Dire a sua moglie cosa fare era fiato buttato al vento. D'altronde, Kirsten era preoccupata perché ci teneva a lui.

«Cercherò di non preoccuparmi per te» disse lei, accarezzando il petto nudo di Daniel. «Ma i bambini, Daniel. Penso ai bambini che ti perderanno e mi viene da piangere.»

E infatti si mise a piangere. In modo incontenibile. Kirsten Haddonfield Banks, brusca, autosufficiente e pragmatica, era diventata un annaffiatoio che piangeva alla vista di gattini nel fienile, del primo esame senza errori di Matthias e della lettera di dimissioni di Daniel, scritta in bella calligrafia e posta su un angolo della scrivania in fondo al corridoio.

«Vivremo solo a poche ore di distanza» disse Daniel «e Digby è uno di famiglia. Lui e Danny verranno spesso a farci visita.»

Il cambiamento faceva parte della vita. Daniel capì le parole che suo padre spesso gli diceva da piccolo, capì molte cose che non aveva voluto capire quando era ancora in vita.

La mano di Kirsten si spostò più in basso, mentre Daniel lanciò uno sguardo in direzione dell'orologio sulla mensola del camino.

«Sei in ritardo» disse Kirsten, arrestando la mano. «Ralph non può intrattenere i bambini troppo a lungo. Ti aiuto a vestirti.»

Anche per Ralph era stato un brutto colpo, poiché si era legato molto ai bambini e all'idea di far parte della casa di un parroco, assieme alla sua adorata Annie.

«Ho avuto un'illuminazione» disse Daniel, mentre legava la cintura di Kirsten pochi minuti dopo. Ormai erano diventati esperti nell'aiutarsi a vestirsi – e anche nello spogliarsi.

«Di che si tratta?» domandò Kirsten, passandogli la spazzola dopo che aveva concluso con la cintura. Aveva una particolare predisposizione per arrufargli i capelli in certi momenti di intimità.

«La fede non è una questione di attenersi alle regole, recitare i Comandamenti, fare discorsi di circostanza, o stare sul sentiero ben illuminato,» disse Daniel «ma non si tratta neanche di aderire agli impulsi egoistici nei momenti di confronto e di avversità, chiamando un comportamento del genere 'coraggio'.»

Non facevano mai riferimento a Olivia chiamandola per nome. Fairly aveva confermato che adesso era diventata la signora Bertrand Carmichael e si era trasferita al Nord, nella Cumbria. Daniel non aveva chiesto ulteriori dettagli e probabilmente non lo avrebbe mai fatto.

Kirsten prese la spazzola dalle sue mani e lo aiutò a pettinarsi.

«Quindi, che cos'è per te la fede?»

«La fede è amore. La fede è svegliarsi accanto alla moglie di un amministratore quando ho sempre pensato di svegliarmi accanto alla moglie di un parroco, forse anche di un decano o di un vescovo. La fede è dire addio ai ragazzi, dire loro che mi hanno reso orgoglioso, e che fra qualche mese, i loro sacrifici, il loro studio e qualche verbo latino, saranno loro di grande aiuto. La fede è accettazione.»

Kirsten avrebbe voluto protestare – Daniel conosceva l'espressione nei suoi occhi – ma il suo cuore gentile ebbe la meglio sulla sua logica.

«Mattie ci vede adesso» disse lei. «Thomas non si siede più su nessuno. Danny si è fatto degli amici e gioca facendo chiasso come tutti gli altri bambini. Sanno tutti come badare ai loro pony e i bambini dei Blumenthal non hanno messo un rospo da nessuna parte che non fosse il terrario da qualche settimana a questa parte.»

«Esattamente. Nessun sermone commovente, nessun fasto ecclesiastico, solo un gruppetto di bambini un po' più felici per aver vissuto qui. Non so trasformare l'acqua in vino, Kirsten, non posso fingere che il mio primo matrimonio non sia stato disastroso, ma posso essere felice con te e con una vita fuori dalla Chiesa. Questo è ciò che la fede vuole da me. Gioia e coraggio, non infelicità per un passato che non può essere cambiato o un futuro che non può essere controllato.»

L'orologio scandiva i minuti e la brezza del mattino portò aria fresca di campagna all'interno della camera da letto.

«Hai preso una decisione grazie a Belzebù, vero?» domandò Kirsten, «tutte quelle galoppate che ti sei fatto dopo il matrimonio ti hanno aiutato a riflettere?»

«No, in realtà no. Ho fatto tutte quelle cavalcate perché adoro andare al galoppo sul mio destriero. Ho preso una decisione quando mi sono trovato di fronte alla scelta di una vita con la donna che amo o una vita con la Chiesa. Persino mio padre – anzi forse lui in modo particolare – avrebbe voluto che scegliessi l'amore.»

Il bacio di Kirsten era una benedizione. Il suo schiaffo sul sedere di Daniel era proprio da lei.

«Vai a infliggere un po' di latino agli innocenti. Anche se devi terminare il loro anno scolastico in anticipo, Daniel, devi organizzare quella gara con i pony che gli avevi promesso.»

Kirsten sapeva sempre come tirarlo su di morale. I bambini parlavano di quella gara di continuo e anche i loro genitori avevano incominciato a dispensare loro consigli e strategie.

«Ci vediamo a pranzo» disse Daniel, baciando la fronte della moglie. «Chiedi al cuoco se possiamo fare un picnic in giardino.»

Occuparsi delle attività ricreative riempiva Kirsten di energia, quindi si adoperò al fine di preparare un picnic con i fiocchi. Daniel si separò da lei in cima alla scalinata, voltando in direzione dell'aula, mentre Kirsten si avviò verso la cucina.

Daniel la guardò allontanarsi finché lei non si voltò, agitò il dito verso di lui e gli mandò un bacio. Daniel ricambiò e si diresse verso l'aula dove avrebbe trascorso una delle sue ultime giornate assieme ai bambini.

Solo a pensarci ci stava male. A parte tutti i discorsi ecclesiastici sulla fede e sul coraggio, dire addio a quei bambini gli avrebbe spezzato il cuore. Erano bravi e ubbidienti e, anche se a volte combinavano dei guai, erano perfetti così com'erano. Sprizzavano simpatia e curiosità, erano ben disposti al riso e all'onestà nei momenti più impensabili e commoventi.

Daniel indugiò fuori dall'aula, cercando di ricomporsi, poiché anche quello faceva parte della fede. Un uomo il cui primo matrimonio era stato annullato poteva rimanere sul suo pulpito – il vescovo Reimer sapeva di due casi, benché si trovassero in oscure e povere parrocchie – ma in fin dei conti che genere di esempio avrebbe dato Daniel?

Poi d'un tratto gli venne uno strano pensiero: un uomo che aveva malamente inciampato poteva essere un'ottima fonte d'ispirazione per i fedeli! La perfezione morale non faceva parte di nessun passaggio scritturale che Daniel potesse ricordare, tuttavia il perdono, la compassione e l'accettazione di sé erano spesso menzionati.

«Per fare giustizia, amare la misericordia e camminare umilmente con il mio Dio» disse Daniel, parafrasando Michele dal Vecchio Testamento. Era pronto a entrare in aula, con la convinzione che separarsi da quei bambini tanto cari, sensibili e a loro modo perfetti, restava l'unica strada da percorrere.

«Non avrei mai pensato di odiare il maestro un giorno» osservò Fred mentre Guglielmo il Rospo gracchiava sommessamente nella tasca di Digby.

«Io non lo odio» disse Frank mentre si dirigevano verso il ruscello che attraversava il pascolo delle giumente. «Ma vorrei che non se ne andasse. La terza declinazione sembra davvero difficile, e sono sicuro che lui l'avrebbe resa comprensibile.»

«Dài, non è così difficile» disse Mattie che si trovava dall'altro lato di Fred. Per Digby, ogni declinazione latina così come ogni coniugazione era difficile, e per lui non c'era da meravigliarsi se la lingua si era estinta molto tempo addietro. L'inglese e il francese non avevano tutti quei controsensi eppure non avevano nessun problema. Il padre aveva riso quando Digby se n'era uscito con quella constatazione. Digby e i suoi amici, invece, avevano ben poco da ridere ultimamente.

«Se proprio deve, il maestro se ne può anche andare,» disse Thomas «ma perché lady Kirsten non può rimanere qui? Haddondale è casa sua. Chiederò al conte di farla restare, così forse resterà anche il maestro.»

Danny non era con loro: quel mattino era stato accompagnato a casa del visconte Fairly e da Letty. Si stavano già formando delle crepe nella loro piccola scuola e a Digby non piaceva per niente.

«Quello che non riesco a capire» disse Digby «è il motivo per cui il maestro preferisce trascorrere i suoi giorni contando pecore e capre quando potrebbe stare con noi qui. Mi volete forse dire che assumere i tosatori d'erba e occuparsi della rotazione delle colture è più divertente delle battaglie romane, delle battute di Mattie in francese, o dei picnic in giardino?»

Avevano fatto un picnic all'inizio della settimana, esattamente il tipo di divertimento non programmato che rendeva la storia della Germania di Hannover sopportabile. Lady Kirsten aveva raccontato loro di aver fatto l'inchino dinanzi al Reggente che, a suo dire, era piuttosto corpulento.

Probabilmente aveva bisogno di cacciare rospi più spesso, perché come diceva il maestro 'mens sana in...'

«Mattie,» disse Digby «ti sei dimenticato l'espressione in latino?»

Il piccolo Mattie si era fermato diversi metri prima del torrente. Guglielmo il Rospo, che probabilmente sentiva l'odore di casa sua lì vicino, si era ammutolito.

«Al maestro piace risolvere i problemi» disse Mattie.

«Come quando ha capito il problema dei tuoi stupidi occhiali?» chiese Fred. Ogni volta che si riferivano agli occhiali di Matthias, ne parlavano sempre con epiteti simili, gli occhiali stupidi, gli occhiali infernali, quei diabolici aggeggi per gli occhi.

«Esattamente» disse Mattie, osservando il ruscello che scorreva gaiamente. «Ma anche il problema della calligrafia di Thomas, che lady Kirsten lo ha aiutato a sistemare. O come quando Fred confondeva le dinastie reali. O Danny che non è così portato per la Matematica.»

«Nessuno è bravo in tutto» chiosò Digby. Guglielmo il Rospo si agitò nella tasca, probabilmente era ansioso di rivedere la sua famiglia.

«Anche a me piace risolvere i problemi» disse Mattie. «E la partenza del maestro è un *problema*. Torneremo a un regime di fustigazioni e a lezioni noiose in aule gelide. Non ci sarà più Guglielmo il Rospo, non ci sarà più nessun picnic, niente più grandi battaglie nel cortile delle scuderie, niente più corse con i pony, niente di niente!»

I bambini furono attraversati da una fitta di dolore. La gara di pony si sarebbe tenuta il sabato successivo. Le lezioni sarebbero terminate il martedì, i bambini sarebbero tornati a casa, e poi il sabato la gara di pony e un picnic per celebrare un anno scolastico che non sarebbe dovuto finire così presto.

«Dobbiamo fare qualcosa» disse Thomas. «Non possiamo essere i migliori studenti che il maestro abbia avuto, i suoi prediletti, se non lo aiutiamo a risolvere i suoi problemi nello stesso modo in cui lui ha sempre risolto i nostri. Lady Kirsten sarebbe d'accordo.»

Digby assentì. I Blumenthal annuirono. Guglielmo il Rospo gracchiò. Mattie sorrise.

«Ho un piano» disse lui. «Ci vorrà un sacco di lavoro, e dobbiamo essere pronti a sacrificarci, a sopportare una bella batosta e rimproveri e a fare a meno del budino.»

«Non sarebbe una novità. Questo è esattamente ciò che abbiamo sopportato prima dell'arrivo del maestro Banks» disse Thomas, massaggiandosi distrattamente il fondoschiena. «E la stessa sorte ci sarà riservata se ci lascia per un allevamento di pecore.»

«Non posso liberare Guglielmo per adesso. Ci serve.» disse Mattie. «E abbiamo molto lavoro da fare. Come prima cosa abbiamo bisogno di due secchi ciascuno...»

«Non capita spesso di avere Greymoor come commissario di gara» disse Fairly, dondolando sulla sua giumenta.

«Speriamo che non si faccia male nessuno.»

«È per questo» disse Daniel, dalla sella di Belzebù «che c'è a disposizione un medico esperto: per garantire la migliore assistenza nell'eventualità che qualcuno si faccia male. State tranquillo, Fairly, questi bambini sanno cavalcare bene e i loro pony sono alquanto mansueti.»

«Sciocchezze! Non esistono pony mansueti» ribatté Fairly. «Progenie del demonio, schiavi del diavolo, lustrascarpe di Lucifero, ignobili apprendisti, il modello su cui non basarsi mai per creare un cavallo, peggio di...»

La mascella di Fairly si chiuse di scatto. Kirsten, Elsie e Letty arrivarono in un calesse aperto, Kirsten alle redini.

«Signore, buongiorno» disse Daniel, nonostante il sorriso di Kirsten lasciasse a intendere che anche per lei quella giornata non era delle più felici.

«I bambini saranno qui a breve. Fairly mi stava raccontando quanto si sia divertito da ragazzo a cavalcare il suo pony per tutta la contea.»

«Già» esclamò Fairly, accarezzando la sua giumenta e facendo un sorriso affettuoso. «Non c'è niente che piace di più a un bambino. Ah, ecco che arrivano i fantini!»

Fairly si allontanò poiché toccava a lui e alla sua giumenta condurre Loki sulla linea di partenza. Bellefonte e Buttercup facevano gli onori per Frank Blumenthal, mentre lo scudiero stava bisticciando con il pony di Fred. «Gridare sulla linea di partenza non è mai una buona idea» disse Daniel.

Un personaggio del calibro di Andrew, conte di Greymoor, uno dei parenti acquisiti di Fairly, avrebbe dato il via alla gara. Cavalcava un destriero nero della stessa stazza di Belzebù, anche se pareva di indole più mansueta per essersi fatto un lungo tragitto dal Surrey il giorno prima.

Daniel pose fine al diverbio tra i Blumenthal, e il Blumenthal padre mormorò: «Devo parlarvi più tardi, signor Banks» prima di allontanarsi e di lasciare Daniel alle prese con il piccolo castrato di Fred, irrequieto e indisciplinato.

I pony si allinearono – i bambini si erano esercitati parecchie volte con George –, dopodiché tutto era pronto per la partenza.

I bambini avrebbero conservato un bel ricordo di quel momento. Daniel guardò oltre i vicini che erano usciti per fare il tifo, oltre la fila di carrozze che si trovavano dietro il traguardo. Verso Sudovest, le valli erano vestite di un verde incantevole, mentre l'estate faceva cenno al sole di avvicinarsi.

'Alzerò gli occhi verso i monti...'

Kirsten incontrò lo sguardo di Daniel, gli mandò un bacio e sventolò il fazzoletto. Anche lei avrebbe ricordato quel giorno, quando i loro piccoli allievi si sarebbero allontanati al galoppo per affrontare altre sfide.

Quei bambini sarebbero mancati a Daniel per il resto della sua vita. Gli avevano dato una forte motivazione e una spinta verso le sue prossime sfide. Si sarebbe preoccupato per la loro sorte, avrebbe pregato per loro, e avrebbe inviato loro delle missive a scadenza regolare, e li sarebbe andati a trovare ogni volta che avrebbe fatto visita al conte.

Sempre che i genitori permettessero una tale confidenza. In qualsiasi momento, la faccenda con Olivia poteva diventare di dominio pubblico ed esplodere in un vero e proprio scandalo. Un amministratore di proprietà avrebbe potuto sopportare uno scandalo del genere più facilmente di un parroco.

Daniel aveva reso nota la realtà dei fatti al suo comitato pastorale e, nonostante le loro proteste, non appena Reimer avesse identificato un successore per il pulpito di St Jude, Daniel si sarebbe dimesso.

Se Daniel amava i suoi bambini, e li amava davvero, allora avrebbe accettato con gratitudine il posto offertogli da Fairly.

Greymoor camminò avanti e indietro dinanzi ai sei pony, ispezionando formalmente briglie e selle, accarezzando un pony qui e ammirando una lucida staffa di ferro là. Freya batté la zampa e Matthias, da bravo fantino in erba, la ignorò.

«Signori, ai vostri posti» disse Greymoor in tono pacato. «Pronti, attenti, via!»

Kirsten non era mai stata così orgogliosa, né così triste, come nel momento in cui osservò i sei bambini in sella: avevano l'aria di perfetti gentiluomini. Ce la stavano mettendo tutta per prestare attenzione al conte che si pavoneggiava, quando in realtà ogni bambino non voleva far altro che correre al galoppo per la campagna.

E Daniel, in sella a Belzebù, calmo e sorridente, si era messo un po' in disparte rispetto a Nicholas, Fairly, George e agli altri padri.

Il cuore di Kirsten si spezzò per Daniel, che era riuscito a trasformare un gruppetto di bambini scapestrati in studenti modello e perfetti gentiluomini.

«Dobbiamo parlarvi.» Elsie fu la prima ad avere una reazione, seguita a ruota da Kirsten e Letty.

«Sally, May, Nancy, salve» disse Elsie. «È un piacere vedervi.»

Le tre sorelle Blumenthal avevano un'aria parecchio eccentrica – e alquanto furibonda – coi loro cappellini e scialli primaverili.

«Potremmo parlare dopo la gara?» ribatté Kirsten. «I bambini dovrebbero arrivare da un momento all'altro.»

A meno che qualcuno non si fosse ferito o smarrito, il pony di qualcuno non fosse scappato, o magari qualcuno fosse caduto non riuscendo a risalire sul pony. Insomma, molte cose potevano andare storte nella prima gara di un bambino.

«Non ci vorrà molto» tagliò corto Sally. «Ma se non ci ascoltate, temo che commetteremo un omicidio prima del tramonto. Anzi due, e la mamma sarà nostra complice.»

«È probabile che ci aiuti anche papà» soggiunse May.

«E la servitù» mormorò Nancy. «E anche i genitori dei Webber. Non so cos'abbia fatto il reverendo con i nostri fratelli negli ultimi mesi. Sembrava stessero facendo dei progressi, fin quando non sono rientrati a casa martedì scorso. A quanto pare, il signor Banks ha trasformato dei ragazzini ragionevolmente dignitosi in veri e propri demoni.»

«I miei piccoli allievi sono diventati dei demoni?» ripeté Kirsten incredula. «Proprio loro che al massimo si versano un po' di latte addosso o si esprimono in francese maccheronico? Dei demoni? Vi sbagliate di grosso!»

Elsie e Letty stavano facendo uno strano sorriso. Kirsten passò le redini a Letty e scese dalla carrozza, poiché nessuno doveva permettersi di intaccare la dignità dei suoi piccoli.

«Non vi immaginate le urla» disse il signor Blumenthal, mentre il suo castrato mangiucchiava dei ciuffetti d'erba. «La nostra casa è stata invasa dai rospi, Banks! Siete voi ad aver insegnato a quei bambini la raffinata arte della cattura dei rospi, non è forse vero?»

Ebbene sì, era stato Daniel.

«I bambini hanno una predisposizione naturale per queste cose, signore. Non c'è nulla di strano. Sono sicuro che i gemelli siano contenti di aver terminato le lezioni.»

Blumenthal si tamponò la fronte con un fazzoletto bianco mentre le cattive maniere del suo cavallo non passarono inosservate.

«Banks, non si tratta di semplice euforia. Conosco i miei ragazzi, nonostante ciò che potreste pensare: hanno l'indole determinata della madre. Stavano imparando molte cose con voi, dal calcolo all'arte della conversazione. Da martedì, invece, ho paura persino a rincasare la sera.»

Denton Webber si avvicinò su un destriero grigio e magro che procedeva a passo lento.«Banks, vorrei parlarvi. Blumenthal, forse è meglio se vi unite a noi. Cos'è questa assurdità che volete lasciare la Chiesa, Banks? Mia moglie sta minacciando di lasciarmi se non riesco a trovare un posto dove mandare i bambini, e l'unico posto dove sono disposti ad andare è nella vostra classe.»

Blumenthal rimise il fazzoletto in tasca. «Avete chiesto ai vostri figli cosa volevano, Webber?»

«Sono loro a dirvi ciò di cui hanno bisogno e cosa vogliono,» precisò Daniel «se prestate loro attenzione, allo stesso modo in cui sapete come stanno i vostri cavalli o le vostre greggi.»

«Matthias non è così sottile» disse Webber. «È audace quando vuole raggiungere un obiettivo. La signora Webber ed io siamo preoccupati che faccia la fine di suo cugino, che ha l'allergia a qualunque istitutore. Avevo intenzione di parlarvi anche del cugino, infatti, ma come prima cosa, Banks, ho l'incarico di chiedervi: lasciate pure la Chiesa se lo desiderate, ma quanto dobbiamo pagarvi per tenere aperta la scuola?»

A venti metri di distanza, Kirsten era scesa dal calesse ed era stata presa in ostaggio dalle tre sorelle Blumenthal.

«Tenere aperta la scuola?» chiese Daniel. Da un momento all'altro, i suoi allievi sarebbero giunti al traguardo, e adesso non era certo il momento di...

«Tenere aperta la scuola?» ripeté Daniel più lentamente come se stesse pian piano assimilando il senso delle parole del signor Webber.

«La signora Blumenthal vorrebbe che vi facessi la stessa domanda» disse il proprietario terriero. «Da quando i bambini sono tornati a casa pochi giorni fa, il mio regno è in guerra, Banks. Mia moglie non mi rivolge più la parola a meno che non si tratti di chiedermi se ho intenzione di mandarli alla scuola pubblica di lunedì. Ho sentito addirittura le mie figlie discutere su come implicare i loro fratelli in reati abbastanza gravi da meritare l'incarcerazione.»

Webber rincarò la dose.

«La mia governante sta minacciando di licenziarsi. I bambini hanno messo l'acchiappatopi che era in dispensa assieme alla biancheria pulita. Dopo aver lavato e piegato il tutto, lo hanno fatto una seconda volta, aggiungendoci il gatto che era nella stalla, così tanto per divertirsi. Forse non potremo pagarvi la stessa somma che vi ha promesso lord Fairly, ma non sappiamo veramente dove sbattere la testa. Ho parlato con mio fratello e anche lui ha due bambini che lo fanno ammattire. A nessuno piace parlare di un figlio che non si riesce a gestire, ma voi potreste riempire la casa della contessa madre con i nostri figli.»

Ad un certo punto, Nicholas e Fairly si erano uniti al cerchio che si era formato attorno a Daniel.

«Potreste farvi carico almeno di diverse dozzine» disse Nicholas. «La proprietà della contessa madre è sempre vuota da quando non c'è più la contessa, e devo dire che ultimamente mi è piaciuto avere un po' di sana confusione grazie ai vostri scolaretti. Avere una scuola dall'altra parte del giardino conferisce a Belle Maison un certo prestigio.»

«C'è spazio per molti altri giovani teppis... allievi» soggiunse Fairly. «Potremmo aggiungere delle aule nella scuderia.»

«Sono molto lusingato dalle vostre opinioni sulla mia capacità di insegnamento, ma non posso più... Cioè, la mia carriera, la mia vocazione religiosa... Fa parte del passato.»

«Chi dice che bisogna essere pastori per insegnare a un branco di ragazzini ribelli?» disse George, che pareva sbucato dal nulla. «Anche perché con tutti gli studenti che vi prospettiamo, non avreste neanche il tempo di dedicarvi alla parrocchia. Bisogna imparare a essere flessibili, Banks. I bambini hanno bisogno di voi, e anche le loro famiglie. Quel dispetto di aver rinchiuso il gatto nell'armadio della biancheria è intollerabile.»

In realtà, quel dispetto doveva essere segno della complicità di una combriccola di ragazzini...

«Sarei felice di aiutare» disse Ralph. Nessuno lo aveva interpellato. La sua intraprendenza lo aveva fatto arrossire. «Anche ad Annie piace lavorare nella casa della contessa madre.»

«Manderemo dei cestini per i bambini ogni settimana» soggiunse Blumenthal. «Lo ha suggerito mia moglie, e le nostre figlie vi daranno una mano a cucire tutte le tende di cui avrete bisogno.»

Intanto la signora Webber si era unita alle signore Blumenthal intente a discorrere con Kirsten e Daniel avrebbe voluto gridare in direzione della moglie di venirlo a salvare da quei pazzi scatenati...

«Eccoli! Stanno arrivando!» urlò qualcuno e i bambini vennero accolti con grande clamore in dirittura d'arrivo. Lo scalpitio dei pony si unì al battito del cuore di Daniel, mentre Kirsten riuscì a staccarsi dal gruppetto per dirigersi difilato verso Daniel.

Era turbata. Quelle donne avevano sconvolto l'amata di Daniel tanto quanto gli uomini erano riusciti a sconvolgere Daniel stesso. Kirsten aveva bisogno di lui e Daniel di lei. Nient'altro importava, e nulla sarebbe servito se non che lui andasse da lei. Fairly stava discorrendo sull'importanza di farsi una cultura quando Daniel spinse Belzebù in avanti.

La folla continuava a esultare per l'arrivo dei bambini, mentre Daniel aveva occhi solo per sua moglie.

«Ti hanno fatta piangere» disse lui, scendendo da cavallo. «Quelle streghe ti hanno fatta piangere.»

«Non voglio lasciare i bambini» Kirsten disse d'impulso, lasciandosi cadere su Daniel e cingendogli le braccia attorno alla vita. «Daniel, non avrei mai pensato di avere dei bambini a cui dare il mio amore, e questo mi ha resa eccessivamente vulnerabile: non posso lasciare i nostri bambini, non ce la faccio, e neanche loro vogliono che ce ne andiamo. Sono una pessima moglie e un disastro come aiutante, oltreché una cristiana ribelle, ma voglio tenere i nostri bambini. Dimmi che troverai una soluzione, Daniel, perché ho... ho il cuore a p-pezzi.»

Il clamore si fece più forte e lo scalpitio sempre più vicino. I bambini giunsero al traguardo accompagnati da uno scroscio di applausi.

«Non ho una soluzione a portata di mano» disse Daniel, abbracciando la moglie fin troppo platealmente. «E da solo non sarei mai riuscito a risolvere un problema del genere; tuttavia, grazie ai poteri della misericordia divina e all'operato di quei sei piccoli teppistelli, ci ha già pensato qualcun altro.»

Epilogo

«Ho chiesto indicazioni al Queen's Harebell, perché non ho trovato nessuno in canonica» Patrick Warwick informò la donna che aveva aperto la porta. «Mi è stato detto che avrei trovato il reverendo Banks nella casa della contessa madre a Belle Maison, anche se... Oh Santo cielo, cos'è quello, un rospo?»

«Sì, si chiama Guglielmo» disse la donna, spalancando la porta per fare entrare l'ospite, rivelando uno splendente corridoio d'ingresso. «Dovete perdonare il nostro Charles, non è veloce come gli altri bambini nel catturare i rospi, non ancora, ma è furbo e tenace e nutriamo grandi speranze per lui. Entrate pure, signore.»

I ragazzini astuti e tenaci erano raramente accolti con una tale allegria – a suo tempo Patrick era stato uno di questi e sapeva fin troppo bene che trattamento veniva riservato ai bambini come Charles – e quella donna non aveva per niente l'aria di essere una governante. Un uomo di chiesa sapeva leggere le persone, anche se in realtà era una conclusione piuttosto ovvia: quella donna non era vestita da governante ed era fin troppo bella per essere una domestica. Inoltre era molto in là con la gravidanza.

Patrick la seguì dentro casa, al riparo dalla calura di un pomeriggio di fine estate.

«Mi chiamo Patrick...»

Un ragazzino piccolo e dai capelli scuri sbucò da un angolo.

«Da quella parte, Charles» gridò la signora, indicando il corridoio. «Guglielmo si sta stancando: non arrenderti e presto lo catturerai.»

Il bambino fece un rapido inchino e scappò via.

«Incoraggiate la cattura dei rospi, signora?»

«Non posso certo lasciare i rospi liberi in casa, o sbaglio? I bambini hanno deciso che nessun rospo sopravvive per una settimana intera senza prendere aria, per cui almeno una volta al giorno Guglielmo se ne va saltellando in giro per casa. Non dovete sottovalutare i rospi, è proprio grazie a loro che i bambini imparano cosa siano la resistenza e le strategie. La responsabilità è molto ambita tra i nuovi arrivati. Deduco che voi siate Patrick Warwick, il nuovo parroco?»

«Sì, signora. Patrick Warwick. Ai vostri servigi» rispose, offrendo un inchino molto più raffinato di quello abbozzato da Charles.

«Io sono lady Kirsten Banks» disse la donna con un movimento quasi impercettibile che voleva essere una riverenza.

«Daniel sta cercando di spiegare ai ragazzi più giovani perché il reggente, in veste di capo della Chiesa d'Inghilterra, riesca a farla franca pur peccando di incessante ingordigia e intemperanza. I ragazzini più grandi stanno cercando di trattenersi per non scoppiare a ridere. Devo ammettere che la teologia mette spesso a dura prova il loro contegno.»

Patrick aveva caldo, era pieno di polvere, esausto e troppo onesto per il suo stesso bene. «Anche la mia compostezza viene spesso messa a dura prova dalla teologia.»

«Magnifico!» esclamò Kirsten, appendendo il cappello di Patrick su un gancio e prendendolo per una manica polverosa. «Daniel dice che avete irritato i vescovi con i vostri sermoni espliciti e le vostre vedute liberali.»

Un altro bambino sfrecciò di passaggio.

«Prova a cercare nel mio salottino, Harold,» gli urlò lady Kirsten «e ricordati che un coniglio non si fa catturare se fai troppo rumore.» Improvvisamente il bambino si arrestò e procedette in punta di piedi nella direzione opposta rispetto a quello che stava cercando di catturare il rospo.

«I conigli insegnano la quiete?» azzardò Patrick.

«E la velocità» disse lady Kirsten, mentre conduceva Patrick in una sala da pranzo esposta al sole.

«Vi aspettiamo da una settimana. Sally Blumenthal, in particolare, ha fatto molta pratica per i suoi assolo da soprano. Probabilmente sarete abituato a questo genere di cose ormai.»

«La velocità, la resistenza e la strategia sono abilità alle quali, di tanto in tanto, ogni parroco deve ricorrere» disse Patrick, dato che a una donna sorridente come Kirsten, un uomo poteva ammettere tali verità.

«A Daniel piacerete molto» rispose lei. «Vi farò servire della birra chiara e dirò a Daniel di interrompere l'attività didattica per venirvi a dare il benvenuto. Se vedete un coniglio o un rospo, avvertite uno dei bambini in francese, latino o greco.»

«E questo cosa insegnerebbe...?»

«Dà tempo alla preda di scappare. Charles è sempre irrequieto e tutti i pomeriggi a scuola lo rendono ancora più agitato. Una bella corsa per la tenuta lo aiuta a stare fuori dai guai.»

«A proposito, avevo appena preparato uno spuntino per mio marito,» proseguì Sua signoria «gli farebbe piacere se lo mangiaste voi.»

Su un piatto c'erano due tramezzini: prosciutto e formaggio cheddar facevano capolino tra due fette di pane chiaro. Come se non bastasse, un piattino di biscotti spolverati di zucchero si trovava accanto a un bicchiere di limonata e delle pesche affettate riempivano una ciotola di vetro.

«Ho avuto il piacere di mangiare delle pesche solo una volta in vita mia» disse Patrick. Gli venne l'acquolina in bocca alla vista di quella frutta così succulenta. Le pesche erano ambrosiali, il nettare degli dèi, e una vera leccornia nella natura selvaggia del North Riding. Per una fetta di pesca, Patrick avrebbe potuto anche unirsi ad Adamo ed Eva nella loro cacciata dal paradiso terrestre.

«Mio fratello le coltiva nel Surrey» disse lady Kirsten. «Ne abbiamo veramente tante. Godetevi lo spuntino, vado a liberare Daniel dai leoni.»

Lo spuntino? Reimer gli aveva detto che Banks lasciava la Chiesa per diventare il preside di un qualche istituto nel quale i nobili erano desiderosi di inviare i loro eredi. A quanto pareva *quell'*istituto si trovava in casa loro e i bambini – specialmente quelli che trascorrevano i loro pomeriggi a scorrazzare avanti e indietro – mangiavano quanto un esercito. Lady Kirsten sfrecciò via, muovendosi molto rapidamente per essere una donna in dolce attesa.

Patrick era a metà del suo primo tramezzino e della sua limonata quando un uomo alto e dai capelli scuri accompagnò Sua signoria nella sala da pranzo.

«Signor Banks» disse Patrick, alzandosi e prostrandosi in un inchino ossequioso. Aveva sempre il tramezzino in mano e dovette cambiar mano per stringere quella di Banks, il quale sorrise per la gaffe del suo successore: un'espressione di umorismo, commiserazione, gentilezza e malizia. Il suo sorriso apparteneva al volto di un ragazzo fiducioso e allegro, ma in realtà calzava a pennello anche sul suo.

«Sono veramente felice che siate arrivato sano e salvo, signor Warwick. Sono settimane che prego per la vostra incolumità.»

I religiosi parlavano sempre di preghiere e giocavano con concetti quali pietà e devozione, un po' per scherzo e un po' sul serio. Patrick aveva la sensazione che Banks fosse semplicemente onesto.

«Vogliamo accomodarci?» suggerì lady Kirsten. «Ho lasciato la porta aperta per rispetto ai fuggiaschi, ma posso chiuderla se il rumore vi reca disturbo.» Il rumore consisteva nei bambini che di tanto in tanto comparivano sfrecciando e nelle loro urla immotivate.

«Ho tre fratelli più giovani,» disse Patrick «ci sono abituato.»

Daniel e lady Kirsten presero posto, ognuno a un lato della tavola, mentre Patrick venne fatto sedere a capotavola.

«Dovete far venire i vostri fratelli a farci visita» disse lady Kirsten. «Adoriamo i bambini.»

«Anche le bambine, che di solito sono delle brave strateghe» osservò Daniel rivolgendo un sorriso affettuoso alla moglie.

«Aggiungeremo un programma proprio per le bambine tra qualche anno. A proposito, per quale motivo avete lasciato Reimer?»

Improvvisamente, Patrick desiderò di non aver ascoltato le indicazioni degli uomini al Queen's Harebell; era meglio se avesse continuato a cavalcare fino alla costa, per poi prendere una nave.

«L'ho deluso» disse Patrick. «Ho mancato di rispetto a coloro che mi avevano offerto i miei ultimi due incarichi, criticando le loro vedute politiche. Questa è l'ultima possibilità che mi viene concessa.»

Daniel e lady Kirsten si scambiarono uno sguardo d'intesa: volumi di conversazione inespressa tra marito e moglie, tra due cospiratori collusi con conigli e rospi in nome dell'insegnamento a dei bambini irrequieti e turbolenti.

«È un vero peccato» disse Banks, con un'espressione di gentile costernazione. «Qua da noi siete assolutamente e indispensabilmente necessario. Sono oberato di lavoro nel tentativo di assolvere le mie funzioni ecclesiastiche e al contempo prendermi cura dei bambini. Lady Kirsten sarà presto sommersa da nuovi compiti che richiederanno la sua completa attenzione – anche se non abbiamo ancora scelto il nome del bambino – e, prima del mio arrivo, erano anni che questa parrocchia non vedeva un pastore dedito con una vera vocazione.»

«Non potete abbandonarci» disse lady Kirsten, accarezzando il bambino in grembo.

«Daniel e io ci siamo assunti più incarichi di quanto avremmo dovuto, con i bambini e la loro educazione. Sono ragazzini speciali, sapete, ognuno di loro. Se non accetterete quest'incarico, a Daniel verrà chiesto di aspettare ancora altri mesi mentre Reimer tentenna su una possibile sostituzione.»

Gli uomini talvolta lasciavano la Chiesa. I figli più giovani ereditavano i titoli, altri uomini ereditavano i mezzi e persino imprese o terreni. Altri ancora venivano incoraggiati con discrezione a trovare un altro incarico prima che i loro vizi causassero l'imbarazzo della Chiesa, eppure nessuno di questi fattori sembrava applicabile.

E i tentennamenti di Reimer erano un dato di fatto. Era un tentennatore di prim'ordine e, in più, aveva atteggiamenti intimi con la sua governante.

Patrick esaminò la sua limonata, anziché osservare i padroni di casa. «Posso chiedervi il motivo per cui date le dimissioni?»

«Mi sono sposato prima di aver raggiunto la maggiore età e senza il consenso di mio padre» disse Banks con lo stesso tono di voce che si potrebbe usare per dire di aver cavalcato uno stallone pezzato anziché un baio. «Il matrimonio è stato annullato all'inizio di quest'anno dopo un periodo di separazione dalla mia prima moglie. La parrocchia è al corrente di tutto e mi ha invitato a rimanere, tuttavia questa situazione mi ha dato l'opportunità di rivalutare le mie priorità. Kirsten e io saremo più felici e potremo apportare un contributo migliore se dirigerò un istituto scolastico anziché fare il parroco.»

Semplice. A Patrick piacevano le risposte semplici e oneste molto di più delle assurdità contorte dell'alta Chiesa.

«La limonata è molta buona» disse lui. Lo era anche la compagnia. '*Kirsten e io*', aveva detto Banks, come se la loro felicità fosse un'entità congiunta.

«Daniel adora quei bambini e loro adorano lui» disse lady Kirsten, mettendo una brocca di limonata vicino al gomito di Patrick. «Avrete fin troppo spazio a disposizione nella canonica, anche per uno a cui piace godersi la solitudine. Dovrete venire a trovarci spesso, così non vi sentirete solo.»

In effetti Patrick si sentiva solo, sin da quando suo zio gli aveva detto di scegliere tra la Chiesa, l'esercito o il Nuovo Mondo.

Un coniglio entrò saltellando nella stanza, un grazioso coniglietto grigio con un nasino che si muoveva di continuo, seguito da un grande rospo marrone. Né il signor Banks né sua moglie ci fecero caso e, dopo qualche istante, il corridoio sprofondò nel silenzio.

Qualcosa si allentò nel petto di Patrick. Aveva risolto il problema della fame e della sete, gli era stata fornita una spiegazione su rospi e conigli, e aveva già ricevuto un'offerta di amicizia.

«Penso che mi innamorerò di questo posto» disse Patrick, porgendo loro i biscotti. I tre adulti – più un coniglio e un rospo – rimasero seduti per quasi un'ora a disquisire della parrocchia, dei bambini e del conte di Bellefonte.

E non parlarono neanche un attimo del tempo atmosferico. Quando la conversazione si chiuse attorno al coro, Patrick ebbe la sensazione di parlare con due, o forse quattro, amici di vecchia data.

Poco dopo arrivarono i bambini a recuperare gli animaletti; una campanella della cena risuonò in qualche angolo remoto della casa.

«Vi unirete a noi per la cena» disse lady Kirsten, spostando indietro la sedia. «I bambini vorranno conoscervi e offrire dei suggerimenti su come continuare l'operato di Daniel. I nostri studenti sono di grande aiuto e spesso hanno ottime idee.»

Il signor Banks circumnavigò la tavola per sorreggere la sedia di Sua signoria con la stessa rapidità con cui i bambini inseguivano i rospi e, quando si alzò, lady Kirsten gli diede un bacio sulla guancia e si appoggiò al suo torace. Proprio lì, in salotto, davanti a Patrick incapace di distogliere lo sguardo, marito e moglie si scambiarono delle effusioni amorose.

«Non vi scandalizzate» disse lady Kirsten. «I bambini ci ignorano e la servitù ci ride sopra. Sono innamorata di mio marito, signor Warwick. Forse un giorno Sally Blumenthal si comporterà allo stesso modo con voi.»

Patrick fu attraversato da una strana sensazione: l'impulso di ridere accompagnato da un brivido di freddo. Doveva ancora incontrare la bella signorina Blumenthal, ma adorava un soprano sicuro di sé e d'un tratto si sentì fiducioso che avrebbe apprezzato il suo nuovo incarico a St Jude. E così fu: il suo mandato durò cinque anni, dopodiché divenne il primo istruttore all'Accademia di Haddondale a insegnare Latino alle ragazze, e il primo a suggerire che ogni studente fosse autorizzato a partecipare alla corsa di cavalli di fine anno. Le ragazze erano scelleratamente brave a cavallo, oltreché a cacciare rospi e conigli. E invece disprezzavano correre dietro ai ragazzi...

I cinque figli di Kirsten e Daniel studiarono fianco a fianco con gli altri bambini, che includevano vari cugini, parenti acquisiti, figli dei vicini e, di tanto in tanto, qualche piccolo lord che la scuola pubblica aveva quasi ridotto a pezzi.

Anche quelli che erano quasi un caso perso ricevettero una buona educazione. Crescevano tutti bene, anche se non riuscivano a memorizzare i sostantivi della quinta declinazione o il modo in cui ci si deve rivolgere a un arcivescovo in pensione.

Crebbero tutti con saldi principi perché, a prescindere dalla materia di insegnamento, il curriculum insegnava loro la gentilezza e l'onestà, la compassione e la tolleranza, la speranza e il perdono, oltreché l'amore incondizionato.

Amen.

Dal catalogo Leggereditore

La magia del cioccolato di Laura Florand
Un cuore d'oro di J.R. Ward
La fiamma della passione di Jessica Andersen
Sottomessa di Lora Leigh
Tuo per sempre di Lisa Kleypas
Amore eterno di Larissa Ione
Il bacio rivale di Lara Adrian
Roma 39 d.C. Marco Quinto Rufo di Adele Vieri Castellano
Dark Warrior di Kresley Cole
Una dolce scoperta di Nora Roberts
La rivelazione dell'antica carta di Karen Marie Moning
Il bacio della strega di Melissa de la Cruz
Un solo piacere di Lora Leigh
Un piccolo sogno di Susan Elizabeth Phillips
Segreti di una notte d'estate di Lisa Kleypas
Accadde in autunno di Lisa Kleypas
Un amore su misura di Sugar Jamison
Una passione pericolosa di Lisa Marie Rice
Un dono prezioso di Nora Roberts
Estasi infinita di Maya Banks
Appuntamento con l'amore di Jules Stanbridge
Il gioco dell'inganno di Adele Vieri Castellano
Le coincidenze dell'amore di Colleen Hoover
Il mistero del lago di Nora Roberts
Due vite in gioco di Nora Roberts
Il lago dei desideri di Susan Elizabeth Phillips
Beautiful Bastard di Christina Lauren
La sfida del cuore di J.R. Ward
Passione inconfessabile di Shayla Black
Un regalo d'amore di Lisa Kleypas
Una promessa d'amore di Mary Balogh
You & Me di Valentina F.
Il frutto proibito di S.C. Stephens
Piacere colpevole di Lora Leigh
Peccati d'inverno di Lisa Kleypas
Lothaire di Kresley Cole
L'ora della verità di Maya Banks
Seduzione deliziosa di Tara Sivec
La signora della passione di Lara Adrian
Il fuoco della notte di Larissa Ione
Piacere estremo di Georgia Cates
Rischio letale di Pamela Clare
Scandalo in primavera di Lisa Kleypas
Beautiful Stranger di Christina Lauren
Piacere pericoloso di Lora Leigh
Lady Cupido di Susan Elizabeth Phillips
L'eroe dimenticato di Suzanne Brockmann
Il richiamo dell'ombra di Kresley Cole
Tutti pazzi per Gaia di Stefania Nascimbeni
Nove regole da ignorare per farlo innamorare di Sarah MacLean

L'amore è come un film di Victoria Van Tiem
Brivido inconfessabile di Shayla Black
Prigioniera del tuo amore di J.C. Reed
L'irlandese di Kathleen McGregor
Nessuna via di fuga di Maya Banks
Un amore pericoloso di Nora Roberts
L'amore che viene di Lisa Kleypas
Sogno impossibile di Georgia Cates
Le sintonie dell'amore di Colleen Hoover
L'eroe ribelle di Suzanne Brockmann
Il gioco perfetto di Jaci Burton
Intrigo delizioso di Tara Sivec
La signora del coraggio di Lara Adrian
MacRieve di Kresley Cole
Angeli ribelli di Sylvia Day
Seduttore dalla nascita di Susan Elizabeth Phillips
Brucio d'amore di Darynda Jones
Dieci cose da seguire per non farselo sfuggire di Sarah MacLean
Magia di un amore di Lisa Kleypas
Il conte di Glencrae di Stephanie Laurens
La prova d'amore di S.C. Stephens
Il regalo più grande di Jenny Hale
Obiettivo pericoloso di Pamela Clare
Le parole infinite di Nora Roberts
Il desiderio della notte di Lara Adrian
Beautiful Player di Christina Lauren
Il canto del deserto di Adele Vieri Castellano
Ghiaccio nero di Anne Stuart
Odio quindi amo di Susan Elizabeth Phillips
Felicità perduta di Georgia Cates
Undici sfide da affrontare per domare il suo cuore di Sarah MacLean
Sublime di Christina Lauren
Forse un giorno di Colleen Hoover
Cuori selvaggi di Sylvia Day
Stregata dalla notte di Larissa Ione
Gioco senza regole di Jaci Burton
La ragazza dagli occhi scuri di Lisa Kleypas
Nascosti nell'ombra di Maya Banks
Il professionista di Kresley Cole
Dolce & selvaggio di Christina Lauren
La fuga di L. Adrian e T. Folsom
Amore inconfessabile di Shayla Black
Freddo come il ghiaccio di Anne Stuart
Amami per come sono di Jenny Hale
Dark Skye di Kresley Cole
I segreti della casa sul mare di Nora Roberts
La forza dell'angelo di Heather Killough-Walden
Leggenda di sangue e amore di Theresa Melville
Volare fino alle stelle di Susan Elizabeth Phillips
Cuore di ghiaccio di Anne Stuart
L'ultima occasione di S.C. Stephens
Eccitante & divertente di Christina Lauren
Contatto illecito di Pamela Clare

L'incastro (im)perfetto di Colleen Hoover
Resistere è inutile di Jenny T. Colgan
Tristan e Doralice – Un amore ribelle di Francesca Cani
Amori, bugie e dolci al limone di Sue Watson
Beautiful Secret di Christina Lauren
Tempesta di ghiaccio di Anne Stuart
Passione nelle tenebre di Roberta Ciuffi
Le ragioni del cuore di Maria Masella
Le promesse di una vita di Susan Elizabeth Phillips
My Dilemma Is You 1 di Cristina Chiperi
Le confessioni del cuore di Colleen Hoover
Il giardino delle rose di Susanna Kearsley
My Dilemma Is You 2 di Cristina Chiperi
I desideri nascosti del cuore di Mary McNear
Sospiri nel buio di Maya Banks
My Dilemma is You 3 di Cristina Chiperi
Inevitabile di Angela Graham
Una scelta impossibile di Susan Elizabeth Phillips
Sensuale & seducente di Christina Lauren
Sweet di Tammara Webber
Mess di Ilaria Soragni
Tra due cuori di Samantha Young
La schiava francese di Kathleen McGregor
Bright Side. Il segreto sta nel cuore di Kim Holden
Il mio cuore per te di Valentina F.
Il sogno di un amore di Valentina F.
M'ama o non m'ama di Valentina F.
Voglio essere una top model di Daniela Azzone
Segreti e speranze di Carolyn Brown
Dark Heart di Kresley Cole
La moglie del mercoledì di Catherine Bybee
Le scelte della vita di Mary McNear
Camera single di Chiara Sfregola
Estate batticuore, AA. VV.
Consolation di Corinne Michaels
Fuoco e ghiaccio di Anne Stuart
Travolta dal tuo amore di J.C. Reed
Un disastro chiamato amore di Chiara Giacobelli
Fragile di Tammara Webber
Insostituibile di Angela Graham
I Still Love You di Cristina Chiperi
Alicia e una pazza fuga d'amore di Valentina F.
Alicia zenzero e cannella di Valentina F.
Sposata di lunedì di Catherine Bybee
9 novembre di Colleen Hoover
Forever di Cristina Boscá
La grande fuga di Susan Elizabeth Phillips
Conviction di Corinne Michaels
La cura del cuore di Mary McNear
Gus. L'altra metà del cuore di Kim Holden
Sex or Love? 1 di Flavia Cocchi
Sex or Love? 2 di Flavia Cocchi
Beautiful di Christina Lauren

Ricordo inconfessabile di Shayla Black
Jonas e Viridiana – Il cuore d'inverno di Francesca Cani
La prima stella della notte di Susan Elizabeth Phillips
Vendetta d'amore di Anna Grieco e Irene Grazzini
Disconnect 1 di Ilaria Soragni
Fidanzata di venerdì di Catherine Bybee
Un'anima che vibra di Loredana Frescura e Marco Tomatis
Ogni cosa a cui teniamo di Kerry Lonsdale
Emozioni inconfessabili di Shayla Black
La mia ultima estate di Anne Freytag
Disconnect 2 di Ilaria Soragni
Orizzonti sconosciuti di Maya Banks
Lo spazio tra le stelle di Anne Corlett
Estate a Oyster Bay di Jenny Hale
(Non) ti voglio di Christina Lauren
The Winner's Curse – La maledizione di Marie Rutkoski
La seduzione dell'ombra di Kresley Cole
Cosa ho fatto per amore di Susan Elizabeth Phillips
Le cose da dimenticare di Kerry Lonsdale
Un bacio, mille sapori di Miranda Nobile
Piccante e delizioso di Anna Grieco e Alexia Bianchini
Amore carbonaro di Mila Orlando
Brodetto galeotto di Christina Assouad
Emozioni a fuoco lento di Elisabetta Motta
Dolce risveglio di Donatella Perullo
Fino all'ultima parola di Tamara Ireland Stone
Non lasciarmi andare di Catherine Ryan Hyde
Le fragilità del cuore di Susan Elizabeth Phillips
La ragazza del mare di Sara Zarr
La scatola delle preghiere di Lisa Wingate
Il vero gentiluomo di Grace Burrowes
Tutti i miei domani di Jessica Guarnaccia
Torbide passioni di Nora Roberts
Desideri infranti di Kerry Lonsdale
Passione Beautiful Bastard – La trilogia di Christina Lauren
Tre storie d'amore senza fine – La trilogia di Nora Roberts
My Dilemma Is You – La trilogia di Cristina Chiperi
Amori ribelli – La trilogia di Ilaria Soragni
#iostoconloro di Loredana Frescura e Marco Tomatis
Georgiana di Deborah Begali
Andreas e Zoya. Il fiore di pietra di Francesca Cani
La moglie scomparsa di Sheila O'Flanagan
Il casale dei sogni perduti di Lisetta Renzi
Sotto lo stesso tetto di Christina Lauren
Un sasso in una bolla di Nicole Londino
La matematica dell'amore di Helen Hoang
Amore e fantasia di Susan Elizabeth Phillips
Il peso dell'odio di Pamela Claire
La sorella silenziosa di Diane Chamberlain
Il vero desiderio di Graces Burrowes
Desiderio di vendetta di Maya Banks

Per consultare il nostro catalogo
visita il sito www.leggereditore.it
e iscriviti alla newsletter
per essere continuamente aggiornato
sulle nostre pubblicazioni.
Seguici su:

e sul blog Leggereditore, www.leggereditore.it

Finito di stampare nel luglio 2018 presso
Puntoweb - via Variante di Cancelliera snc - Ariccia (RM)
Printed in Italy